D0582417

SCIENCE FICTION

Herausgegeben
von Wolfgang Jeschke

Von Christof Schade erschien in der Reihe
HEYNE SCIENCE FICTION & FANTASY:

Das Paulus-Projekt · 06/4044

Liebe Leser,

um Rückfragen zu vermeiden und Ihnen Enttäuschungen zu ersparen: Bei dieser Titelliste handelt es sich um eine Bibliographie und
NICHT UM EIN VERZEICHNIS LIEFERBARER BÜCHER. Es ist leider unmöglich, alle Titel ständig lieferbar zu halten. Bitte fordern Sie
bei Ihrer Buchhandlung oder beim Verlag ein Verzeichnis der liefer-
baren Heyne-Bücher an. Wir bitten Sie um Verständnis.

Wilhelm Heyne Verlag GmbH & Co. KG, Türkenstr. 5–7, Postfach
20 12 04, 8000 München 2, Abteilung Vertrieb

CHRISTOF SCHADE

# DER GENETISCHE KRIEG

*Science Fiction Roman*

Originalausgabe

WILHELM HEYNE VERLAG
MÜNCHEN

HEYNE SCIENCE FICTION & FANTASY
Band 06/4229

Redaktion: Friedel Wahren
Copyright © 1985
by Wilhelm Heyne Verlag GmbH & Co. KG, München
Printed in Germany 1985
Umschlagbild: Franz Berthold
Umschlaggestaltung: Atelier Ingrid Schütz, München
Satz: Schaber, Wels
Druck und Bindung: Elsnerdruck, Berlin

ISBN 3-453-31209-0

Die drei kleinwüchsigen Männer hockten versteckt hinter dem Felsen. In immer kürzeren Abständen hob der stämmigste von ihnen die Augen knapp über die Steinkante und beobachtete den langsam näher tuckernden Traktor. Am Steuer saß ein Weißer. In den Furchen, die der Pflug hinter der Zugmaschine in den Boden riß, liefen drei einheimische Landarbeiter. Die Räder des Traktors wühlten sich in die trockenen rostbraunen Halme vor seinem Kühler, überrollten die verdorbene Ernte, pflügten sie unter und gaben die nackte rotbraune Erde frei.

Der Späher sank wieder zurück auf die Knie, flüsterte mit seinen Kumpanen. Die beiden lauschten aufmerksam; weder in den Schlitzaugen noch auf den flachen gelben Gesichtern spiegelte sich eine Gemütsbewegung. Nepalesen, die auf den terrassenförmig angelegten Feldern des Hochlandes einen Anschlag planten. Ihre abgetragene Kleidung glich im Schnitt dem Einheitsanzug der Rotchinesen. Eine bis zum Hals durchgeknöpfte Jacke, die in einem kleinen halbsteifen Stehkragen endete. Der weltbekannte Mao-Look, nur schmutziger, als im Reich der Mitte erlaubt. Sie waren auch keine Chinesen, die Grenze zu China lag noch gut fünfzig Kilometer weiter im Norden. Sie waren Nepalesen, alle drei. Zwei Dorfbewohner und der stämmige Meng Te aus Katmandu, ihr Anführer.

»Wir müssen sie töten«, sagte Meng Te leise, obwohl der Motorenlärm auf Dutzende von Metern jedes Geräusch verschlang. »Sie könnten euch erkennen.« Die beiden nickten. »Dem Weißen darf aber nichts passieren, den übernehme ich selbst, kein Haar wird dem gekrümmt.«

Im Bund ihrer pyjamaähnlichen Hosen, zusammengehalten von einem lose gebundenen Strick, steckten Gurkha-Messer mit der typisch gebogenen Klinge.

»Wir wollen noch etwas warten, bis sie kurz vor der Wendemarke der Furche sind.«

Meng Te krümmte sich noch mehr zusammen, zog aus

der Hosentasche zwei Enden Schnur, band seine Hosenbeine damit hoch – das Kleidungsstück sollte ihn nicht beim Laufen behindern. Die beiden anderen folgten seinem Beispiel. Dann richtete er sich auf, spähte noch einmal über den Rand des Verstecks und kommandierte wenig später gepreßt:

»Los!«

Als erster sprang er hinter dem Felsen hervor, hörte im Nacken das Keuchen seiner Begleiter, wußte, ohne den Kopf zu wenden, daß sie dicht hinter ihm über die aufgerissene Erde rannten. Im Laufen zog er bereits das schwere Messer aus dem Bund.

Die Feldarbeiter und der weiße Entwicklungshelfer sahen sie kommen. Schon ihr hastiger, zielstrebiger Laufschritt flößte Angst ein, noch bevor die Messer in ihren Händen auftauchten. Christian Corall lähmte der Schreck für Sekunden. Der Traktor brach aus der Spur, drohte gegen den Felsen zu rattern, während Corall in sinnlosem Kreislauf immer wieder die Frage durch das Hirn schoß: Was soll ich tun? Was soll ich tun, was soll ...?

In einer solchen Situation hatte er noch nie gestanden, sie nicht einmal in Gedanken durchgespielt. Die konkrete Gefahr, mit der Felswand zusammenzustoßen, gab ihm die Handlungsfähigkeit zurück. Beherzt griff er ins Steuerrad, zwang das Fahrzeug in eine Linkskurve, wohl wissend, daß ihm dieses Manöver keineswegs zur Flucht verhelfen konnte. Der Traktor fuhr zu langsam, die Wende kostete zusätzlich Zeit, und noch ehe er den Bogen vollendet hatte, hörte er jemanden auf die Anhängerkupplung springen. Durch den angekuppelten Pflug zum Schrittempo verurteilt, konnte er den unsichtbaren Gegner im Rücken nicht abschütteln, schaffte nur noch wenige Meter, bis sich ein Arm um seinen Hals schlang und ein schwerer Schlag, den er schon erwartet hatte, sein Bewußtsein auslöschte.

Die drei Nepalesen hinter der Zugmaschine hatten kaum die Gefahr erkannt, als sie auch schon laut schreiend umkehrten und davonrannten. Während sich der stämmige Meng Te sofort auf den Traktor konzentrierte, verfolgten seine beiden Komplizen mit weit ausgreifenden Schritten die Flüchtenden. In ihrer Panik nutzten die drei weder ihre Überzahl, noch zerstreuten sie sich, um es den beiden Männern mit dem Einholen schwerer zu machen.

Eine Zeitlang wurde der Abstand nur geringfügig kleiner, aber dann stolperte der erste über eine Erdfurche, geriet ins Straucheln, der Verfolger kam heran, schwang sein Messer und schlug es ihm kraftvoll ins Genick. Der Kopf flog vom Rumpf, blutüberströmt stürzte der zuckende Körper auf den Acker.

Auch der zweite Killer erreichte sein Opfer, das vorher kurz stehengeblieben war, unschlüssig, ob er dem Fallenden aufhelfen sollte. Zu spät, er rettete weder den anderen noch das eigene Leben, ein einziger Hieb tötete auch ihn.

Der letzte Todgeweihte gab die Flucht auf. Drehte sich um, brach in die Knie, streckte seinem Mörder flehend die ausgebreiteten Arme entgegen, wobei er einen Namen rief, den der Wind verwehte. Der Vollstrecker in der Mao-Uniform hörte auf zu laufen. Fast bedächtig ging er auf den Knienden zu, der jetzt die Augen geschlossen hielt, noch immer die Lippen für ein Murmeln bewegte, ohne daß man die Worte verstand, und die Arme wie zum Willkommen in die Höhe reckte. Der Henker wog das Messer zwei-, dreimal in der Hand, bevor er ausholte. Dann sauste die gebogene schwere Klinge herunter und spaltete dem im Staub knienden Mann die Stirn bis zum Nasenansatz.

Christian Corall erlangte das Bewußtsein wieder. Er lag auf dem Boden vor der Felswand. Zwanzig Meter entfernt brannte der Traktor; das Feuer griff auf die trockenen braunen Halme über; das restliche Feld mit der verdorbenen Ernte drohte ein Flammenmeer zu werden. Die Hände hatte man ihm auf dem Rücken gefesselt, über seinen Füßen stand der stämmige nur mittelgroße Nepalese und betrachtete ihn aus mitleidlosen Augen.

Corall war ein breitschultriger, gutgewachsener junger Mann Anfang Zwanzig. Wache braune Augen, die gewöhnlich mit einem Anflug von Humor und Selbstkritik in die Welt blickten, unter den gegebenen Umständen allerdings jetzt nur noch Angst zeigten. Das schmale Gesicht, die hohe Stirn über den dichten Augenbrauen wiesen noch keine eingegrabenen Spuren peinvoller Lebenserfahrung auf. Die Nase war klein, keck ein wenig nach oben gebogen, wie man es häufig bei Tatmenschen sieht. Die Lippen breit, ein wenig aufgeworfen, darunter ein festes Kinn mit Grübchen. Corall stammte aus Westdeutschland.

Er versuchte sich aufzurichten. »Recht so«, unterstützte sein Bezwinger in hartem Englisch diese Bemühungen, und um ihm noch rascher auf die Beine zu helfen, griff er in die lockige Haarfülle seines Gefangenen, zog ihn an den Haaren schmerzhaft in die Höhe. Corall biß die Zähne zusammen, wollte kein Zeichen von Schwäche geben, begriff seine Situation, versuchte sich einzugewöhnen. Als er stand, sah er die Körper seiner Begleiter in einiger Entfernung am Boden liegen. Die beiden Landarbeiter flach, während Fuman-Re, der Genossenschaftsleiter, in seltsam verrenkter Stellung in einer Ackerfurche hockte. Daß alle drei tot waren, daran bestand kein Zweifel. Aus der Richtung des brennenden Traktors näherten sich die beiden Mörder. Corall schmerzte der Kopf. Ob die Übelkeit vom Schlag herrührte oder vom tragischen Bild seiner jetzt so hilflosen Helfer, mochte er nicht entscheiden.

»Kommen Sie!« befahl der Nepalese ungeduldig. »Wir binden Ihnen die Hände los. Es gibt eine kurze Kletterpartie. Machen Sie keine Dummheiten! Sie haben gesehen – wir spaßen nicht. Vorwärts!«

Die beiden anderen waren herangekommen. Meng Te erklärte ihnen etwas im heimischen Dialekt. Gleichmütig blickten sie auf Corall. Dann bedeutete der Führer dem Deutschen, ihm zu folgen. Er verschwand hinter den Felsen. Corall wußte, das Dümmste wäre jetzt, sich den Anordnungen zu widersetzen. Hinter ihm beschlossen die zwei Killer den kleinen Zug.

Ein steiler steiniger Pfad schlängelte sich zwischen den Felsen in die Höhe. Sie stiegen etwa zehn Minuten, wobei sie sich immer wieder mit den Händen kräftig stützen mußten, um das Gleichgewicht nicht zu verlieren. Schließlich erreichten sie eine Straße, deren dünne Asphaltdecke mehr Löcher als Belag aufwies. Typisches Entwicklungshilfe-Projekt! dachte Corall. Da sind wie so häufig die Auslandsgelder wahrscheinlich weniger dem Straßenbau als den Konten einiger Bürokraten zugute gekommen. Daß er sich irrte, erfuhr er später.

In einer Ausbuchtung des Weges, halb auf die Böschung gefahren, parkte ein alter Lastwagen, französisches Fabrikat. Steinschlag hatte die Windschutzscheibe schon lange zertrümmert und die Karosserie verbeult. Mehrere Seitenlatten, die die Ladefläche wie ein Gitter begrenzten, waren zerbrochen.

»Hinlegen!« schnauzte der nepalesische Führer, sobald ihre Köpfe über den Straßenrand ragten. Vorsichtig spähte er nach links und rechts. Von hier aus gewährte die Landschaft einen weiten Ausblick nach beiden Seiten. Corall, der neben ihm lag, konnte nirgends ein Fahrzeug entdecken. Kilometerweit keine Bewegung. Er drehte das Gesicht und schaute auf die Terrassenfelder zurück. So weit das Auge schweifte, wehten vom Rost vernichtete braune Halme im Wind. Nur da, wo er mit dem Unterpflügen begonnen hatte, wurde wie eine häßliche Wunde die rote Erde sichtbar. Am Rand schwebte eine schwarze Rauchfahne zum Himmel: der brennende Traktor. Längst mußte die unheilvolle Wolke das Dorf in einem von hier aus nicht einsehbaren Seitental alarmiert haben; doch er konnte keine Menschenseele ausmachen. Schliefen sie alle in der Mittagshitze, oder war es die Angst?

»Zum Lastwagen, schnell!« kommandierte sein Wachhund, sprang auf, lief mit schnellen Schritten über die Straße. Corall fühlte einen Stoß zwischen den Schulterblättern, taumelte hoch und wurde an den Armen, schneller als er in seinem Zustand rennen konnte, das Wegstück zum Wagen gezerrt, fast getragen. Eingeklemmt zwischen den beiden Männern, kam er erst wieder im Führerhaus zur Besinnung. Meng Te startete den Motor. Auf der kurvenreichen Straße ging es holpernd, aber in raschem Tempo höher hinauf ins Gebirge.

Ky Ketjak stand vor dem ersten Zelt aus Yakhäuten. Mit untergeschlagenen Armen sah er dem vierköpfigen Trupp entgegen, der nach dem zweistündigen Aufstieg den Dorfrand erreichte. Corall fühlte sich am Ende seiner Kräfte. Nach längerer Fahrt hatten seine Entführer den Lastwagen in einer gut getarnten Felshöhle im Tal einer Nebenstraße versteckt. Anschließend begann der Kletterweg durch unwegsamste Gegend. Manchmal zweifelte er am Weiterkommen. Seine Bewacher behandelten ihn nicht gerade sanft, kaum eine Pause zum Verschnaufen, und immer noch schmerzte ihm der Kopf, tanzten ihm bunte Kringel vor den Augen. Er fühlte Dankbarkeit an eine unbekannte Vorsehung, als jetzt die Zelte der Sherpasiedlung in Sicht kamen, das Bild verhieß Ruhe. Seit dem Überfall, der abenteuerlichen Autofahrt, dem kräftezehrenden Bergmarsch kam ihm erst jetzt, kurz vor dem wahrscheinlichen Ziel seiner unfreiwilligen Reise, die Frage in den Sinn: Was wollen die eigentlich von mir? Lösegeld? Warum liege ich nicht tot im Acker?

Seit sein Bewußtsein nach dem Schlag wiedergekehrt war, beobachtete er erstaunt, daß der Schock des Überfalls schon verschwunden war. Beschämt gestand er sich ein – er war sofort sicher gewesen –, daß sie keinen weißen Mann umbrachten. So etwas widerfuhr Eingeborenen, aber keinem Europäer. Das war koloniales Denken, ekelhaft. Wie konnte ihm so etwas passieren, ihm, dem Freund der Dritten Welt?

Als die Gruppe sich jetzt näherte, deutete Ky schweigend auf den Zelteingang. Meng Te stieß den erschöpften Corall hinein, der mehr fallend als willentlich auf mehreren Kissen Platz nahm. Der Boden war mit handgezurrten Teppichen in bizarren Mustern ausgelegt. Alles das nahm Corall halb betäubt wahr. Seine Bewacher verschwanden; Ky Ketjak sprach mit ihnen und betrat dann das Zelt.

Schweigend starrte er den Gefangenen an. Corall starrte zurück, unfähig, ein Wort zu sagen. War es Erschöpfung, war es Angst? Der Blick bannte, gebot Unterwerfung. Plötzlich fuhren die verschränkten Arme auseinander, schnellte der rechte Arm mit einer herrischen Bewegung vor. Corall zuckte zurück, im ersten Moment dachte er, der Mann wolle ihn schlagen, aber die Hand blieb mit ausgestrecktem Zeigefinger in der Waagerechten über seinem Körper in der Schwebe. In hartem, kehligem Englisch stieß der Fremde hervor: »Umdrehen!« Lauter fügte er in der Landessprache, für den Gefangenen unverständlich, noch einige Worte hinzu. Während Corall überlegte, was ihm sein Peiniger mitteilen wollte, drängten sich durch den Zelteingang zwei wilde Gestalten. Schmutzige, fast zerlumpte Mao-Anzüge schlotterten um dürre, aber sehnige Glieder, die schwarzen fettig glänzenden Haare wurden von breiten Stirnbändern aus dem Gesicht gehalten. Der nepalesische Nachsatz des englischen Befehls hatte ihnen gegolten. Leicht geduckt standen sie hinter ihrem breitschultrigen Anführer, musterten den kauernden Deutschen aus mitleidlosen Schlitzaugen in runden Gesichtern mit vorspringenden Backenknochen und Löchern statt Nasen.

Fehlt nur das Messer zwischen den Zähnen, dachte Corall und wußte nicht, ob er es spöttisch oder ängstlich meinte. Seine Innenwelt geriet ihm wieder durcheinander. Eben noch hatte er trotz der brutalen Behandlung keine unmittelbare Bedrohung mehr gefühlt, jetzt kehrte der Zweifel zurück. Kam auch die Angst, oder konnte er standhalten? ›Fehlt nur das Messer zwischen den Zähnen‹ – eine herablassende Anmerkung kolonialer Herrenmenschenmentalität, die vergessen hatte, in welcher Lage sie gewohnheitsmäßig ihren Spott ausgoß. Er betrachtete die beiden Burschen. Stricke um den Bauch hielten die geflickten Anzüge auf Taille. Sie rochen nach Schweiß und Knoblauch, die Füße staken in groben Riemensandalen, besohlt mit alten Autoreifenprofilen.

Die Hand mit dem ausgestreckten Zeigefinger über ihm senkte sich langsam, deutete auf seine Brust. Erneut befahl der Mann etwas in der Landessprache, den Kopf leicht nach hinten zu seinen Leuten gewendet, ohne den Gefangenen dabei aus den Augen zu lassen. ›Umdrehen‹, hatte er verlangt, erinnerte sich Corall. Aber ehe er der Aufforderung

11

nachkommen konnte, geschweige denn Zeit fand, darüber nachzudenken, ob er ihr überhaupt nachkommen wollte, waren die beiden Strauchdiebe über ihm. Wie eine greifbare Wolke hüllte ihn ihr Gestank ein. Besonders empfindlich gegen Gerüche durch den Schlag auf die Schädeldecke und seinen insgesamt angegriffenen Zustand, flutete ihm eine Welle von Übelkeit aus dem Magen in den Hals; er fürchtete sich übergeben zu müssen. Die Anstrengung, diese Katastrophe zu vermeiden, lenkte ihn fast davon ab, wie die beiden mit ihm umsprangen. Einer packte seine Schulter, der andere die Füße, und ohne große Rücksichtnahme drehten sie ihn auf den Bauch. Mit ungeheurer Empörung wandte er dem Initiator dieser Behandlung, aus den Kissen auftauchend, seitwärts den Kopf zu. ›Was soll der Unsinn?‹ wollte er schreien, aber er hielt unter dem harten Blick des anderen den Mund, wußte selbst nicht warum, fühlte sich klein, unwichtig, ohne eigene Persönlichkeit, fühlte sich als Ding, und ließ danach mit sich verfahren.

Der Kerl hinten kniete ihm schmerzhaft auf den Beinen, der vorn preßte ihm die Schultern gegen den kissengepolsterten Boden. Wieder kam ein Befehl. Corall drehte mühsam das Gesicht noch weiter zur Seite, um wenigstens zu erkennen, was der zweite Handlanger anstellen würde. Mit wütenden Stichen, die von der Beule ausgehend durch den ganzen Leib strahlten, reagierte sein Nervensystem auf die Bewegung. Er konnte sehen, daß der Mann den Strick von den Hüften nahm und ihm damit die Füße zu verschnüren begann. Im selben Moment verstärkte sich der Druck auf die Schultern. Der Nepalese über ihm hatte die Hände mit den Knien vertauscht, saß ihm jetzt mit dem Oberschenkel halb über dem Gesicht. Corall glaubte ersticken zu müssen, während seine bisher seitwärts gestreckten Arme nach hinten auf den Rücken gerissen wurden. Tränen schossen ihm in die Augen, ob vor Schmerz oder Wut, konnte er nicht unterscheiden. Er würgte, aber sein Magen war leer, und trotz seiner mißlichen Lage brachte ihm diese tröstliche Erkenntnis Erleichterung. Die Blamage im eigenen Auswurf zu liegen, bliebe ihm wenigstens erspart. Die beiden

Peiniger stiegen von seinem Körper und verließen das Zelt.

Eine jämmerliche Figur, die ich da abgebe! wütete er schweigend in sich hinein. Er konnte es nicht erklären, aber es beschämte ihn ungemein, so vor seinem Bezwinger zu liegen, wehrlos, vernichtet, ein Ding. Ausdruckslos starrte der Mann auf ihn herunter, nur Sekunden, dann wandte er sich um und verließ ebenfalls das Zelt. Corall schloß die Augen, hörte ein raschelndes Geräusch, schaute aber nicht nach. Er wußte, sein Kerkermeister hatte die Außenplane über den Eingang rollen lassen; außerdem dunkelte das Licht hinter seinen Augenlidern ab.

Nicht denken! dachte er. Abschalten, einfach ganz abschalten! Da war überall nur Schmerz, flimmerte durch ihn hindurch, flutete in jede Faser. Beinahe zufrieden überließ er sich diesem Aufruhr der Nerven, konnte den einzelnen Schmerzempfindungen sogar Farben zuordnen. Das dunkle, kräftige Rot, mit dem die Kopfbeule das Rückgrat marterte, oder das feine Sandgelb, mit dem die Fesseln ihm in die Handgelenke schnitten. Ein gutes Dutzend farblicher Abstufungen machte er auf seiner Schmerzpalette aus, genoß es fast lustvoll; dann glitt er in den erlösenden Schlaf hinüber.

Als er die Augen aufschlug, war es dunkel. Der stechend strenge Geruch, der den Zeltwänden entströmte, drang ihm als erster ins Bewußtsein, dann die unbequeme Bauchlage, gemildert durch die Kissen unter seinem Körper. Die Schmerzen hatten stark nachgelassen, nur die Schlagstelle zwischen den Haaren rumorte noch, und die Halswirbel rebellierten mit leichtem Ziehen gegen die verrenkte Kopflage.

Weit hast du es gebracht, Entwicklungshelfer Corall! Sinnvolles hast du geleistet! dachte er bitter. Langsam gewöhnten sich die Augen an die Finsternis, erkannten hinter den Zeltbahnen ein schwaches Flackern, das auch die aus gegerbten Tierhäuten zusammengenähte Gefängniszelle bis zu einem gewißen Grad erhellte. Doch seine Blicke sahen in diesen Sekunden ein anderes Bild. Ein wohlproportioniertes Mädchen mit herrlichen langen blonden Haaren, seidig schimmernd. Gilda, verdammte, begehrenswerte Gilda! Das ist nun meine Freiheit. Ich liege hier, gefangen, gefesselt und gedemütigt, vielleicht am Ende meines Wegs, und alles ist mir näher als diese gesuchte Freiheit. Er hörte sich am runden Tisch der Kneipe zwischen all den leeren und halbvollen Biergläsern sagen:

›Könntest du dir vorstellen, daß Freiheit auch durch persönliche Identität errungen wird?‹ Nicht Gilda, sondern Fred, den arroganten Superreichen, hatte er gefragt, den, der alles hatte, auch Gilda, die wunderbare Gilda.

Ein Geräusch riß ihn aus seinen Träumen. Die Eingangsplane wurde zurückgeschlagen; Finger, beleuchtet vom Schein der Lampe, die sie hielten, wurden als erstes sichtbar, dann kam dahinter das Gesicht seines Kerkermeisters in den blendenden Kreis der neuen Helligkeit. Corall erschrak, der Mann hatte ihm angst gemacht. Die Stärke, die Unerbittlichkeit, die von ihm ausgingen, schüchterten ihn ein, obwohl Corall sich darüber ärgerte. Ihm war in diesem Augenblick durchaus bewußt: Selbst ohne Fesseln, selbst ohne die Burschen, die auf Befehl bereitstanden zu töten, hätte ihm dieser Mann unter normalen Bedingungen möglicherweise nicht nur Respekt, sondern auch Furcht eingejagt. Freiheit – war es möglich, daß dieser Mann frei war, so wie er, Christian Corall, gern frei werden wollte?

Der Mann nahm anfänglich keinerlei Notiz von ihm. Er hielt die Lampe gegen die Decke, schwenkte sie in einem vorsichtigen Bogen, bis er den Haken an der waagerechten Mittelstütze gefunden hatte und das Licht dort festmachen konnte. Eine leicht blakende Petroleumfunzel, deren Glaszylinder, wie Corall jetzt von unten in der Aufsicht erkennen konnte, im oberen Drittel stark verrußt war. Dann bückte sich der ungebetene Besucher, sammelte im Zwielicht einige Kissen zusammen und türmte sie zu einem Sitz. Er nahm breitbeinig Platz. Wieder starrte er schweigend auf seinen Gefangenen.

Ich zähle bis zehn, schwor Corall mit zusammengebisse-

nen Zähnen. Wenn er bis dahin nicht redet, sage ich was ...
sage ich was ... sage ich was ... Aber er mußte gar nicht
zählen.

»Wie fühlen Sie sich?« fragte die rauhe, kehlige Stimme.
Das klang nicht unfreundlich. Corall spürte seine Beklem-
mung etwas weichen. Er zögerte, bevor er antwortete,
wollte ganz sicher sein, daß seine Stimme ebenfalls fest
klang.

»Es könnte besser sein.«

»Wollen Sie auf dem Rücken liegen?«

Corall überlegte, prüfte seinen Zustand. Der Untergrund
war elastisch. Ließ er sich wenden, drückte sein Gewicht auf
die gefesselten Hände; Kissen würden das erträglich machen. Natürlich hätte er keß fordern können: ›Binden Sie
mich doch einfach los!‹ Oder: ›Haben Sie Angst vor mir,
weil Sie mich mitten in Ihrem Lager gefesselt halten?‹ Aber
solche Sprüche verwarf er sofort und er wußte auch, warum. Er wollte von diesem Mann ernstgenommen werden, er
wollte akzeptiert und so gut wie möglich gleichrangig behandelt werden. Also würde er weder seine Angst hinter
provokativen Reden verbergen noch ins andere Extrem –
des um Erbarmen winselnden Schwächlings – rutschen.
Cool bleiben! flackerte es ihm als blödelnde Devise seiner
pubertären Jugendzeit plötzlich durch den Kopf. Cool bleiben ... einfach kühl ...

»Vielleicht wäre es wirklich nicht schlecht, auf dem Rükken zu liegen.« Der schwere Mann stützte sich beim Aufstehen mit den Händen am Kissenberg ab. Ohne große Anstrengung hob er den Liegenden leicht an und drehte ihn
auf den Rücken; dann kehrte er in seine Ausgangsstellung
zurück. Wieder betrachtete er den Deutschen. Corall kniff
die Lippen schmal zusammen, blickte an die fleckige Zelt-
decke. Ich sage nichts, ich nicht. Soll er reden! Und die zu-
sammengepreßten Lippen waren wohl das äußere Zeichen
für diesen Entschluß. Cool bleiben, nicht geschwätzig werden, weil vielleicht keine unmittelbare Gefahr droht, weil
der Mann freundlich ist.

»Haben Sie Hunger? Durst?«

Die Frage weckte bei Corall ein heftiges Ziehen in der Magengegend. Plötzlich merkte er auch, wie trocken seine Kehle war. Er drehte den Kopf wieder dem Frager zu, nickte. »Beides«, sagte er.

Ketjak klatschte in die Hände.

Es verging vielleicht eine Minute; Corall bedauerte schon, das Klatschen sei draußen gar nicht gehört worden; aber dann öffnete sich der Zeltvorhang erneut. Eine schmale kleine Gestalt huschte herein, ließ mit ihrem Körper noch genügend Platz, daß Corall die Lagerfeuer draußen auf der Ebene erkennen konnte. Dann fiel das Leder wieder vor den Schlitz, und in den Lichtkreis der Lampe trat Chien-Nu. Im flackernden Halbdunkel – der Luftstrom von draußen brachte die kleine blau-gelbe Flamme auf dem Wolldocht in Bewegung – stand ein Mädchen. Er schenkte ihr weniger Beachtung als dem Holztablett, von ihr graziös auf dem linken Unterarm balanciert. Schon das Aroma verriet seiner Nase das Menü. Er war erstaunt: ein typisches Festmahl. Säuerlich eingekochtes Lammfleisch, mit Weizenfladen überbacken. Lange hatte es gedauert, bis er seinen Gaumen an diese Landesspeise gewöhnen konnte, übel war ihm geworden, aber die Ehrung der Gastfreundschaft verlangte, daß man standhaft und reichlich aß. Inzwischen gewann er auch dieser Mahlzeit Sättigungsfunktionen ab, hatte sich, wie in so vielem kulturell Ungewohnten, auch da aus Liebe zum Land Nepal überwunden. In diesem Moment hätte es weder der Liebe noch der Gastfreundschaft bedurft; der Hunger trieb das Essen ohne geschmackliche Vorbehalte in den Mund, als das Mädchen niederkniete und ihn zu füttern begann. Sie tat das sehr anmutig. War ein Bissen geschluckt, stemmte er wie ein Vogelkind im Nest den Kopf in die Höhe, riß die Zähne auseinander, und sie schob ihm schüchtern, dabei lächelnd, einen Holzlöffel voller Lammfleisch und Weizenfladenkrumen zwischen die Lippen, wobei sie sorgfältig die Portionen mundgerecht abmaß, während er kaute. Diese Beschäftigung gab ihm Zeit, das Mädchen zu mustern. Ein liebes Gesicht, so faßte er ihre zartgeschwungenen Wagenlinien, die Mandelaugen und die

16

ziemlich stark aufgeworfene Oberlippe zusammen. Ihr schüchternes Lächeln, mit dem sie jede Nahrungsgabe bedachte, kräuselte ihr zwei Grübchen links und rechts der Mundwinkel in die Haut. Der Anblick war tröstlich; zweifellos besaß er wenigstens ihre Sympathie in einer Umwelt von Feinden.

Ketjak sah dem Schauspiel schweigend zu. Die Fütterung dauerte gute zehn Minuten, und Corall hätte sie gern länger ausgedehnt, fühlte sich aber außerstande, noch langsamer zu kauen. Gewandt, ohne ihr Gleichgewicht irgendwo abzustützen, erhob sich das Mädchen aus ihrer knienden Haltung mit dem Tablett samt leerer Schüssel. Sie schenkte Corall noch ein volles Lächeln, das ihre Augen ganz schmal zog, dann drehte sie sich um, schlängelte sich an Ketjaks stämmigen Füßen in den Militärstiefeln vorbei und trat aus dem Zelt. Einen netten Po hat sie, schloß er mit Kennerblick aus der Bewegung ihrer Hüften und was dabei unter dem langen Wickelrock zum Vorschein kam. Er freute sich, inzwischen schon wieder über ausreichend Gelassenheit zu verfügen, solchen Nebensächlichkeiten einen Gedanken zu gönnen.

Der Schmerz am Kopf ließ nach. In den letzten Minuten hatte er ihn zwar nicht vergessen, aber nur als unterschwellige Störung empfunden. Jetzt, als das Mädchen gegangen war, quälte ihn der Nachgeschmack sauren Lammfleischs. Außerdem wuchs der Durst wieder, den die säuerliche Fleischsoße vorübergehend betäubt hatte. Eine Gasblase quoll in seinem Magen; er spürte das dringende Verlangen aufzustoßen, traute sich aber nicht. Zu würdelos schien ihm die Enthüllung seiner Verdauungsschwierigkeiten, obwohl er wußte, daß gerade asiatische Völker diese Reaktion als Lob der Küche schätzten. Er rutschte auf dem Kissenberg im Rahmen seiner engen Bewegungsfreiheit herum, suchte die bequemste und flachste Stellung, um durch Gegendruck der Bauchmuskeln den inneren Aufruhr zu bändigen.

»Möchten Sie trinken?« fragte Ketjak.

»Gern«, sagte er, und in diesem Moment mangelnder Konzentration fuhr ihm der Rülpser lautstark aus der Kehle.

Erschrocken warf er einen Seitenblick auf den Nepalesen, aber der nahm keine Notiz von dem unästhetischen Geräusch. Der Mann war aufgestanden, zog mit beiden Händen die Eingangsplane weit auseinander und rief den Männern am Feuer einige Sätze zu. Abwartend blieb er stehen.

Corall atmete auf, fühlte sich ohne den Magendruck erheblich besser. Durch den Spalt in der Zeltwand beobachtete er die schattenhaften Gestalten um die lodernden Holzscheite. Für Augenblicke lang schenkten die Flammen den Schatten Konturen, gaben ihnen ein Gesicht, spiegelten Augen den Glanz der Glut wider; dann verschwand die Form wieder in der Dunkelheit, löste sich auf, und das im Wind flackende Licht verlieh neuen Schatten Gestalt.

Welch gleichnishaftes Bild! spottete Corall innerlich, verfolgte den Gedanken aber nicht weiter. Vom Feuer lief ein Schatten herüber, verschmolz im Näherkommen fast ganz mit der Nacht, bis plötzlich geisterhaft eine Hand dem wartenden Ketjak einen Becher aus der Dunkelheit entgegenstreckte. Der nahm ihn, dankte mit einem Kopfnicken. Die Zeltbahn klappte vor den Eingang zurück, sperrte das Bild von Weite und Freiheit aus. Sofort fühlte sich der Deutsche von der Enge bedrückt, spürte er das Schneiden der Fesseln an Händen und Füßen, wurde ihm seine jämmerliche Lage bewußt, sank ihm der Mut wieder ein Stück. Was wollten diese Burschen von ihm? Lösegeld? Informationen?

Sein Kerkermeister bückte sich, stützte ihm mit der Linken leicht den Kopf, während er ihm mit der anderen Hand den Becher Tee an die Lippen setzte. Corall trank in durstigen Zügen das Gefäß leer. Der Nepalese ließ den Kopf des Gefangenen ziemlich abrupt zurück auf die Kissen fallen; das tat weh. Der unerwartete, wenn auch abgefederte Stoß trieb ihm von der Beule aus wieder Schmerzen durch den ganzen Körper. Eine unfreundliche Geste. Zusätzlich tastete der Mann die Schwellung anschließend ziemlich unsanft ab. Corall verkrampfte sich, preßte Lippen und Zähne aufeinander: Nur keinen Wehlaut ausstoßen, keine Schwäche zeigen! Soweit hatte ihn die Szene noch nicht entmutigt.

Ohne einen Kommentar richtete sich Ketjak auf und nahm an der anderen Zeltwand seine frühere Haltung wieder ein.

»Warum sind Sie nach Nepal gekommen, Mister Corall?«

Aha, das war es! Jetzt fing es an, das Verhör, jetzt würde er bald mehr wissen. Die innere Spannung stieg, gleichzeitig erleichterte ihn der Gedanke, nun zu erfahren, woran er war – genauso, wie er ihm Unruhe vor dem möglichen Ergebnis einflößte.

Warum war er nach Nepal gekommen? Wieder blitzte das Bild der rauchigen Kneipe auf, der runde Tisch, die Gläser, Gilda. Was hatte er gesagt? ›Könntest du dir vorstellen, Freiheit durch Identität zu erringen?‹ Was sollte er diesem Mann hier erklären? Dinge, die er selbst nicht ganz verstand, die er mehr fühlte? Den ganzen Schmus von der Hilfe für die Dritte Welt, von dem Mitleid mit den Armen dieser Erde wollte er nicht herunterleiern. Instinktiv wußte er, der Mann würde ihm nicht glauben, obwohl er tatsächlich ähnlich empfand, seit er hier lebte. So kleidete er seine Antwort ebenfalls in eine Frage.

»Abenteuerlust?«

Der andere schien zu überlegen, nickte dann langsam, fast gemessen. »Das könnte es sein, Mister Corall, und warum nicht? Wie sehen Sie unser Land heute?«

Corall fielen die bettelnden Kinder ein, die zaundürren Arme, die sich dem gutgenährten weißen Mann entgegenstreckten, die knochigen gespreizten Finger, das bittende stumme Lächeln.

»Das Land ist arm und hat Hunger«, sagte er.

Wieder nickte der Nepalese ernst und gemessen, als hätte der Kandidat die richtige Antwort gegeben.

»Und wer ist schuld an diesem Hunger, Mister Corall?«

Warnlichter blinkten in Coralls gequältem Hirn. Das also war es, keine Räuberbande-Politik! Es waren Guerilleros – oder sie spielten sie jedenfalls. Verdammt, er konnte da in etwas hineingezogen werden! Andererseits ... war es so nicht besser? Ungefährlicher und wenigstens sinnvoll? Zu viele Ideen strömten da plötzlich auf ihn ein ...

»Sie zögern?«

»Was soll ich sagen? Mißernten?«

Diesmal schüttelte Ketjak bedächtig den Kopf: Der Kandidat hatte die falsche Antwort gegeben.

»Sie wissen es wirklich nicht?«

»Mißernten, unzureichende Auslandshilfe, mangelnde Devisen«, wiederholte er trotzig. Faulheit, hätte er noch anfügen mögen, wenn er daran dachte, wie unwillig manche seiner Dorfbewohner waren, mehr Land unter den Pflug zu nehmen, zum Beispiel Tusam-Fo. Aber er nannte diesen Grund aus Vorsicht lieber nicht; warum sollte er seinen Kerkermeister unnötig verärgern?

»Falsch«, sagte Ketjak ruhig und stand auf. »Denken Sie darüber nach, ich komme morgen wieder und frage Sie noch einmal.«

»Warten Sie!« Ketjak, schon gebückt, um durch den Zeltspalt nach draußen zu schlüpfen, blieb stehen, wandte sich um.

»Warten Sie, ich verstehe wirklich nicht, was Sie meinen, erklären Sie es mir ... bitte!« fügte er zögernd an. Er wollte den Dialog jetzt nicht unterbrechen, die relativ positive Stimmung zwischen ihnen beiden nicht verderben. Tatsächlich kehrte der Nepalese zurück.

»Wir hungern, weil das Getreide stirbt, aber wer wollte es je auf unseren Äckern wachsen sehen? Wir sind seit Menschengedenken Reisesser. Was ist geschehen, wohin ist der göttliche Reis verschwunden? Jetzt stirbt auch der Weizen, weil eine geheimnisvolle Krankheit über ihn gekommen ist, gegen die sich das Korn nicht wehren kann, gegen die man nicht einmal mit viel Geld ein Gift aus euren chemischen Großküchen kaufen kann. Das Getreide ist krank, das Land ist krank, ein Pesthauch weht über die Felder, die Natur stirbt.«

Er saß wieder auf seinem Kissenberg. Die Hände auf die Knie gestützt, die Augen fast geschlossen, wiegte er den Körper wie in Trance von links nach rechts, von rechts nach links ... Corall erstarrte, fasziniert von diesem Anblick, von dem, was der Mann sagte, wie er es sagte.

»Wohin ist der göttliche Reis verschwunden? Was wir als zweite Saat vor Jahren in den Boden brachten, war nur noch dem Namen nach die ehrwürdige Frucht. Der Samen stammte längst aus euren biologischen Fabriken. IR 8 hieß die erste Sorte, die man uns unter der mitreißenden Parole von der ›Grünen Revolution‹ anpries. Wahrhaftig, sie brachte Rekordernten! Die Bauern, ihre Frauen, die Kinder wurden satt. Ehrfürchtig lobten wir den weisen weißen Mann, denn was das neue Saatgut mehr kostete, holten wir durch den gesteigerten Ertrag – mit dem Erlös auf dem Markt – ohne Schwierigkeiten wieder herein. Aber der Reis wurde nach drei Saatperioden von der Tungro-Seuche befallen. Wir darbten ein Jahr, nicht allzusehr: Der spendenfreudige Westen schickte uns Weizen. Baute Mühlen, lehrte uns Brotbacken und Brotessen. Eine neue Reissorte kam in die Erde. IR 20 stand jetzt auf den Plastiksäcken. Diesmal kamen im zweiten Sommer die Heuschrecken. IR 20 muß für sie eine Delikatesse gewesen sein, kein Halm blieb übrig. Der Westen schickte Weizen. Man hatte die Unbill wohl vorausgesehen, denn IR 26 erwies sich dann als resistent gegen Ungeziefer und die ortsüblichen Krankheiten – nur nicht gegen den Wind auf dem Dach der Welt. Die Stürme, die vom Himalaja herunterbliesen, knickten die Ernte, der Reis wurde nicht einmal reif. Da rieten uns eure Entwicklungshelfer energisch, doch endlich selbst Weizen anzubauen.

Man wollte, wie ich als letztes über den Reis hörte, sogar eine besonders windbeständige Art aus Taiwan mit IR 26 kreuzen. Als man auf der chinesischen Insel danach suchte, entdeckte man, daß die Bauern dort das einheimische Kraut längst zugunsten von ausländischem Saatreis ausgerottet hatten.«

Er lachte durch die Zähne, aber es war mehr ein Knurren. Die dichten Augenbrauen wirkten gesträubt, raubtierhaft der ganze Kerl, gefährlich. Corall hielt sich still, atmete kaum aus Angst, Aufmerksamkeit zu erregen, trotzdem nötigte ihm der Mann Respekt ab. Der richtete jetzt die funkelnden Augen auf den Gefangenen.

»So sind wir auf Zuspruch von Fuman-Re, Ihrem Fuman-Re, diesem Komplizen der ›Lepra-Mafia‹, beim Weizen geblieben. Und der Erfolg? Sie selbst sind beim Unterpflügen des kranken Getreides entführt worden.«

Fuman-Re! Sie hatten seinen Genossenschaftsleiter getötet. Der da hatte ihn getötet, sein Befehl tötete Fuman-Re und zwei seiner Leute! Völlig sinnlos, wie es schien, nur um ihn hierher zu schleppen, ihn zu zwingen, eine Geschichte anzuhören, eine schlimme Geschichte. Ja, es war eine schlimme, eine tragische Geschichte, er empfand das durchaus, es machte ihn betroffen, aber er war nicht schuld. Sollte er am Ende für die Geschäfte multinationaler Konzerne mit der Dritten Welt büßen? Er konnte nicht verhindern, daß ihm bei diesem Gedanken der Schweiß die Achselhöhlen näßte, aber Ketjak ließ ihm keine Zeit, sein eigenes Schicksal im Vorgriff zu betrauern.

»Das tote Korn ist nur eine schwarze Seite eurer ›Grünen Revolution‹«, der Guerillero, so nannte ihn Corall jetzt, saß nun still und kerzengerade; er hatte das Seitwärtswiegen eingestellt, auch seine Stimme hatte den leicht singenden Tonfall, diesen rituellen Anflug verloren, klang wieder nüchtern ernst und kehlig wie die ganze Zeit vorher.

»Meine Leute haben Ihren Traktor verbrannt, dieses Symbol für Arbeitsvernichtung! Haben Sie sich je Gedanken gemacht, wenn Sie das teure Öl beim Furchenziehen in stinkendes Abgas verwandelten, wie viele Männer morgens in ihren Hütten hocken blieben, weil es für sie auf den Äckern nichts mehr zu tun gab? Bürokratisch, wie ihr Weißen seid, führt ihr sogar darüber Statistik. Acht bis zwölf Arbeitsplätze macht dieses knatternde, ekelhafte Räderwerk überflüssig. Wir zerstören jeden, den wir in Zukunft erwischen. Teufelswerkzeug, mit dem ihr Berater Fuman-Re spielte, Schiwa möge ihn zerstückeln!«

Sie haben ihn töten lassen! schrie Corall, ohne es auszusprechen. Was sollte dieses Gerede von der ›Lepra-Mafia‹ vorhin?

»Für Sie war es das erste Mal, als Tusam-Fo überredet wurde, seine Ackerfläche zu vergrößern. Sie waren stolz, als es Ihnen mit Assistenz von Fuman-Re gelang, ihm diese Zusage abzuringen. Sie haben nicht verstanden, warum sich der alte Mann anfangs so hartnäckig weigerte. Sie glaubten an einen weiteren Sieg in Ihrem persönlichen Kampf gegen den Hunger, wollten nur das Beste. Fuman dagegen sah seinen Vorteil, schob Sie vor, weil er das Spiel schon mehrmals erlebt hatte und sein böses Ende kannte. Ihm wäre es nicht mehr gelungen, auch nur einen Pächter in der Gegend für diesen Plan zu begeistern. Alle litten noch unter der Katastrophe, die Tirzan und Medji ereilte, Fuman-Res erstes Opfer, als der Traktor kam.

Medji, das waren zehn Familienmitglieder, die Alten, sein jüngerer Bruder, die Frau und fünf Kinder. Nicht viel anders als bei Tirzan. Da die Kinder noch keine volle Arbeitskraft gaben, der Alte nur noch wenig tun konnte, blieb das Feldstück von Medjis Bruder brach liegen. Die beiden Männer pflügten bloß auf Medjis Acker. Das reichte, um zehn Mäuler satt zu machen. Aber Fuman als Mann der Regierung muß stellvertretend für die nicht produktive Bevölkerung sorgen, für den Bauch von Katmandu, Patan und Bhadgaon, für die vielen Bürokraten, das Militär und ihre Angehörigen. Außerdem sollte der teure Traktor eingesetzt werden. Medji glaubte Fumans Versprechungen, die Verlockung des Gewinns war zu mächtig. Also ließ er die Maschine auf das Feld seines Bruders. Die Weizenernte gelang in jenem Jahr, und sie gelang bei vielen Medjis, die sich von einer Menge Fuman-Res hatten überreden lassen. Eine Überproduktion, für die der Staat keine Lagerhäuser besaß. Fuman zuckte mit den Achseln. Was konnte er tun? Die Schuld lag nicht bei ihm. Schuld hatten die fernen Bürokraten in Katmandu, er war ihr Werkzeug. Das nutzte Medji und Tirzan allerdings wenig, denn um das teure Saatgut zu bezahlen, hatten sie Kredit beim Staat aufgenommen, und der Staat im Dorf war Fuman. Medjis Ernte fraßen die Ratten, verdarben Sonne und Regen genauso wie das Getreide von Tirzan. Denn ebenso wie die Regierung konnten beide nirgendwo den Segen der Erde sicher aufbewahren. Die Herren in der Stadt konnten sich drücken. Sie kauften den Überfluß einfach nicht, aber die Bauern mußten bezahlen, mit ihrem Land, mit ihrer Existenz, mit ihrer Ehre. Sie wanderten in die Slums von Patan ab, und Fuman hatte den Grundstock für seine Genossenschaft.

Nachdem solche Fehlspekulationen in der Gegend gehäuft passierten, immer öfter Familien vor ihren Schulden in die Stadt flüchteten, hat man Sie geholt. Sie, den abenteuerlustigen, idealistisch gesinnten, tatkräftigen deutschen Entwicklungshelfer. Und so wie Sie sind viele gekommen, aber man hat euch nicht die Wahrheit gesagt. Diese Menschen hier leiden, je sie leiden an der Härte der Natur, ihrem Mangel und eine Zeitlang auch an ihrem Überfluß, aber sie leiden vor allem an euch. Ihr zeigt uns, was wir angeblich vermissen, eure so geballte Gutwilligkeit zerschlägt unsere Lebensgrundlagen, löst unsere Gesellschaftsstruktur auf. Wir verlieren uns, unsere Identität, den Glauben, die Ahnen, das Land. Und ihr gebt uns keine neuen Werte dafür, sondern saugt uns aus, plündert die Erde, verkauft uns eine Technik, die wir nicht brauchen.«

Er war atemlos geworden, der breitschultrige Kerl mit dem mächtigen Brustkorb, so hatte ihn der Zorn übermannt. Corall schluckte, schluckte krampfhaft, gleichzeitig bemüht, diesen Ausdruck seines schlechten Gewissens nicht sichtbar zu machen. Er war entsetzt! Nichts davon hatte er gewußt, nichts! Aber war das nicht stets die gottverfluchte Allerweltsausrede: Verzeihung, davon habe ich nichts gewußt! Bitte schön, ich bin unschuldig, wußte nichts, rein gar nichts! Er schämte sich, schämte sich in Angst und Schrekken. Hatten sie nicht ein Recht, ihn ebenso wie seine drei Leute zu behandeln? Rübe runter! Schrie das nicht alles nach Rache, was diesem Land angetan wurde? Wer aber sollte der Rächer sein, und an wem sollte Rache geübt werden?

»Nachdem Sie, Mister Corall, Tusam-Fo überredet hatten, Acker an die Genosenschaft abzutreten, weil er zu höflich war, Ihnen, einem Gast, auf Dauer eine Bitte zu verweigern, ging Fuman-Re abends zurück«, fuhr der wieder zu Atem kommende Ketjak mit kalter Stimme fort. Sollte es noch immer nicht genug sein, wurde das Sündenregister noch länger? »Großmütig ließ er Tusam-Fo die Wahl, sich mit Geld aus seiner Verpflichtung zu lösen. Fuman verkaufte dem alten Mann das eigene Land für eine hohe Summe, was immer noch billiger war als das teure Saatgut für sein Brachfeld. Sie sind unser Fluch, diese ertragreichen und doch so krankheitsanfälligen Weizensorten, die sich selbst nicht vermehren, diese impotenten Körner eurer ›Grünen Revolution‹, die uns auch immer impotenter und abhängiger machen. Damit muß nun Schluß sein, Schluß sage ich!« Er hieb erregt die rechte Faust in die linke Hand, das zweite Mal, daß er sichtbar die Fassung verlor angesichts der haarsträubenden Geschichten, die er in den letzten Minuten erzählt hatte. »Vielleicht verstehen Sie jetzt, warum einmal jemand dem Lepra-Schüler den Kopf spalten mußte«, sagte er mit wieder beherrschter Stimme.

»Und die beiden anderen Toten, waren sie auch schuldig?« fragte Corall leise, mehr zu sich selbst, aber laut genug, um es Ketjak hören zu lassen.

»Was ist schon der einzelne, wenn Tausende am Hunger sterben? Ich dachte, Sie hätten nicht nur die Kampfregeln von Taek Wo Dan studiert, sondern auch Religion und Philosophie dieser asiatischen Erde. Fuman-Re als Verräter aus den Reihen der ›Lepra-Mafia‹ hatte den Tod verdient; die beiden anderen umzubringen, verlangte der Selbstschutz meiner Männer. Sie stammen aus den Dörfern da unten und wären leicht wiedererkannt worden. Nicht alle von uns, Mister Corall, können und wollen ständig hier oben leben. Ein Mann wie Fuman-Re hatte den Tod verdient, er trägt die Mitschuld am Elend, das sich im Land ausbreitet.«

»Die beiden anderen, das war glatter Mord – Familienväter!« Hatte er, ausgerechnet er, wirklich ein Recht anzuklagen? Lenkte er nicht nur von der eigenen Schuld ab?

»Es ist tragisch, was da geschehen mußte, tragisch, wie so vieles in Nepal, vielleicht könnten Sie helfen, es zu ändern.«

Corall wertete die Frage nur rhetorisch, und Ketjak schien keine Antwort darauf zu erwarten, noch nicht. Er verließ das Zelt.

Der Morgen begann für Corall nach unruhigem Schlaf mit einem fatalen Erlebnis. Er erwachte und erschrak über seine abgestorbenen Hände und Füße. Heftig begann er die Finger zu biegen, dasselbe tat er bei den Zehen. Erleichtert stellte er erst ein Kribbeln und dann die Rückkehr von Gefühl in die Fingerkuppen fest. Die gleiche Reihenfolge registrierte er an den Füßen. Nun rutschte er in eine bequeme Seitenlage und merkte, daß er dringend seine Blase entleeren mußte. Sollte er rufen? Er prüfte seinen Zustand, beschloß dann, noch etwas zu warten. Der Schmerz hatte weiter nachgelassen, die Beule sandte nur noch ein dumpfes Stechen ins Rückgrat. Gerade als er so sein Allgemeinbefinden untersucht hatte, passierte es. Er hörte vor dem Zelt das Trappeln von Füßen, offenbar näherte sich jemand rennend seinem Aufenthaltsort. Dann kam der Anruf durch die Wachen, Corall konnte nicht verstehen, was sie in der Landessprache schrien, aber Wortlängen und Befehlston sind bei derartigen Anlässen in allen Sprachen ziemlich gleich. Hörbar versuchten die zwei Schreier einen Dritten zum Stehen zu zwingen. Corall machte diese Hörszene nervös. Was ging da vor? Er konnte nichts sehen, das beunruhigte ihn. Instinktiv spannte er die Muskeln an, aber die Stricke hielten, rührten sich keinen Millimeter aus ihren Hautrinnen. Draußen, das konnte er an den scharrenden Geräuschen und dem Stimmenkrawall erkennen, wandten die Wachen jetzt Gewalt an, um den oder die Eindringlinge von seiner ledernen Gefängniszelle fernzuhalten. Kleidung zerriß, Stiefel wurden knirschend in den Sand gestemmt, fanden aber offenbar wenig Halt; Männer keuchten. Das Ganze bewegte sich für den Gefangenen, der jetzt mit den Ohren sehen mußte, immer näher an den Eingang heran. Corall spürte den Druck auf seine Blase stärker, er starrte auf die Zeltbahn, die den Blick auf den Vorplatz versperrte. Die Männer schrien nicht mehr, sie keuchten nur noch. Öffnete einer den Mund, dann als Reaktion auf einen schmerzhaften Tritt oder einen Faustschlag. Plötzlich hörte er, daß einer zu Boden fiel und dumpf stöhnte. Auch der zweite Kämpfer schien zu erlahmen, deutete er die Geräusche draußen richtig. Coralls Besorgnis wuchs zu Panik. So sehr er den Moment fürchtete, wenn das Fell vor dem Eingang zur Seite gerissen würde und er wehrlos dem vielleicht blanken Entsetzen gegenüberläge, so sehr sehnte er gleichzeitig diesen Augenblick herbei, um die unerträgliche Spannung, was da auf ihn zukam, zu beenden. Wie einer, der aus Angst vor dem Tod Selbstmord plant.

Er mußte nicht lange warten. Auch sein zweiter Bewacher ging zu Boden. Der da stürzte und jammernd in den Sand rollte, konnte nur ein Wächter sein, denn wenn sie schon zu zweit des Angreifers nicht Herr wurden, dann der letzte Verteidiger seiner Zelle erst recht nicht. Die Bahn vor dem Eingang wurde tatsächlich zur Seite geschlagen. Ein Hüne, gekleidet wie ein gewöhnlicher Bauer, zwängte sich halb gebückt herein, das grobe blaue Leinenhemd an den Schultern zerrissen, die nackten Oberarme zerkratzt. Mit blutunterlaufenen Augen starrte er auf den gefesselten Corall, dem fast der Herzschlag aussetzte. Was wollte der Kerl von ihm? Wie gelähmt, auch unfähig zu schreien, schaute er dem näher Schleichenden entsetzt entgegen. Die Antwort auf seine unausgesprochene Frage, konnte er selbst geben: Der Mann wollte ihn umbringen, aber warum? Ein Knurren entwich den halbgeöffneten wulstigen Lippen, die kräftigen gelben Zähne waren wie zum Biß geöffnet. Die tellergroßen Handflächen nach vorn gestreckt, die Finger daran zu Klauen gekrümmt, stand er jetzt über Corall gebeugt. Der stinkende Atem fuhr dem Gefangenen direkt ins Gesicht, und jetzt brüllte der Mann seine Wut, seine Anklage, was es auch immer war, dem Deutschen in die Ohren. Der verstand nichts, wäre vor Schreck auch unfähig zu einer Antwort gewesen. Das einzige, was er neben seiner Panik noch aufnahm, war die plötzliche, wärmende Feuchtigkeit zwischen den Beinen, die ihm rasch über die Schenkel nach unten strömte. Er begriff nur das Gefühl, nicht die Konsequenz, er hatte sich in die Hosen gemacht.

Anscheinend steigerte Coralls sprachliches Unverständnis die Wut des Riesen. Noch einmal röhrte er seine Anschuldigung heraus, jedenfalls klangen die Worte durchaus identisch mit dem vorherigen Geschrei, dann stürzte sich der Angreifer auf sein Opfer. Corall fühlte sich unter diesem Berg Mensch erdrückt. Der preßte ihm einen röchelnden Schrei aus der Kehle, das letzte, was wohl jemals noch aus dieser Kehle dringen würde, denn jetzt schlossen sich die klauenartigen Pranken um seinen Hals. Corall sah Kringel vor den Augen.

Als er wieder zu sich kam, schleppte Ketjak gerade den militanten Eindringling mit einem Griff unter die Achseln aus dem Zelt. Seine Ohnmacht konnte nicht lange gedauert haben; unter diesen Händen hätte sein Halsknorpel nicht lange standgehalten. Der Guerillero hatte ihn also gerettet. Er badete in Dankbarkeit, die ihn heiß überflutete. So nahe dem Tod hatte er sich nicht einmal auf dem Weizenfeld gefühlt. Der Nepalese kam zurück. »Das war knapp«, sagte er in seiner ruhigen Art, ohne jedes Zeichen äußerer Erregung. Corall mußte erst seine schmerzende Kehle freiräuspern bevor er heiser »Danke!« entgegnen konnte.

»Wer war das? Was wollte der von mir?«

»Keine Ahnung, vielleicht ein Amokläufer aus dem unteren Dorf. Ich kenne den Mann nur vom Sehen; vielleicht haßt er Weiße. Alles Vermutungen, wir werden es nie erfahren, ich mußte den Mann töten.« Das kam gleichmütig, als hätte er gesagt: ›Ich habe Holz gehackt.‹ Oder: ›Ich mußte die Fliege an der Wand zerquetschen.‹

Der Mann war ein echter Killer, trotzdem konnte ihm Corall nach wie vor den Respekt nicht versagen. Er schickte nicht nur seine Leute zum Morden, er war durchaus bereit, selbst ein Menschenleben auszulöschen. Es gibt Menschen, von denen weiß man einfach, ohne sie näher zu kennen: Das sind Persönlichkeiten. Dieser Kerl gehörte zweifellos dazu. Charisma, nannten es die Alten mit einem Fremdwort: die Summe, Erfolg zu haben, anziehend, Leittier zu sein, Alpha-Mensch, Führungsperson. Der Guerillero vereinigte, so schien es, alle dafür nötigen Eigenschaften. Solchen Leuten ordnete man sich widerspruchslos unter, ohne den genauen Grund nennen zu können. Aber Corall wollte sich nicht unterordnen, er wollte frei sein, er selbst sein.

Trotzdem flößte ihm dieser Mann Vertrauen ein, so unsinnig das in seiner Lage und bei ihrem Verhältnis zueinander klang.

»Danke«, sagte Corall noch einmal, jetzt mit klarer, normaler Stimme. »Mir ist noch nie das Leben gerettet worden, aber es ist ein wunderschönes Gefühl, auch wenn ich nicht weiß, warum ich umgebracht werden sollte.« Sein Kerkermeister saß wieder auf dem Kissenberg. Abgesehen von der Helligkeit, glich die Situation genau dem gestrigen Abend, so als hätten keine Nacht, kein Mordanschlag dazwischengelegen. Jetzt, bei Tageslicht, betrachtete Corall zum ersten Mal den Nepalesen genauer.

Ketjak wirkte gar nicht wie ein Asiate. Er war Mischling, wie Corall später erfuhr. Allerdings völlig wie ein Nepalese aufgewachsen, anfangs jedenfalls. Hätte man seine Mutter nach der Nationalität des weißen Vaters gefragt, sie hätte verlegen schweigen oder schwindeln müssen, zu viele Männer wären in Frage gekommen.

Die charakteristischen Schlitzaugen entdeckte man nur andeutungsweise unter den buschigen schwarzen Augenbrauen, die an den Schläfen in kräftige Wirbel ausliefen. Die kurze breite Nase beherrschte das Gesicht. Sprang energisch nach vorn, war geradezu Symbol jener Stärke, die von dem Mann ausging. Runde schwarze Pupillen mit zwingendem Blick im makellosen Weiß der Augen schauten, ruhig und ohne auszuweichen, auf den Partner. Ein schmallippiger Mund über einem ausgeprägten Kinn verriet Härte. Mit nur kurzem Bogen als Zwischenraum ging das Kinn in einen kräftigen Hals über, der in starke breite Schultern mündete und Ketjaks auch körperliche Kräfte unterstrich. Europäisch hochgewachsen, steckte die Figur des Mannes in einem militärischen Tarnanzug, wie ihn französische Fallschirmjäger trugen, die gefürchteten Paras.

Während er den Nepalesen verstohlen musterte, überlegte Corall, ob jetzt der Zeitpunkt gekommen sei, den Mann nach dem Grund seiner Entführung zu fragen. Aber er verwarf den Gedanken wieder, das drängte nicht, wirkte nur ängstlich und kleinkariert. Noch mehr als gestern quälte ihn der Wunsch, dem Mann zu gefallen. Vielleicht konnte er auf Umwegen eine Antwort erhalten. Mit Schrecken entdeckte er jetzt seine nasse Hose. Vorsichtig hob er den Kopf und schielte nach unten auf die dunklen feuchten Flecken an seinen Hosenbeinen. Hatte sein Retter sie bemerkt? Wenn ja, dann überging er dieses Zeichen von Schwäche großmütig.

»Wollen Sie mir nicht Ihren Namen nennen?« fragte Corall schüchtern, als der andere auf seinen Dank hin schwieg.

»Warum nicht, ich heiße Ketjak, Ky Ketjak.«

»Mister Ketjak, ich verstehe nicht ganz: Mir haben Sie das Leben gerettet, aber meine drei Gefährten umbringen lassen. Bin ich so wichtig für Sie?« Nun war der Umweg doch direkter geraten, als er gewollt hatte.

Für Corall war das Lächeln um Ketjaks Mund eine Premiere, zum ersten Mal zeigte ihm der Mann ein freundliches Gesicht. Er hob sogar den Finger, um seiner Antwort Nachdruck zu verleihen.

»Nur Fuman-Re wurde umgebracht, Mister Corall, die Tötung der beiden anderen war Notwehr. Das alles hatte nur wenig mit Ihnen zu tun, es ergab sich günstig die Gelegenheit, mit dem Genossenschaftsleiter abzurechnen.«

»Dann ist meine Entführung nur ein Zufall?«

Ketjak legte die Hände wieder auf die Knie.

»Das würde ich nicht sagen, Mister Corall«, meinte er bedächtig.

Corall biß sich auf die Lippe, der andere wartete nur darauf, daß er jetzt direkt und ohne Umschweife die Frage stellte: Was wollt ihr von mir? Aber den Gefallen würde er ihm nun nicht tun. Druck konnte man mit dieser Ungewißheit nicht auf ihn ausüben, zumal er augenblicklich kaum um sein Leben fürchten mußte. Eine geplante Hinrichtung hätte Ketjak ohne Aufwand eben an ihm vollziehen lassen können, er hatte sie indessen selbst unter Gefahr verhindert.

»Sie haben Fuman-Re ein stattliches Sündenregister vorgeworfen, das ohne Zweifel auch in Teilen auf mich zutrifft. Verächtlich haben Sie vor allem aber über ihn im Zusammenhang mit einer ›Lepra-Mafia‹ gesprochen. Wer ist das?«

»Eine gute Frage. Ihr Sündenregister ist verziehen, weil Sie ein ahnungsloser Fremder› sind, der gutwillig leider Schaden stiftet. Fuman-Re aber wußte, was er tat. Bei Ihnen kann man noch auf Reue hoffen, auf mehr vielleicht – auf Wiedergutmachung«, fügte er nach einer minimalen Pause, einem mehr bedeutungsvollen Zögern, hinzu. »Fuman-Re konnte niemand mehr bessern, er war ein Verlorener, ein ›Lepra-Mafioso‹, Schiwa moge ihn zerstückeln. Aber Sie haben recht: Wer ist diese ›Lepra-Mafia‹, was macht sie so gefährlich? Manches von dem, was ich jetzt sage, wird Sie sicher enttäuschen, Mister Corall, da werden heilige Kühe geschlachtet, ethische Werte ihres Talmi-Glanzes beraubt und der Schmutz unter dieser Schicht von Rührseligkeit und fehlgeleiteter Hilfsbereitschaft sichtbar. Aber es ist wohl besser, wenn Ihnen endlich die Augen geöffnet werden, wie sehr man auch Ihren guten Willen mißbraucht. Das tut vielleicht weh, aber die beste Medizin schmeckt immer am bittersten – so heißt es wohl auch bei Ihnen.

Ich muß Ihnen nicht sagen, daß in meinem Land noch immer die Lepra wütet. Man hat viel unternommen, um dieser Geißel Herr zu werden, aber zu viele sind erkrankt, zu viele erkranken noch immer ...«

Während Ketjak in allgemeinen Sätzen weiter über die Lepra sprach, versuchte er die eigene Einstellung zu diesem Jungen zu klären. Gefiel ihm das Gesicht? Die Art, die Haltung? Gefiel ihm, was der sagte? Konnte man ihm vertrauen, ihn vor allem überzeugen? Er sprach über Lepra, ohne dabei zu sagen, was er eigentlich sagen wollte. Er mußte sich erst klarwerden, ob alles, was man ihm berichtet hatte, dieses Porträt eines engagierten, mitleidsfähigen jungen Manns, der aber auch entschlossen handeln konnte, ebenfalls sein Eindruck war. Er neigte nach dem wenigen, was ihm Corall bisher von seiner Persönlichkeit entdeckt hatte, schon dazu, dem Dossier zu glauben. Was änderte es, wenn er es nicht tat? Er mußte es auf jeden Fall probieren, es gab keine Alternative.

»Auch das Ausland hat sich tatkräftig an der Eindämmung und Behandlung der Lepra beteiligt, nicht zuletzt Ihr eigenes Land, Mister Corall«, fuhr er fort und konzentrierte sich jetzt wieder voll auf das, was er dem Deutschen wirklich erklären wollte. »Und das ist leider ein Fehler, ein schlimmer, verhängnisvoller Fehler, Mister Corall, denn was ist geschehen? Mit den Spenden gutwilliger Menschen, die damit ihr Gewissen über den eigenen Wohlstand beruhigen, hat man hier Lager gebaut. Die unheilbaren Kranken sterben nicht mehr im Straßenwinkel, ausgestoßen und vereinsamt, betteln nicht mehr und verbringen ihre letzten Tage nicht mehr wie räudige Hunde in der Gosse. Sie leben nun unter ihresgleichen, bei ärztlicher Betreuung und manchmal besserer Ernährung, als die Gesunden sie genießen. Das mag gut sein, Mister Corall, sehr menschlich, wie Sie es nennen. Aber diese bedauernswerten Kranken haben auch Kinder. Früher waren das auch bedauernswerte Kinder, denn die Familie stieß sie aus wie ihre gezeichneten Eltern. Kinder von Leprakranken waren tote Kinder, auch wenn sie noch atmeten. Das klingt hart in Ihren Ohren, der Sie die östliche Weisheit noch nicht in sich aufgenommen haben, aber es war das Gesetz dieser Erde. Hier durfte nur existieren, wer im Verband der Familie existierte. Die Familie sicherte das Überleben von der Geburt bis zum Grab. Ohne Familie war man schutzlos, rechtlos und dem Hunger, dem Tod preisgegeben. Das hat sich jetzt geändert, Mister Corall, dank der Gebefreudigkeit mitleidiger, aber gedankenloser Menschen Ihres reichen, spendenfreudigen Landes. Heute stirbt kein Kind lepröser Eltern mehr in Nepal. Die Barmherzigen Schwestern nehmen sich seiner an – die Frauen im weißen Kittel, mit den großen steifen Hauben auf dem Kopf – und die bezahlte mütterliche Güte von gut einem halben Dutzend kirchlicher und anderer Organisationen. Die Kinder erhalten nicht nur drei Mahlzeiten am Tag, Mister Corall, sondern auch eine Schuldbildung. Wissen Sie, wie groß die Zahl der Analphabeten in meinem Land ist? Sie wissen es, denn Sie sind mir als gewissenhafter junger Mann geschildert worden. Ihnen ist bekannt, daß sechsundachtzig Prozent meiner Landsleute keinen Buchstaben lesen oder schreiben können. Und Sie wissen auch, daß mehr als die Hälfte dieser Menschen heute jünger als zwanzig Jahre alt ist. Soll man da nicht zufrieden sein, wenn die weißen Teufel kommen? Und lehren sie nicht nur den Umgang mit dem Griffel, sondern auch Rechnen und Fremdsprachen?

Leider können wir das nicht gutheißen, Mister Corall. Leider ist es entsetzlich und hassenswert, diesen Kindern ein Privileg einzuräumen, wie es sechsundachtzig Prozent ihrer Altersgenossen verweigert wird. Die Mächtigen, die Mächtigen unserer Welt jedenfalls, sind die Gebildeten. Wer hier schreiben kann, Englisch oder Deutsch spricht, dessen Aufstieg in die Staatshierarchie ist gesichert.

Welche Ausbildung aber vermitteln wohl unsere Schulen, was glauben Sie, Mister Corall? Was können wohl unsere schlechtbezahlten Lehrer ihren unterernährten, von der Arbeit auf den Feldern überanstrengten Newari-, Thamang-, Gurung- oder Sherpa-Schülern beibringen? Unbrauchbaren Dreck gegen die exzellenten Studienverhältnisse in Ihren Lepradörfern. Von dort kommen jetzt die Wissenden, die Gebildeten, die Klugen, die Handelnden! Aber diese Menschen sind keine von uns. Keine Newari, Thamang, Gurung oder Sherpa; sie sind vom Stamme Lepra, und der hat keine Ahnen, kennt keine ehrwürdige Struktur der Familie. Ihre Väter, das sind eure Missionare, eure Spender, euer Geld. Ihre Familien, das sind die Firmen Siemens, Volkswagen und wie sie alle heißen, die Kapital in unserem Land investieren, um ihren Wohlstand auf unsere Kosten zu heben. Denn mit wem arbeiten sie da Hand in Hand? Mit ihren Söhnen vom Stamme Lepra natürlich. Die verstehen nämlich ihre Sprache, sitzen in den wichtigen Schlüsselpositionen, haben technisches Verständnis. Was sie nicht besitzen, ist die Liebe zu diesem Land Sri Nepála Sarkár, ist das Gefühl für die über Jahrtausende gewachsene soziale Struktur der Familienbindung. Sie sind Fremde in der eigenen Heimat, Parasiten, Werkzeuge zur Vernichtung alter Sitten. Sie brechen unser ererbtes Lebensgefüge auf, sie, die Untoten der Landstraße, sie saugen unser Mark aus, verschachern uns jetzt, weil wir sie nicht sterben ließen.

Fuman-Re war auch einer von ihnen. Er hat den westlichen Weizen gekauft, der auf unseren Feldern jetzt verdirbt, genauso wie Dutzende anderer Fuman-Res das getan haben.«

Ketjak strich sich mit der Hand über die Stirn. Das viele Reden strengte tatsächlich an, er war es nicht gewöhnt; meist sprach er nur kurze, prägnante Befehle.

Corall wirbelte der Kopf. Das Bild dieses Landes hatte Ketjak zerschlagen, die Stücke strudelten zwischen Zweifel und Scham in eine Leere hinab, die ihm angst machte. Alles war umsonst gewesen, sinnlos, vorbei. Einer Illusion war er nachgelaufen, er, der die Wahrheit der Dinge suchen wollte, ihre und seine Identität finden wollte, nicht um die Welt zu verbessern, wirklich nicht. Helfen, daran hatte er gedacht, wenigstens ein bißchen vom Standard, vom Wissen der Reichen an die Armen auf dieser Erde weitergeben. Und was wurde daraus? Ketjak hatte es ihm gezeigt. Er glaubte dem Mann ohne Zögern. Die Fakten paßten zu gut. Er erinnerte sich, wie viele der Bürokraten in Katmandu und selbst in dem Provinzstädtchen Palitpura mit Stolz von ihrer Jugend in einem Kinderdorf oder einem Lager kirchlicher Organisationen gesprochen hatten. Solche Erzählungen befriedigten damals seine Ideen von Hilfe für die Dritte Welt, schafften, wenn er es jetzt ehrlich betrachtete, ein kleines Hochgefühl von Überlegenheit mit einem Hauch Herablassung. Dafür schämte er sich jetzt, aber der Zweifel, was denn statt dessen getan werden konnte, endete in der Leere. So schnell wollte sich aus den Trümmern seiner Vorstellungen über dieses Land kein neues Leitbild zusammensetzen lassen. Das machte ihn hilflos, schuf Angst. Wir verkaufen den Menschen hier Illusionen, dachte er, Hoffnungen. Setzen Feuer unter einen leeren Kessel, halten fest den Deckel drauf und wundern uns, wenn das Ganze unter Druck gerät. Die zunehmende Gewalttätigkeit ist nicht zu übersehen: der Tod meiner Leute, meine Entführung, der Angriff auf mich heute morgen, das ganze Camp in den Bergen.

»Ich werde Sie jetzt losbinden, wenn Sie mir versprechen,

keinen Fluchtversuch zu unternehmen. Er wäre übrigens aussichtslos.«

Corall nickte zum Einverständnis: »Ich verspreche es.«

Ketjak kam herüber, zerschnitt die Fesseln an den Händen, half dem Deutschen beim Aufrichten und löste auch die Stricke an den Händen.

»Sie haben mir in doppelter Weise in der letzten halben Stunde zugesetzt«, sagte Corall, während er sich die Knöchel rieb, die Finger lockerte und die Füße zu massieren begann. Gott, tat das gut! Den zufriedenen Ausdruck in Ketjaks Gesicht, als Reaktion auf seine Worte, konnte er nicht sehen. Der Nepalese saß noch immer in seinem Rücken auf den Knien und verstaute das Messer, mit dem er die Fesseln zertrennt hatte, im rechten Stiefelschaft.

»Ich fühle mich in Ihrer Schuld, weil Sie mir das Leben gerettet haben, obwohl Sie mich zuvor in diese Situation brachten. Auf der anderen Seite zerstören Sie mir meine Ideale, meine Vorstellungen, den Sinn, warum ich überhaupt in diesem Lande bin.«

»Denken Sie jetzt nicht darüber nach, frühstücken Sie erst einmal! Geben Sie dem Mädchen dann Ihre Sachen zum Waschen, sie macht das prima. Ich komme später wieder.«

Mit diesem dezenten Hinweis auf Coralls verschmutzte Hose verließ er das Zelt. Der junge Mann stand auf. Herrlich war es, nach dieser langen Zeit wieder einmal die Glieder zu strecken! Nach einigen Freiübungen streifte er die Hose ab. Der Urin war inzwischen getrocknet. Da hörte er hinter sich ein Kichern. Das junge Mädchen von gestern abend war unbemerkt eingetreten. Ein Tablett auf dem Arm, stand sie vor dem Ausgang und schaute ihm zu. Er wurde rot vor Verlegenheit. Die Kleine sagte etwas. Natürlich verstand er sie nicht, ahnte aber den Inhalt der mit samtweicher, ein wenig hoher Stimme gesprochenen Worte. Zweifellos ein freundliches, aber gleichzeitig beruhigendes Witzchen auf seine Kosten. Unbefangen kam sie näher und setzte ihr Tablett mit seinem Frühstück am Kopfende des Kissenlagers ab. Dann trat sie zurück und nahm dort Platz, wo vorher Ketjak gesessen hatte. Jetzt war sowieso alles egal. Er fuhr rasch aus den Jeans, als gäbe es keine Zuschauerin, zog auch das grobe Leinenhemd über den Kopf. Trotzdem ärgerte ihn sein starker Körpergeruch, obwohl in dieser Hinsicht die Menschen hier oben nicht sehr empfindlich sein mochten. Auch Ketjak brachte Ausdünstungen ins Zelt, die den Gestank der Lederplanen in seiner unmittelbaren Nähe verdrängten.

Das Mädchen schnalzte mit der Zunge, wohl Anerkennung für seinen muskulösen Oberkörper, als hätte in Paris eine Dame ›Oh, là, là!‹ gesagt. Wieder wurde Corall rot. Sie lachte ihr dünnes, fröhliches Kichern; er fühlte sich blamiert.

»Du bist eine nette Person, aber ganz schön aufdringlich«, sagte er vorwurfsvoll zu ihr, aber sie schien die Zwischentöne schon richtig zu verstehen.

»Chien-Nu«, sagte sie und deutete mit dem rechten Zeigefinger auf die Stelle, wo etwas tiefer das Herz saß, davor sich aber für ihre zarte Figur ein ganz ordentlicher Busen wölbte.

»Aha, das soll wohl dein Name sein! Chien-Nu. Sehr hübsch. Ich ...« Er deutete ebenfalls auf sein Herz, »... Christian.«

»Chlissian ...Chliis ... sian«, wiederholte sie kichernd.

»Mhm«, nickte er, »beinahe richtig.« Dann wandte er seine Aufmerksamkeit dem Tablett zu. Gummiartiger Yakkäse, einige Stücke hartes Weizenbrot, mehr eine Art Zwieback, und ein großer Becher Ziegenmilch. Alles Dinge, die er inzwischen, wenn auch nicht mit Genuß, so doch zum Stillen seines Hungers zu essen gelernt hatte. Er setzte sich, die Beine gekreuzt wie ein echter Nepalese, auf sein Lager und begann in das harte Brot zu beißen. Dabei betrachtete er das Mädchen, hübsch war sie, ausgesprochen hübsch, und eine Aura von Charme umgab sie ebenfalls, ein Flair, das er häufig bei Asiatinnen bewundert hatte. Sie gefiel ihm. Auch Chien-Nu beobachtete den jungen Mann. Hinter anmutig vorgehaltener Hand verbarg sie ihren kichernden Mund, und die Augen zeigten jenen Ausdruck, den Autoren von Liebesromanen mit ›schelmisch‹ zu beschreiben pflegen.

Nachdenklich tauchte er das Zwiebackbrot in die Ziegen-milch. Wie alt mochte das Mädchen sein? Aus seiner Erfah-rung schätzte er sie sechzehn, höchstens siebzehn. Sie konnte schon verheiratet sein, aber dann würde sie wahr-scheinlich nicht hier sitzen. Wer hier jung war, arbeitete, amüsierte sich nicht. Ihm kam Gilda in den Sinn, der Abend in der Kneipe. Hier lag die Antwort, die Ketjak gesucht hat-te, als er fragte: ›Warum sind Sie nach Nepal gekommen, Mister Corall?‹

Ja, warum? Man konnte die Kaserne schwänzen, ver-pflichtete man sich für drei Jahre dem Entwicklungsdienst. Wozu hatte man einen Vater im Entwicklungsministerium? Das Diplom als Volkswirt, an dem er damals in München bastelte, wäre zuwenig gewesen. Qualifikationsmerkmale verlangten zumindest eine abgeschlossene Handwerksleh-re; aber mit dem Wissen vom großelterlichen Bauernhof im Rheinischen und etwas abgetrotzter Protektion hatte er die landwirtschaftliche Prüfung bestanden. Er durfte hinaus. Also Flucht vor dem Wehrdienst mit den ganzen guten Vor-sätzen im Gepäck, die ihm Ketjak vorhin kaputtgemacht hatte? War es das? Oder wirklich Abenteuerlust? Oder Gil-da?

In Wahrheit war es wohl jener Abend in der Münchner Kneipe, damals vor gut drei Jahren, Ende der achtziger Jah-re.

»Freiheit, was ist das eigentlich?« hatte der liebe Fred ge-fragt, provozierend den Arm um Gildas Schultern gelegt. Aber diese Geste war nur für ihn, den verliebten Trottel Christian Corall, provozierend, denn Gilda gehörte ja zu Fred, zu dem klugen, charmanten, steinreichen Fabrikan-tensohn Fred, der so ungeheuer viel saufen konnte, ohne jemals richtig voll zu sein.

Die Definitionen wurden wie Fehdehandschuhe in die Runde geworfen, von der ›Einsicht in die Notwendigkeit‹ bis zum ›Recht zu zweifeln‹, bis Fred grinsend die Gesichter musterte, mit der Linken nach dem Bier griff und nebenbei, während er das Glas zum Mund führte, sagte: »Freiheit ist: genug Geld zu besitzen.«

Er trank, die anderen lachten nicht, wahrscheinlich weil er recht hatte und sie fühlen ließ: Außer ihm selbst waren sie alle nur Knechte. Fred war frei. Er hatte Geld, er hatte Gilda.

Gilda, das Mädchen mit den dichten langen blonden Haaren, den leuchtend-blauen Augen, die manchmal ins Grüne spielten, dem tollen Busen, den Hüften und den wohlgeformten Beinen, aber das war nur Beigabe. Ihr Sex-Appeal, das Nichtbeschreibbare, das sich manchmal in einem Blick, in einer Bewegung ausprägte, ihr Duft ... das alles zusammen war Gilda, und sie gehörte Fred.

»Eigentlich bist du eine Sau«, hatte er zu Fred gesagt und war selbst erstaunt über seine harte Äußerung. In der Hackordnung des Kreises gehörte er nicht zu den Tonangebern. Doch Fred nahm ihm die Reaktion nicht übel. Er stellte das Glas zurück, wischte sich den Mund mit dem Handrücken trocken und sagte dann: »Ach, seid nicht sauer, aber so ist es doch, so ist die Welt!«

Seine Hand glitt von Gildas Schultern zu ihrem Haar, er packte die Strähnen im Genick zu einem Zopf, schüttelte daran vorsichtig den Kopf hin und her. Gilda zeigte Schmollmund.

»Hab ich nicht recht, Gilda?« fragte er. Corall hätte ihn am liebsten erschlagen. So ging man mit seinem Hund um, aber nicht mit einem Mädchen wie Gilda.

»Was glaubt ihr denn sonst, was Freiheit ist, ihr idealistischen Hosenscheißer?« fuhr Fred fort. »Das ist doch alles wiedergekäute Kacke, was ihr da aufgezählt habt. Das habt ihr angelesen, und gefehlt hat noch jemand, der die alte Rosa zitierte: ›Freiheit, ist immer die Freiheit des Andersdenkenden.‹«

Den letzten Satz verzerrte er mit affektiert hoher Stimme zur Karikatur.

»Nein, glaubt mir, frei ist nur, wer Macht ausübt, und Macht übt nur aus, wer das nötige Kleingeld dafür in der Tasche trägt.«

»Wie kannst du in deinem Alter schon so ein Zyniker sein?« Gilda machte diesen kritischen Einwurf. Corall begann zu hoffen. Sie löste ihr Haar aus Freds Fingern.

»Könntest du dir vorstellen, Freiheit durch persönliche Identität zu erringen?« schaltete sich Corall damals wieder in das Gespräch ein.

»Wie meinst du das?«

»Daß jemand so handelt, wie er denkt, daß er handeln will. Er verstellt sich nicht, ist ganz er selbst, leckt keine Arschlöcher, tut, was er richtig findet, ohne Angst vor den Folgen. Selbstbestimmung! Ist das nicht die echte Freiheit? Dein Scheißgeld macht dich doch auch abhängig.«

»Illusion, alles Illusion! Wer bringt schon fertig, was du faselst? Natürlich nur, wer Geld hat! Der leckt bestimmt keine Arschlöcher, der läßt lecken. Der hat keine Angst, Wurscht, was er denkt oder tut, besitzt damit – laut deiner Schlußfolgerung – Identität, oder?«

»Was soll eigentlich diese blöde Diskussion?« fragte Bernd verstimmt, der auch nicht gerade unbetuchte Eltern hatte.

Ja, was sollte die Diskussion? Aber Corall hatte instinktiv gespürt, wie ihm das Thema wichtig wurde, nicht nur weil Gilda mißmutig schaute. Daß der Streit ein ernsthaftes Zerwürfnis zwischen den beiden provozieren könnte, glaubte nicht einmal er in seinen kühnsten Wunschträumen, aber hier wurde etwas Grundsätzliches angesprochen, etwas, das für ihn selbst der Klärung bedurfte, egal aus welchen prahlerischen Überlegungen heraus Fred sein Glaubensbekenntnis der Runde ins Gehirn geknallt hatte.

»Laßt uns mal noch weiter reden!« rief er damals sofort, als Bernds Äußerung die Auseinandersetzung zu beenden drohte. Freds behagliches Grinsen unterstützte die Forderung. Besitzergreifend zog er die kaum merklich widerstrebende Gilda an seine Schulter, und in Corall keimte der Verdacht, nur ihretwegen habe er diese überhebliche Herausforderung in die Arena geworfen. Wenn dem so war, wollte er erst recht den Fehdehandschuh aufnehmen und für seine Idee fechten.

»Was ist überhaupt ›frei‹?« fragte er dieses selbstsichere Gesicht. Wie er diesen Schönling im Augenblick zum Kotzen fand, obwohl er ihn sonst ganz gut leiden mochte! »Du fragst nach Definitionen, du Arsch.« Er konnte nicht anders. »Aber was heißt ›frei‹?«

Auch jetzt nahm ihm Fred die Beschimpfung nicht übel, er schwebte in einem Dunstkreis von Alkohol, Wohlwollen und Selbstüberschätzung, in dem ihn keine Beleidigung mehr erreichte. »Na, das haben wir doch alles schon gehört, das war doch selbst meine Frage am Anfang.« Triumphierend lachte Corall auf. »Goldene Phrasen waren das, da hast du vorhin recht gehabt, so blöde wie dieses ganze Thema. Seit Freud wird dir nämlich jeder Psychologe bestätigen, daß wir gar keinen freien Willen haben, weder für die Einsicht in die Notwendigkeit, noch um objektiv zweifeln zu können, wie alle sind nämlich höchst subjektive Geschöpfe durch Erbanlagen, Erziehung, Umwelt. Jeder Hirnforscher, der auf sich hält, erklärt dir, wie die Synapsenbildung in den ersten drei Monaten deines Daseins funktioniert, und davon hängt im wesentlichen deine sogenannte ›Freiheit‹ ab oder – noch genauer – deine Fähigkeit, dich selbst zu bestimmen. Die Stärke deiner Intelligenz mißt das zu und nicht die Menge deines Geldes. Ein Dummer, der seine Identität gefunden hat, ist freier als ein verklemmter, ängstlicher, orientierungsloser Reicher. Also, ich sage es noch einmal zum Mitschreiben: Frei ist nur, wer furchtlos Denken, Wollen und Handeln in Harmonie bringt, und nicht, wer auf dem Geldsack sitzt!«

Sein lyrischer Schluß gefiel ihm besonders gut, weil er sich eigentlich schon zu besoffen wähnte, um noch gescheit zu formulieren.

Die Runde ging wohl an ihn. Sie schwiegen, nur Fred machte eine wegwerfende Handbewegung. Corall verspürte den mächtigen Drang seiner Blase. Er ging zur Toilette. Trotzig bestätigte er sich zwischen Uringestank, gesprungenen Kachelwänden und anderen Blasenentleerern, daß er es ihnen noch irgendwie zeigen würde, wie recht er hatte.

Und dann kam das Schöne, der Sieg, mehr, viel mehr: der Triumph nämlich! Denn als er den Raum dieser niedrigen Verrichtung verließ, die jeder kultivierte Mensch so gern abschaffen würde, stand Gilda im Gang. Gilda, ganz allein Gilda – für ihn. Vor Schreck wurde ihm die Zunge schwer, das Hirn weich, ihm fiel nicht ein, was er sagen konnte. Nichts Witziges, nichts Belangloses, gar nichts. Es war auch nicht nötig; sie hatte wirklich auf ihn gewartet.

»Du bist nett«, sagte sie, »du bist wirklich nett.« Und dann tat sie etwas, das er nie gehofft hätte tatsächlich zu erleben. Sie küßte ihn nicht, aber sie strich ihm geradezu zärtlich durchs Haar. »Weißt du, warum ich dich mag? Du hast einfach recht. Ich bin der lebendige Gegenbeweis von Freds These. Ich kriege jede Menge Geld von ihm, soviel ich will, und er verlangt nichts dafür, was ich nicht sowieso geben möchte. Ich liebe Fred, bestimmt, sein Geld fesselt mich aber auch, ich bin nicht mehr frei in meinem Verhältnis zu ihm, und so hängt wohl jeder, der seine Freiheit – oder wie du sagst, sein ›Freisein‹ – auf Geld setzt, an der Quelle, aus der das Geld strömt. Fred würde nie auf Geld verzichten können, um frei zu sein, auch ich wäre zu schwach dafür. Aber du kannst es schaffen, ich fühle es, ich bewundere dich.«

Konnte er das wirklich? Oder hatte er nur den Mund zu voll genommen, um Fred zu widersprechen? Blödes Imponiergehabe vor dem Mädchen, ohne echten Hintergrund?

Die Frage hatte ihn noch häufiger beschäftigt. Schließlich erfüllte ihn ihr Lob damals mit so viel Stolz, daß er auf der Stelle beschloß, seine Grenzen wirklich auszuloten. Wieviel Identität besaß er tatsächlich, wieviel Mut und Härte?

Heute ahnte er, daß Gildas Beifall damals weniger seinem Diskussionsbeitrag als dem Widerstand galt, den er Fred bot. Stellvertretend für sie hatte einer endlich einmal dem überheblichen Fred widersprochen, das hatte ihr bestimmt am meisten gefallen. Und dennoch: Gildas Anerkennung und die Neugier auf sich selbst, Ablehnung von Gleichschaltung in der Kaserne plus Abenteuerlust und ›Anderssein-wollen‹ hatten ihn in dieses Zelt gebracht. Wie sollte diese Mixtur aus Träumerei, handfesten Interessen und einem Schuß Idealismus jemals einem Dritten klar gemacht werden?

Als ob er eben erwache, sah er zu Chien-Nu hinüber. Das Mädchen war still geworden, hatte wohl gemerkt, daß seine Gedanken in Fernen weilten, die sie nie erreichen würde. Demütig nickend stand sie auf, griff nach seiner Kleidung und verließ das Zelt. Geistesabwesend nickte er ihr ebenfalls zu und trank dann gedankenverloren den Becher Milch aus.

Am Nachmittag kam Ketjak wieder. Corall saß, nur mit der Unterhose bekleidet, auf seinem Kissenberg und füllte die Zeit mit Freiübungen, allerdings nicht sehr konzentriert, sondern nur, um sich die Langeweile zu vertreiben.

»Ziehen Sie das an!« sagte Ketjak und warf ihm einen Anzug im Mao-Schnitt zu. Das ließ sich der Gefangene nicht zweimal sagen; trotz der Spätsommertage kletterten die Temperaturen in dieser Höhe nicht viel über zwanzig Grad. Er fuhr in die Sachen, dankbar, endlich auch aus der verschmutzten Unterhose zu kommen.

»Gehen wir ein Stück ins Freie!« Freude durchzuckte Corall; ganz plötzlich wich auch der unterschwellige Druck von Gefahr, der ihn bisher die Stunden seines Hierseins gequält hatte. Ein echtes Friedensangebot – das spürte er. Sicherlich würde er nun erfahren, warum man ihn gekidnappt hatte. Nach dieser Einladung konnte der Guerillero kaum zu Fessel und Bedrohung zurückkehren. Jetzt begann die Phase der Ebenbürtigkeit, er hoffte es wenigstens. So trat er vor das Zelt.

Eine bereits rötlich schimmernde Nachmittagssonne blickte gerade noch über die Zacken eines nahen Bergmassivs. Der Himmel war wolkenlos blau, der Duft von frischem Gras schlug ihm entgegen, den er sofort tief einsog, um den Zeltmief aus den Lungen zu vertreiben. Wenige Schritte vor ihm wartete breit und wuchtig sein Kerkermeister, Ketjak, der Guerillero. Corall schaute sich um, betrachtete die langen Holzhütten, das Dorf, in einiger Entfernung. Wieder atmete er tief, behielt die frische Luft im Brustkorb, bis ihm schwindlig wurde. Vergaß man die Umstände, ging es ihm schon wieder ganz ordentlich, dachte er, verurteilte dann aber diesen Anflug von Zufriedenheit. Man konnte die Umstände nicht einfach beiseite schieben und so tun, als sei das Schlimmste vorbei, zumal wenn diese Umstände noch so im ungewissen lagen. Die Sonne blendete ihn kurz, als er Ketjak die Augen zuwandte. Also auf in die nächste Runde! Er jedenfalls würde nicht fragen, warum man ihn hierher verschleppt hatte. Das Rätsel zu lösen, dazu mußte sich schon der kräftige Bursche bequemen.

»Kommen Sie!« forderte ihn Ketjak auf und unterstützte seinen Wunsch mit einer winkenden Handbewegung. Corall holte ihn ein.

»Wie fühlen Sie sich? Was macht die Beule? Sie wurden geschlagen, um Ihr Eingreifen in den Kampf zu verhindern. Wir wollten Sie schonen, damit Sie keine Dummheiten machen konnten.«

»Eine schmerzhafte Schonung«, murmelte Corall leicht sarkastisch und befühlte instinktiv seinen Hinterkopf. Die Schwellung hatte stark nachgelassen, machte nur Beschwerden, wenn man wie jetzt darauf drückte. Unangenehmer war die Vorstellung, er könnte dort unten im Tiefland mit eingeschlagenem Schädel auf dem Feld liegen. Er hatte das Bild wieder vor Augen: die drei Leichen zwischen den rotbraunen Furchen. Es stimmte ihn traurig. Wenn einer von ihnen auch seine Schuld gesühnt hatte, so blieben die beiden anderen doch Opfer. Und hatte der eine nicht für ihn mitgesühnt?

Als hätte Ketjak seine Gedanken gelesen, knüpfte er nahtlos daran an. »Sie dankten mir heute morgen für die Rettung vor diesem Amokläufer, Sie fühlen sich in meiner Schuld, sagten Sie. Könnten Sie sich vielleicht nicht in meiner, sondern in der Schuld dieses Landes fühlen? In der Schuld des Medji-Bauern, in der Schuld von Tusam-Fo?« Er sprach eindringlich, ganz freundlich, und doch lief es Corall heiß den Rücken hinunter, war da plötzlich wieder dieses Schamgefühl. Er war unfähig, sofort zu antworten. »Mister Corall«, sagte Ketjak nach einer kleinen Pause leise, die Augen zu Boden gerichtet. »Wir brauchen Sie.«

Jetzt blieb Corall wirklich die Luft weg, er kam fast ins Stottern. »Sie brauchen ... *mich?*«

Ketjak trat mit einem schnellen Schritt vor ihn hin und packte ihn bei den Schultern. Mühsam verbiß sich Corall einen Schmerzensschrei, so heftig preßte ihm der Riese die Daumen ins Fleisch, die Stimme aber blieb weiter freundlich, beinahe sanft: »Ja, wir brauchen Sie.«

»Wofür brauchen Sie mich?« fragte Corall entgeistert und kam sich bei dieser Frage ziemlich albern vor.

»Das Land Sri Nepála Sarkár braucht Sie, Mister Corall.« Für Momente flackerten Ketjaks Augen fanatisch, nahm seine Stimme etwas von diesem Fanatismus an, ähnelten diese Augen jenen des Amokläufers vom Vormittag, als er ins Zelt stürzte. Noch immer konnte Corall nicht glauben, was er da gehört hatte.

»Sie brauchen mich«, wiederholte er nachdenklich, »und dafür lassen Sie drei Menschen den Schädel einschlagen. Sie brauchen mich, und da können Sie nicht kommen und fragen, wann ich Zeit habe, und sagen, was ich tun soll? Da müssen drei Menschen grausam sterben, Ketjak? Ich verstehe Sie nicht, ich verstehe das alles nicht.«

Der Mann ließ ihn los, trat einen Schritt zurück, faltete die Arme vor der Brust und schaute Corall in die Augen.

»Ich habe Ihnen das erklärt«, sagte er, »und den Rest werden Sie erfahren, wenn ich weiß, ob das Land auf Sie rechnen kann.« Das erschien Corall alles eine Nummer zu groß, zu unecht, pathetisch und aufgesetzt. Andererseits: Alles was ihm der Mann erzählt hatte, klang wahr und tragisch genug, um auch eine so absurde Forderung zu rechtfertigen. War sie denn so absurd? Das mußte er ausloten.

»Erzählen Sie!« verlangte er knapp.

Ketjak ließ die Arme sinken, als wären sie erschöpft von einer großen Last befreit. »Kommen Sie!« sagte er, es klang fast liebevoll. Diesmal legte er einen Arm um die Schultern des jungen Deutschen und zog ihn mit sich fort. Das Dorf im Rücken, wanderten beide gemächlich über die würzig duftende Wiese.

»Sie müssen sich keine Vorwürfe machen, ich sagte es Ihnen schon: Fuma-Re ereilte ein verdientes Urteil. Die beiden anderen sind unschuldig gestorben, aber wie viele werden in den nächsten Monaten und Jahren noch unschuldig in diesem Land sterben – am Hunger! Der Weizen stirbt, Mister Corall, der Reis ist schon umgebracht worden. Überall aus dem Land, woher ich auch Nachricht erhalte, überall sind die Getreidehalme von der Rostkrankheit befallen, eine Hungerkatastrophe wird über uns kommen, und wir sind alle unschuldig daran, Mister Corall. Wenn Sie sich bereits erklären, unserer Sache zu dienen – was ich unerschütterlich hoffe, seit ich Sie kenne –, werden die Umstände eine Entführung voraussetzen, damit unser Plan gelingen kann. Darum mußten wir diesen Weg wählen. Ich denke, Sie werden das noch verstehen.

Ich habe Sie beobachten lassen, seit Sie von Palitpura in diese Gegend kamen. Ein junger Mann, der seine Heimat viele tausend Kilometer hinter sich läßt, um ein mönchisches Dasein unter Fremden und Armen zu führen, ist immer das Interesse wert. Warum kommt er? Nun, Sie haben es mir berichtet, und ich habe mir ein eigenes Bild von Ihnen gemacht. Jetzt ist die Stunde gekommen, da wir beide unsere Bilder am Maßstab der Wirklichkeit prüfen werden. Sind die Bilder falsch, werden wir sie auslöschen, und es wird sein, als wären sie nie gewesen. Gehen Sie nicht auf meine Vorschläge ein, Mister Corall, werden Sie mir versprechen, uns nicht zu schaden. Ihr Handschlag genügt mir. Es wird Ihnen hier oben nichts geschehen. Wir lassen Sie frei, das sollen Sie wissen, bevor Sie eine Entscheidung fällen. Sie stehen unter keinem Zwang, Ihr Ja oder Nein soll, nein, *muß* völlig freiwillig sein. Ich habe Sie hart angefaßt hier oben, ich wollte Ihre Standfestigkeit in einer Krisensituation prüfen, Sie haben glanzvoll bestanden. Für den unprogrammgemäßen Amokläufer bitte ich um Verzeihung, aber auch da bewährten Sie sich großartig, ich habe Sie nicht einmal schreien gehört.«

Aber in die Hose gemacht, dachte Corall, peinlich berührt.

»Sie wissen also, woran Sie sind, und jetzt will ich Ihnen mitteilen, warum wir Sie brauchen. Ich habe Ihnen gesagt, daß es keine Speicher gibt. Wir haben keine Speicher. Der gesamte Überschuß an Weizen, der in den letzten Jahren durch euer Saatgut, euren Kunstdünger, eure Traktoren erwirtschaftet wurde, verdarb entweder in provisorischen und minderwertigen Silos bei den Bauern, oder er wurde auf staatlichen Farmen zur Viehmast benutzt. Fleisch, das nicht auf unseren Märkten verkauft wurde. Sie wissen, Hindus und Buddhisten schlachten keine Tiere, essen sie nicht, den Moslems gelten Schweine als unrein. Der Export dieser Ware hat unseren Schuldenberg kaum vermindert, das Futter die Menschen hier aber um eine Nahrungsreserve gebracht. Ich weiß, der Bau von Getreidekammern wurde von höchster Stelle verhindert – seit zwei Jahren verhindert. Ich will wissen, warum und wer dahinter steckt. Das aber kann nur ein Weißer herausfinden; denn nur ein Weißer hat Zugang zu Weißen, und Weiße stecken hinter diesen Plänen, habe ich erfahren. Sie sind der erste und einzige Weiße, den sie in den letzten Monaten, seit mir der Skandal bekannt wurde, in unsere Gegend schickten. Werden Sie uns helfen, die Schuldigen zu finden?«

Er erwartete anscheinend noch keine Antwort, denn er schenkte Corall nur einen eindringlichen Seitenblick und nahm ihm dann den Arm von der Schulter, blieb stehen und sprach weiter, während ihm der junge Mann nun notwendigerweise das Gesicht zudrehen mußte.

»Sie sollen wissen, daß hinter mir noch Mächtigere stehen. Ich will Sie nicht anwerben, ich kann Sie nur bitten. Wenn Sie ja sagen, gibt es allerdings kein Zurück, dann müssen Sie hindurch, durch Lüge und Täuschung selbst Ihrer Leute, dann kann es auch Kampf heißen, bis Sie am Ziel sind. Bedenken Sie das! Sie werden von uns jede mögliche Unterstützung haben, aber diese Hilfe ist spärlich genug, sonst hätten wir die Sache selbst in Angriff genommen.«

Beide Männer starrten sich in die Augen. Corall konnte nur noch schwarze Höhlen in Ketjaks Gesicht ausmachen. Die Sonne war untergegangen, die Dämmerung sank schnell herab. Der Deutsche schwieg noch immer.

»Wir wollen zurückgehen«, sagte Ketjak und schlug den Weg in Richtung Dorf ein. Corall folgte ihm mit zwei Schrit-

46

ten Abstand. »Überlegen Sie, was ich Ihnen anvertraut habe! Ich hole mir morgen früh Ihre Entscheidung. Die Wachen vor Ihrem Zelt werden abgezogen.«

Corall hatte die Zeltplane vor dem Eingang zurückgeschlagen. Die Hände hinter dem Kopf gefaltet, ruhte er auf seinem Kissenlager und betrachtete von dort das leuchtende Sternbild des Orion am Nachthimmel. Abwesend und in Gedanken versunken, hatte er sein Abendbrot verzehrt, ein Stück gebratenes Ziegenfleisch, das ihm wieder die reizende kleine Nepalesin serviert hatte. Die Kanne Tee dazu stand noch halbvoll in Schulterhöhe neben ihm. Ketjaks Angebot ging ihm unentwegt durch den Kopf. Wer war dieser Mann? Nur ein Guerillero? Der Auftrag, von dem er gesprochen hatte, schien über Nepal hinauszugreifen, ein bißchen zu groß für einen einfachen und noch unbekannten Aufständischen. Aber er hatte etwas von Mächtigeren hinter ihm gesagt. Persönlich war ihm der Mann inzwischen ausgesprochen sympathisch, ein Kerl, dem man vertrauen, auf den man sich verlassen konnte. Schon während er das Für und Wider abwog, war sich Corall über seine Zusage im klaren. Nicht mehr ein Ja oder ein Nein galt es zu erörtern, sondern den Grund, warum er mitmachen wollte.

Es sollte einen Sinn geben, damals nach Nepal zu gehen. Irgendwie würde er es ihnen allen zeigen, so hatte er sich in München geschworen, die Identität, den eigenen Kern suchen, in der Krise das wirkliche Selbst entdecken. Frei werden durch den Mut, Wollen und Handeln in Einklang zu bringen. Aber hatte er bisher solche Situationen erlebt? Nein! Manches war mühsam gewesen; beschwerliche Kleinarbeit, neue Vorstellungen in traditionsgeleitete Köpfe einzupflanzen; aber die große Bewährung, die Forderung, wirklich er selbst zu sein, war ausgeblieben. Hier bot sich endlich die ersehnte Möglichkeit. Ablehnen hieße, nicht bereit zu sein, sein Wollen mit seinem Handeln in Übereinstimmung zu bringen, wäre feige Flucht vor der Chance, Identität zu beweisen. Damit war alles klar: Er würde Ketjak ohne Vorbehalt zusagen.

Trotzdem, prüfte er seine Gefühle, so konnte er ein leichtes Unbehagen nicht leugnen. Sei nicht so hart mit dir! tröstete der ängstliche Teil seiner Seele den wildentschlossenen. Aber Corall ärgerte sich überhaupt, Zeichen von Zweifel in seinem Verstand zu finden. Nimm es als Buße für den Mist, den du hier gebaut hast! beschwichtigte er sein Gewissen, während dieses unsichtbare Organ mit der Stimme seiner Mutter das ganze Gefasel von Identitätssuche zum Blödsinn erklärte. Ein Psychiater hätte ihm das als Ebenbürtigkeitsproblem zum Vater beschrieben – aber was verstanden diese Seelenklempner schon vom Sinn des Lebens?

Er mußte eingeschlafen sein. Die Kühle eines fahlen Morgens weckte ihn. Der Orion war längst weitergewandert und verblaßt. Ein Hahn krähte die Sonne über den Horizont. Er stand auf und trat vors Zelt. Die innere Spannung der Nacht war gewichen, die aufgehende Sonne stimmte ihn zuversichtlich. Etwas wagen, endlich einmal etwas wagen. Er blickte sich um. Tatsächlich, Ketjak hatte die Wachen abgezogen. Aus den hochgemauerten Kaminen im Dorf drang Rauch. In Böen trug ihm der Wind den aromatischen Geruch von verbranntem Holz zu. Ein romantisches Bild. Plötzlich fühlte er sich mitten im Abenteuer; ungestauter Optimismus brodelte in ihm hoch. Es würde schon alles gutgehen!

Eine dunkle Gestalt, in der Dämmerung mehr Schattenriß als klar erkennbare Person, kam vom Ort auf ihn zu. Ketjak. Corall wartete unbeweglich, bis der langsam schreitende Mann vor ihm stand.

»Nun?« fragte der Nepalese; es klang neutral, ohne jede Emotion, nicht neugierig, nicht drohend. Ebenbürtig sein, dachte Corall, und antwortete im gleichen Tonfall.

»Ich bin Ihr Mann, Mister Ketjak.« Der andere nickte schweigend sein Einverständnis, und ohne daß einer es vorschlug, begannen sie gemeinsam bergauf der Sonne ein Stück entgegenzugehen. Corall, dem das Herz bis zum Hals schlug, der jetzt doch seine Aufregung kaum unterdrücken konnte, nachdem er die Entscheidung unwiderruflich getroffen und verkündet hatte, brach als erster das Schweigen.

»Wie wollen Sie mich nach meinem spurlosen Verschwinden und dem dreifachen Mord wieder auftauchen lassen?«

Ketjaks Nasenflügel blähten sich stark, als er die Luft ausstieß und dabei lachte. »Sie beginnen bereits mitzudenken, das gefällt mir. Sie gefallen mir überhaupt immer mehr. Machen Sie sich darüber aber keine Gedanken! Ich deutete gestern es schon indirekt an: Das Problem ist gelöst, es ist durch Ihre Entführung gelöst. Der deutsche Staat wird Sie freikaufen, diese Erpressung schafft uns das nötige Geld für die geplante Unternehmung. Wir denken an hunderttausend Dollar, keine große Summe für Ihr reiches Land, leicht zu zahlen, gering genug, um dahinter eine Bandenaktion und keine politische Bewegung zu vermuten.

Ich danke Ihnen für Ihre Entscheidung, das Land Nepal dankt Ihnen, Christian. Niemand von uns beiden weiß in dieser Minute, welche Bedeutung Ihr Ja zu unserer Sache eines Tages haben mag. Aber schon Ihre Bereitschaft ist ein großer Sieg in unserem Kampf.«

Pathetisch, viel zu pathetisch, moserte Corall unausgesprochen. Die Leute lieben hier eben noch die großen, tönenden Worte. Aber wenn er ehrlich seine Meinung prüfte, taten ihm die Schmeicheleien gut.

»Sie werden also noch einige Tage hierbleiben müssen«, nahm Ketjak in neckendem Ton das Gespräch wieder auf. »Aber keine Angst, es gibt keine Langeweile. Ich weiß, Sie haben sich in den letzten Monaten im Taek Wo Dan geübt. Wer in Palitpura Ihre Lehrer waren, ist mir nicht bekannt; die unten im Tal taugen jedenfalls nicht viel. Hier oben werden wir Sie perfekt in der Kunst asiatischer Selbstverteidigung schulen – und noch in einigen weiteren Dingen östlicher Lebensweisheit.« Über das Wort Dinge breitete er ein geheimnisvoll verschmitztes Lächeln, wie jemand ein verpacktes Geschenk überreicht, dessen Inhalt er kennt und weiß, wie geschätzt es sein wird. Rasch kehrte er jedoch zum geschäftsmäßigen Ton zurück.

»Hat Deutschland gezahlt, gehen Sie in die Hauptstadt. Der Schlüssel liegt in Katmandu. Mein Kontaktmann wird

Ihnen helfen, er ist hochkarätig. Sie bekommen in ihm einen sehr guten Schatten. Wissen Sie, was ein Schatten ist, Mister Corall?«

Corall schüttelte den Kopf; es wäre ihm lieber gewesen, wenn Ketjak bei der vertraulichen Anrede ›Christian‹ geblieben wäre, aber er fürchtete, etwas von seiner Ebenbürtigkeit zu verschenken, wenn er ihn darum bat.

»Ein Schatten, Mister Corall, das ist etwas ganz Besonderes. Das ist ein Geschenk, wie es früher die indischen Fürsten machten. Sie gaben verdienten Männern sogar die eigenen Söhne zum Schatten. Erst der Tod löst diesen Bund wieder auf. Ein Schatten ist ein Wesen ohne eigene Persönlichkeit, nur vorhanden, um Ihnen zu dienen.«

Corall fühlte ein leises Kräuseln der Nackenhaut. Merkwürdige Bräuche! Was brauchte er einen solchen Schatten? Aber er vergaß diesen kritischen Einwand. Der Morgen zog vielfarbig am Himmel herauf, die Welt war schön – und er mit sich im Einklang.

»Kommen Sie, wir wollen frühstücken und unseren Bund den anderen mitteilen.«


»Können Sie nicht anklopfen?« fragte Ken Dodge ärgerlich. Er zog seine Hand aus Krystels Ausschnitt zurück, nicht verstohlen, nicht schnell – jetzt war das egal, da Dryden sie beide überrascht hatte. Das Mädchen stand, den Oberkörper weit vorgelehnt, vor dem Schreibtisch.

Ihre blonden langen Haare fielen, in der Mitte gescheitelt, zu beiden Seiten über die Schultern. Provozierend langsam richtete sie sich auf, drehte sich um und schloß den obersten Knopf an ihrem tiefen Blusenausschnitt. Dabei ließ sie mit hochgezogenen Augenbrauen ihre Blicke von oben nach unten über Dryden schweifen, verzog zusätzlich die Mundwinkel verächtlich nach unten.

»Soll ich gehen?« fragte sie mit schleppender Stimme.

»Geh, Baby, geh nur! Ich rufe dich später.«

»Ich habe angeklopft, Ken«, sagte Dryden verwirrt.

»Na ja, macht nichts, Bert, macht nichts! Haben Sie den Bericht?« Der Mann fuhr sich mit der linken Hand nervös durch das dünne Haar, während er Dodge mit der anderen einen dünnen blauen Aktenordner – in der Farbe höchster Geheimhaltungsstufe – auf den Tisch legte. Das Mädchen verließ das Zimmer, schloß die Tür noch immer respektvoll leise, aber laut genug, um ihrem Groll Ausdruck zu geben.

»Was steht drin? Schlimmer, als wir befürchtet haben?«

»Schlimmer.«

Dodge nahm den Pappdeckel in die Hand, wendete ihn zwischen den Fingern, öffnete ihn aber nicht. »Was ist mit dem Versalzungsgrad?«

»Erheblich fortgeschritten, fast null Komma fünfundzwanzig.«

»Unsinn! Und die Erosion?«

»Lesen Sie nach! Mehr als zwanzig Tonnen Humus pro Hektar verschwinden jetzt bereits jährlich.«

»Habt ihr die Sache hochgerechnet?«

»Das ist ein bißchen schwierig, immer abhängig von der Wetterlage. Ein trockener Sommer vernichtet mehr als ein nasser. Aber wenn wir einen Mittelwert annehmen, bleiben uns vielleicht noch fünf Jahre, um die Katastrophe aufzuhalten.«

»Machen Sie sich keine Illusionen! Ich werde auch diesen Bericht an die Zentrale weiterleiten und wieder keine Antwort bekommen. Die scheren sich einen Dreck drum. Geht hier der Zauber zu Ende, wird man woanders in der Welt Land unter den Pflug nehmen. Und wenn Sie meine ehrliche Meinung hören wollen, Dryden, mir ist es auch schnuppe. In zwei Jahren ist mein Job hier vorbei. Mir geht es für die nächsten vierundzwanzig Monate vor allem um gute Erträge. Fünf Jahre haben Sie gesagt? Nicht mehr mein Problem! Soll sich mein Nachfolger McGill mit den Farmern herumschlagen.«

Er legte den Akt ungeöffnet zurück auf den Schreibtisch.

»Danke für Ihre Mühe, Dryden, und ... schicken Sie mir das Mädchen wieder rein!«

Ein Läufer brachte die Nachricht in das zwanzig Kilometer entfernte Caritas-Lager. Schwester Josefa wurde blaß, sie

hatte den jungen Mann zwar kaum gekannt, aber Hiobsbot-
schaften ließen sie immer erblassen. Sie griff zum Hörer, telefonierte mit der Botschaft. Aufregung auch dort, der Vater
ein hohes Tier in Bonn.

Vier Tage nach dem Vorfall brachte es die deutsche Presse, die seriösen Blätter meist auf der letzten Seite unter
›Vermischtes‹, die Boulevard-Zeitungen machten groß damit auf: ›Deutscher Entwicklungshelfer in Nepal entführt!‹

Weinend, mit roter Nase vom ständigen Putzen, suchte
Mutter Corall Fotos von ihrem Sohn aus den Alben. Die
nächsten drei Tage war er mit Bildern in den Schlagzeilen.
Der Vater blieb für die Reporter unerreichbar im Amt. Dann
flackerte das Interesse ab; dem Fall waren keine neuen Sensationen abzuringen.

Die Tage vergingen. Ketjak hatte den deutschen Botschafter
in Katmandu wissen lassen, Corall sei in ihrer Gewalt, er
lebe, es ginge ihm den Umständen entsprechend gut. Für
eine Summe von hunderttausend Dollar werde man ihn
freigeben. Corall besprach eine Tonbandkassette, bestätigte
knapp Ketjaks Angaben und ließ seine Eltern grüßen.

Die Tage vergingen. Drei Männer im Camp schulten ihn
vormittags im Taek Wo Dan, einer Mischung aus Judo und
Karate, einer Mischung aus Verteidigung und Angriff also.
Die Waffen: der ganze Körper. Man ging hart miteinander
um, manchmal direkt haßvoll. Es schmerzte oft, gab Verlet-
zungen; mehrere Mal brauchte Corall Minuten, um wieder
vom Boden hochzukommen, aber er lernte. Sein Auge
wurde schneller. Schmerz vermeiden, hieß rasch und genau
reagieren. Corall sah es ein: Wären die drei rücksichtsvoller
mit ihm umgegangen, niemals hätte er in so kurzer Frist den
Kampfstil vervollkommnet und beherrscht. Das gab ihm
Selbstvertrauen. Der Macht bewußt, einen Menschen mit
boßen Händen töten zu können, selbst wenn der ihn mit einem Messer oder Schlagwerkzeug angriff, erfüllte ihn eine
nie gekannte Selbstsicherheit. Geradezu ermahnen mußte
er sich, nicht überheblich zu werden.

Ketjak sah er selten. Trat er manchmal am Abend ins Zelt,

waren die Besuche kurz. Freundlich, aber nie mehr so vertraulich wie am ersten Abend, unterrichtete ihn der Camp-Chef über den Fortgang der Gespräche mit der Botschaft. Die Bundesrepublik zeigte sich zahlungswillig; aber man wollte Zusicherungen, künftig von solchen Angriffen verschont zu bleiben. Ketjak verzögerte absichtlich die Austauschverhandlungen. Verschleierungsmanöver, erklärte er. Niemand durfte auf den Gedanken kommen, die Sache sei mit dem Einverständnis Coralls inszeniert. Hatte Ketjak dem Deutschen berichtet, verschwand er wieder. Kein persönliches Gespräch. Über Coralls Fortschritte im Taek Wo Dan und über dessen allgemeines Verhalten erzählten wohl andere. Immer erneut bewunderte Corall das hervorragende Englisch des Nepalesen, er wollte aber nicht fragen, wo er das gelernt hatte. Weder indiskret noch schwatzhaft, wollte er gegenüber seinem Gastgeber und Verbündeten erscheinen, zumal dieser sich so zurückhielt. Trotzdem wurmte ihn uneingestanden die Kühle, mit der ihn der andere behandelte. Aber er ließ es sich nicht anmerken – so hoffte er wenigstens.

Nachmittags unternahm er Spaziergänge, wechselnd begleitet von einem seiner drei Trainingspartner. Mehr eine Schutz- denn eine Überwachungsmaßnahme. Sprechen konnten sie nicht miteinander. Corall verstand bisher nur wenige Worte, und die bezogen sich vor allem auf Grundstellungen im Taek Wo Dan.

Das Camp lag in einem Seitental der Salaturna-Gruppe, eines Vorgebirges des Himalaja. Gut geschützt zwischen den Felswänden, gab es von unten nur einen Zugangsweg, der leicht zu verteidigen war, und zwei Fluchtpfade nach oben in die Berge. Ein landschaftlich reizvolles Fleckchen Erde mit ungewöhnlich dichter und artenreicher Vegetation. Nur der vordere Teil des Lagers bestand aus Yakhautzelten. Dahinter lag das Dorf aus zehn festgefügten Holzlanghäusern, deren Fundamente auf Stelzen gesetzt waren, damit sie im Frühling das vom Sitz der Götter herabstürzende Schmelzwasser nicht fortspülte. Die kommenden und bald wieder verschwindenden Männer der Truppe übernachteten in den Zelten. Wer – aus welchen Gründen auch immer – länger blieb, fand Unterkunft bei einer Groß-familie im Dorf. Ketjak bewohnte zum Beispiel eine ganze Langhaushälfte allein. Allerdings hatte Corall den Raum noch nie betreten. Den Namen murmelnd und auf das Ge-bäude zeigend, hatte ihm einer seiner Begleiter das Haus gezeigt. Schnüre, an denen in allen Farben leuchtende Ge-betsfahnen im ständigen Wind flatterten, spannten sich von Dach zu Dach.

Es war eine gesunde Atmosphäre. Kühl, bei klarer Luft und tiefblauem Himmel. Aus der Ferne blickten die Schneegipfel des Annapurna herüber. Trotz der Höhe wuchsen hier neben den zahlreichen Wildpflanzen auch Getreide, Gemüse und fette Gräser. Hinter den Holzhäu-sern floß ein breiter Bach, den die Schneeschmelze im Früh-jahr zu einem reißenden Fluß dehnte. Erfrischendes kaltes Wasser führte das derzeit flache steinige Bett.

Corall fühlte sich wohl, unbeschwert und nicht eine Mi-nute gelangweilt. Häufig saß er nachmittags am Hang und schaute den kichernden Frauen zu, die ihr Metallgeschirr mit Sand ausscheuerten oder Wäsche wuschen.

Nachts kam Chien-Nu. Ky hatte sie geschickt, das Mäd-chen mit den dunklen, mandelförmigen Augen, die weit auseinanderstanden und so geheimnisvoll wirkten, der kleinen Stupsnase und den schwarzen glänzenden Haaren, die als Ponyfrisur in die Stirn fielen. Ihre sanft geschwun-genen Backenknochen gaben dem Gesicht etwas Kindlich-Rührendes. Aber sie war kein Kind, sie liebte ihn wild und zart, streichelte seinen Körper, sanft und dauerhaft, oder fiel über ihn her, knetend und beißend.

Corall genoß diese Nächte, wie er den ganzen Aufenthalt im Camp genoß – wie einen Traum! Nie glaubte er ganz an die Wirklichkeit der Situation, immer erwartete er das Ende, das Aufwachen, die sicher schlechte Wahrheit. Was ihm hier geschah, konnte das etwas anderes sein als romanhaf-tes Abenteuer?

Am zwölften Tag nach seiner Entführung kam Ketjak ge-gen Mittag ins Lager. Corall saß vor dem Zelt und döste, satt, die Augen auf die ferne Bergkette gerichtet, ohne Sehnsucht oder Wünsche. ›Das Paradies betrachten‹ nannte er diese Zerstreuung, denn nach indischen Vorstellungen hockten die Götter auf den schneebedeckten Gipfeln des Himalaja. Ketjak hatte ihn zum letzten Mal zwei Tage vorher besucht. Auch die Zeit war ungewöhnlich; also mußte eine Entscheidung gefallen sein. Links sah er Chien-Nu den Berg vom Fluß heraufsteigen (tagsüber begegnete sie ihm wie einem Fremden, schenkte ihm keinerlei Beachtung). Sie trug ein Wassergefäß auf dem Kopf, das sie mit der linken Hand abstützte, während sie die rechte zur besseren Balance in die Hüfte stemmte. Ihr Weg kreuzte den Ketjaks gut zwanzig Meter vor dem Zelt. Ky rief ihr etwas zu. Sie blieb stehen, sichtlich erschrocken. Ketjak lief weiter; sie aber nahm das Gefäß vom Kopf, stellte es vor den Füßen ab und schaute zu Corall herüber, nur einen Moment lang. Dann, als schämte sie sich, nahm sie den Blechkessel wieder auf und setzte ihren Gang mit doppelter Eile fort.

»Es ist soweit!« rief Ketjak schon wenige Meter vor dem Zelt Corall entgegen. Es klang erwartungsfroh, war der alte ungestüm vertrauliche Ton, so wie Ketjak an jenem Morgen gesprochen hatte.

»Lassen Sie uns spazierengehen!« schlug er vor. »Dabei kann ich Ihnen alles berichten und Sie mit meinem weiteren Plan bekannt machen.«

Corall prüfte seine Stimmung. Jetzt also sollte es beginnen. Ein ganz neues Leben, eine neue, wahrscheinlich schwierige Aufgabe. Fühlte er Angst? Aufregung? Nichts davon. Hieß das Identität oder nur noch nicht vorbereitet sein, noch nicht ganz verstanden haben, daß jetzt alles anders würde? Hielt seine neue Selbstsicherheit? Was er sehr hoffte! Ach, Gilda, wie konnte man sich nur von einem Satz so abhängig machen!

Er stand auf. Ketjak hängte sich am linken Ellenbogen ein; Arm in Arm gingen sie auf das Bachbett zu.

»Die Deutschen zahlen die geforderte Summe, genaugenommen ist sie schon auf einer Schweizer Bank nach meinen Angaben deponiert. Das Konto wird von mir aufgelöst und in die Bundesrepublik überwiesen, wenn Sie wieder in Deutschland sind. Ihr Schatten wird dort über das Geld verfügen. Erster Schritt jetzt auf dem abgesprochenen Weg: Katmandu und dort Ihre Abreise so lange verzögern, bis Sie Ihren Schatten getroffen haben und unseren wichtigsten Mann kennen. Die Zusammenkunft besorgt der Schatten. Er wird das Band zwischen uns beiden, Ihr Schutz und Helfer, ein Werkzeug. Er wird auf Ihren Wink töten und sich für Ihre Unversehrtheit töten lassen. Sein Name ist Marjam Singh, und Sie werden ihm, von heute an gezählt, in drei Tagen unter der Statue des Gottes der Diebe vor dem Königspalast begegnen. Das wird kurz vor Sonnenuntergang sein. Er wird Sie erkennen und ansprechen. Der Code heißt: ›Wenn die Sonne sinkt, wird Nepal frei sein.‹ Und diese Worte sagt er auf deutsch.«

Eine Stunde wanderten sie am Bach entlang. Ketjak sprach, Corall hörte zu. Es werde nichts Schriftliches geben, schon aus Gründen von Coralls Sicherheit, hatte der Nepalese gesagt. Er müsse sich alles merken; aber auch sein Schatten wisse Bescheid. Als sie schließlich den Rückweg zum Lager antraten, mahnte Ketjak noch einmal in väterlich freundlichem Ton:

»Noch ist es Zeit abzuspringen, mein Junge, noch ist es Zeit! Aber wenn Sie jetzt für uns reisen, gehören Sie uns, dann gibt es kein Zurück mehr – nur den Tod.«

Es klang überhaupt nicht dramatisch, als er den Tod als Drohung ins große Spiel brachte, aber zum ersen Mal sprach er von Konsequenzen und erinnerte Corall daran, erwachsen zu bleiben. Nein, es gab kein Zurück, er wollte selbst den Grund wissen, warum der Weizen auf den Feldern verdorrte, der Reis ausstarb und Hunderttausende, vielleicht Millionen von Menschen vom Hungertod bedroht waren. Es machte ihn stolz, der Auserwählte zu sein, ein echter Helfer der Dritten Welt, an die er sich nun endgültig gebunden glaubte.

»Sie werden also gegen Morgen abgeholt«, wiederholte Ketjak, als sie zum Zelt zurückkamen. »Wir fahren Sie zwischen einer Ladung mit Hammeln nach Katmandu. Das riecht zwar nicht gut, und auch Sie werden nach einigen Stunden ähnlich stinken, aber es ist sicher. Und waschen verhilft Ihnen später zum alten Glanz. Der Botschafter hat die Behörden zwar gebeten, erst wenn Sie frei sind, nach uns zu fahnden. Also besteht kaum Gefahr der Entdeckung. Vorsicht bleibt trotzdem geboten. Es wird eine weite Reise. Versuchen Sie, früh schlafen zu gehen – zwischen den Hammeln gelingt das bestimmt nicht.«

Sie standen vor der Eingangsschneise zum Dorf. Ketjak legte ihm beide Hände auf die Schultern, und blickte ihm fest in die Augen.

»Ich vertraue Ihnen, Christian.«

»Ihr könnt mir vertrauen«, erwiderte Corall, angenehm erregt durch die persönliche Anrede. Er blickte ebenfalls unverwandt in Ketjaks schwarze Pupillen. Was mochten diese Augen schon alles an Grausamkeiten und Furcht gesehen haben? Ketjak riß sich als erster los. Aufmunternd klopfte er Corall auf die Schulter, mehr eine Verlegenheitsgeste, es war alles gesagt. Dann nahm er die Hände herunter, drehte sich brüsk um; die Szene begann peinlich zu werden. Er schritt auf seine Hütte zu. Auch Corall ging. Bis zum Einbruch der Dämmerung, wenn Chien-Nu ihm sein Essen brächte, spazierte er einen der beiden Bergwege hinauf, völlig mit seinen Gedanken an die Zukunft beschäftigt.

Es wurde schon dunkel, als er leicht gebückt in sein Zelt schlüpfte. Der Holznapf mit seiner Abendmahlzeit, einer kräftig riechenden Fleischbrühe, hatte bereits vor dem Eingang gestanden. Er trug ihn hinein, stellte ihn sofort wieder ab, denn auf den Kissen kniete Chien-Nu. Die Hände flach aneinander gelegt vor der Stirn, verneigte sie sich, den Kopf bis fast auf die Knie beugend.

»Namaste«, sagte sie mit ihrer sanften, hohen Stimme. Ketjak hatte ihm das Wort übersetzt: ›Ich grüße den Gott in dir.‹ Dann schaute auch sie ihn nur unverwandt an. Er hockte vor ihr auf den Fersen, legte ebenfalls die Handflächen zusammen und vor das Gesicht.

»Namaste«, erwiderte er ihren Gruß, und eine für ihn

selbst erstaunliche Traurigkeit stieg ihm als Kloß in die Kehle. Sie hatten nie miteinander sprechen können; ihren Gefühlen gaben sie Ausdruck durch Streicheln, Küssen und Lieben. Daß ihn der Abschied so anrührte, traf Corall unvorbereitet. Zärtlich wie zwei Schmetterlingsflügel spannten sich ihre Hände um sein Gesicht, verharrten einen Moment. Dann strich sie ihm mit Zeige- und Mittelfingern langsam vom Haaransatz über die Schläfen bis zu den Mundwinkeln. Kein Muskel regte sich in ihrem Gesicht, kein Zeichen verriet ihren Seelenzustand.

»Mein Schmetterling«, sagte er leise, der Vergleich ihrer Hände mit der Zartheit von Schmetterlingsflügeln brachte ihn auf diese Anrede. »Ich mag dich mehr, als mir klar war. Wie soll ich dir das nur beweisen?«

Noch einmal verneigte sie ihren Körper, die Hände in Demutshaltung.

»Namaste.«

»Namaste, mein Schatz, auch ich grüße in dir die Göttin der Liebe. Ich liebe dich.«

Chien-Nu erhob sich mit leichtem Schwung vom Kissenberg, ihr Kopf reichte ihm nur bis zum Kinn. Er wollte nach ihr greifen, aber sie entzog sich seinen Händen durch eine rasche Bewegung. Flinker, als er für möglich hielt, verließ sie das Zelt. Etwas stach ihn in der Brust, da wo wohl das Herz saß, ein kurzes Reißen, ein unvermuteter Schmerz. Er fiel in die Kissen, und eine ungeheure Wehmut überschwemmte ihn.

Die Suppe wurde kalt.

Ketjak weckte ihn, draußen war es noch dunkel.

»Es ist Zeit.« Corall stand auf, er hatte in seinen Kleidern geschlafen. Der muffige Geruch von Stoff und Schweiß ekelte ihn, er fühlte sich elend und unausgeschlafen. Ein pelziger, schlechter Geschmack ließ ihn ahnen, daß er aus dem Mund roch.

Scheiße, reiß dich zusammen! Das Abenteuer beginnt, versuchte er seinen mäßigen Gemütszustand anzufeuern. Tatsächlich aber stand ihm nur wieder das Bild der kleinen knienden Chien-Nu vor Augen. Was hatte er ihr angetan? Was hatte sie ihm angetan? Er würde ja wiederkommen, beruhigte er sein Gewissen. Jetzt galt es an anderes zu denken; doch das Bild wollte nicht verblassen.

Er trank einen Becher Yak-Milch. Wie hatte er sich je an diesen strengen Geschmack gewöhnen können? Er, dem früher schon der Geruch von Ziegenkäse Übelkeit verursachte! Der Mensch gewöhnt sich eben an alles – oder doch an fast alles. Auch Standardsätze verkünden manchmal schlichte Wahrheiten, lächelte er grimmig in sich hinein. Er stellte den leeren Becher auf den Boden zurück, gähnte, nickte dann dem wartenden Ketjak zu. »Gehen wir!«

Die frische Luft, der Anblick der schwarzen Bergsilhouetten, hinter denen ein heller Strich den nahenden Morgen ankündigte, erfüllten ihn plötzlich wieder mit Zuversicht.

Verzeih mir, kleine Chien-Nu! flüsterte er dem Gedankenbild zu. Er wandte den Kopf in Richtung des Dorfes, das aber noch völlig von Dunkelheit zugedeckt war. »Namaste«, flüsterte er jetzt halblaut und hoffte, Ketjak hörte ihn nicht.

Beide begannen sie den beschwerlichen Abstieg. Wieviel hatte sich verändert, seit er vor zwei Wochen diesen Weg als verwundeter, gedemütigter Gefangener heraufgestiegen war! Schweigend setzten sie nun Fuß vor Fuß, hintereinanderhertastend. Immer wieder trat Corall auf unsichtbare Steine, die ihm die Knöchelgelenke verstauchten. Der Tag dämmerte rasch hinter den Bergspitzen herauf, fast mit jedem zurückgelegten Meter wurde es heller. Das Abwärtsklettern fiel leichter. Ketjak ging voran. Teilweise lief der Pfad durch das Bachbett, näßte ihnen Schuhe und Hosen, dann wieder schlängelte er sich in die Felsen hinauf, um plötzlich in einer Rinne, kaum noch erkennbar, steil abzufallen. Corall erschien es schleierhaft, wie er damals in seinem verletzten Zustand den Weg hinauf bewältigt hatte.

Sein Führer schwieg, machte ihn auch nicht auf schwierige Stellen aufmerksam. Eine Art Prüfung, so schien es Corall nach einer Weile. Sobald es das Licht zuließ, studierte er jede Bewegung an Ketjak und richtete daran sein eigenes Verhalten aus. So bedurfte er keiner direkten Anleitung.

Nach gut eineinhalb Stunden flachte der Pfad merklich ab. Corall begann sich an Einzelheiten zu erinnern. Den einsamen Baum mit der weitgefächerten Krone oder den bizarr geformten mannshohen Stein erkannte er wieder. Aus der Ferne hörte er Schafe blöken, ohne sie zu sehen, aber das Geräusch kam näher. Ein letzter Felsblock versperrte ihm die Sicht, nach einem beinahe eckigen Bogen standen sie überraschend in jenem Tal, wo seine Entführer damals den Lastwagen versteckten. Jetzt parkte das Fahrzeug fünfzig Meter entfernt, die Ladefläche dicht gedrängt mit Hammeln bestückt. Zwei Männer lehnten an der Rückseite. Im größeren Mann erkannte Corall sofort den Boß seiner Kidnapper-Truppe wieder. Ketjak blieb stehen. Die beiden da drüben hatten sie schon entdeckt. Meng-Te stieß sich mit der Schulter leicht von der Ladeklappe ab und schlenderte grinsend auf sie zu.

»Es ist soweit«, sagte Ketjak ernst. »Denken Sie daran: Man legt Sie heute nacht gefesselt vor die Botschaft. Morgen abend treffen Sie Marjam, der bringt Sie zu unserer wichtigsten Persönlichkeit.«

Er umarmte den Deutschen, küßte ihn nach Südländerart auf beide Wangen. »Wir sehen uns wieder. Und vergessen Sie nicht: Die Hälfte meines Blutes ist weiß – was auch geschieht, ich kann Sie verstehen, ich lebe in beiden Welten. Dienen Sie der Aufgabe wie ich, Sie werden es schaffen, ich fühle es, unser Lohn ist der Erfolg!« Er gab Corall frei, Meng-Te war herangekommen.

Seltsam, dachte Corall, seltsam, daß Menschen, die mir gefallen, mir soviel Vertrauen schenken! Verdiene ich das wirklich? Habe ich es bisher jemals erfüllt? Auf alle Fälle ist dieses Zutrauen eine große Bürde. Und er war sich nicht sicher, ob er sie gern trug.

Meng-Te gab ihm die Hand. »Hallo!« lachte er dabei in seinem kehligen Englisch. »So sieht man sich wieder. Neulich noch auf verschiedenen Seiten und heute vereint für dieselbe Sache. Ich hoffe, Sie haben mir den kleinen Schlag auf den Hinterkopf vergeben.«

»Natürlich.« Corall lächelte schwach zurück; er konnte in

dem anderen noch nicht den Komplizen entdecken, schüttelte aber dessen Hand kräftig. Sie brauchten einander. Gemeinsam gingen sie hinüber zum Lastwagen, der Corall noch schäbiger als das letzte Mal erschien.

»Du haftest mir für das Gelingen«, ermahnte Ketjak Meng-Te. Der Nepalese antwortete nicht.

»Am besten steigen Sie von der Seite auf«, sagte er statt dessen zu Corall. »Stellen Sie sich hinter das Fahrerhaus, über dem Rückfenster ist ein Bügel zum Festhalten. Nur wenn wir in Kontrollen kommen oder durch Dörfer fahren, müssen Sie untertauchen.« Er lachte – das Bild eines zwischen stinkenden, trampelnden, blökenden Hammeln eingeklemmten Corall bereitete ihm Vergnügen.

»Also dann!« sagte Corall und machte sich Mut, griff in die Seitensprossen und zog sich hinauf. Unter den freischwebenden Fuß stemmte der zweite Begleiter seine Hände als Tritt. So mit Schwung versehen, landete der Deutsche oben auf dem Gatter. Vorsichtig hangelnd, schob er auf der anderen Seite die Beine zwischen die Tiere. Murrend machten sie ihm Platz. An den Leibern entlangstreifend, fühlte er endlich festen Boden unter den Füßen.

Also dann! gab er sich im stillen noch einmal die Parole aus, ließ die sicheren Holzstäbe los und watete, noch vorsichtiger als eben beim Abstieg, durch die Herde nach vorn. Bloß keine Panik auslösen und einen Tritt riskieren! Die Augen fest auf den Griff gerichtet, marschierte er in einem Teich aus Wolle und Gestank, wobei ihm körperliche Wärme und Berührung der Tiere äußerst widerlich waren.

»Haben Sie es geschafft?« rief Meng-Te von unten.

»Ja, ja, alles okay!« antwortete Corall betont fröhlich, obwohl ihm mehr zum Kotzen war.

»Also dann!« wiederholte Ketjak zufällig Coralls inneren Anfeuerungsruf, allerdings laut. Er trat so weit vom Fahrzeug zurück, daß er Corall sehen konnte. Die Hände ineinander zur Faust verschränkt, hob er schüttelnd die Arme: »Wir werden siegen!«

Corall nickte ihm zu. Ihm war übel. Yak-Milch Geschmack gewöhnte noch lange nicht an Hammelgestank.

Der Motor sprang an. Ruckend setzte sich der Wagen in Bewegung. Der Fahrtwind verdünnte die Dunstwolke, Corall konnte wieder atmen, er blickte nicht mehr zurück.

Sie liefen erst fünf Minuten durch das Maisfeld, seit sie den Jeep an der Weggabelung stehengelassen hatten, aber Veren fühlte sich schon wie aus dem Wasser gezogen. Dunkle Flecken wuchsen zusehends unter den Achselhöhlen auf dem Kakihemd. Die Sonne brannte herunter, als wollte sie diesen Landstrich versengen. Doch der Mais stand prächtig, besonders in diesem Abschnitt. Eine Sorte, die für heiße Gegenden gezüchtet worden war. Darum waren sie bei dieser Temperatur herausgefahren, Col Hammerstein, der Chef, und er. Mit einem kurzen Seitenblick streifte er seinen Begleiter. Unglaublich! Hammerstein hatte zwar seinen Sakko abgelegt, trug jedoch noch immer einen Schlips zu einem blütenweißen Hemd und zeigte keinerlei Staub- oder Schweißverschmutzung an seiner Kleidung. Nur ganz leicht glänzte die Stirn, allerdings ohne Tropfenbildung. Der perfekte Gentleman, konstatierte Veren. Einziger Kompromiß an die Gluthitze: Hammerstein hatte die Hemdsärmel bis halb zu den Ellbogen aufgekrempelt. Seine Füße steckten in eleganten Lederreitstiefeln, während Veren Gummistiefel trug. Veren konnte seinen Chef nicht leiden, seine ganze Art war ihm zuwider. Er hielt den Mann für eine Larve, der hinter ·dieser Verpuppung einen mächtigen, schillernden Ehrgeiz ausbrütete. Col Hammerstein wollte noch etwas werden bei McGill, mehr werden, als er schon war, darauf verwettete Veren seinen rechten Arm. Dagegen war grundsätzlich nichts einzuwenden; aber daß er diesen Ritt in die höheren Direktionsetagen auf dem Rücken seiner Mitarbeiter im Galopp zurücklegen wollte, das störte den Deutschamerikaner. Er blieb jetzt einen Schritt hinter seinem Chef zurück, der vorsichtig zwei Stauden zur Seite bog und dahinter nach dem Kolben einer dritten Staude griff. Er brach ihn ab und schlängelte den Oberkörper achtsam wieder zurück auf den Weg, besorgt, nirgends mit dem Staub auf den Blättern in Berührung zu kommen. Veren beobachtete das Manöver mit zusammengekniffenen Augen; er wünschte dem Kerl so richtig einen Schmutzfleck auf die Krawatte. Er wußte, dann war Hammerstein der ganze Tag verdorben, so lange mindestens, bis er das verdreckte Kleidungsstück wechseln konnte. Dieser Sauberkeitszwang ist doch pathologisch, dachte er. Ihm fiel ein, mal etwas darüber gelesen zu haben, hing irgendwie mit einer falschen Behandlung durch die Mutter in der Kindheit zusammen, genau konnte er sich aber nicht mehr erinnern, war ja auch egal.

Hammerstein stieß an keine Pflanze, sein Hemd blieb rein. Außen intakt, lästerte Veren ungehört, doch wie's da drinnen ausschaut ... Es gab im Deutschen einen Spruch; von der reinen Weste war da die Rede, eine reine Weste, die hatte da Bedeutung ... auch egal, menschlich war Hammerstein für ihn eine Drecksau.

Der ahnungslos Beschimpfte zog die Deckblätter vom eben geernteten Maiskolben. Eine gutgewachsene, gleichmäßig mit prallen gelben Körnern besetzte Frucht kam zum Vorschein.

»Schauen Sie her, Veren, ein voller Erfolg! Wieder mal ein voller Erfolg.« Der Chemobiologe nickte nur, zeigte ein verdrossenes Gesicht. Hammerstein hatte jedenfalls zu diesem Erfolg nur Worthülsen geliefert. Ob der Bursche überhaupt fähig war, nur eine einzige Formel zu schreiben? Veren pfiff sich zurück, er tat dem Mann unrecht, der hatte studiert wie er selbst, nur war er eben ins Management gewechselt, statt in der Forschung zu bleiben. Hammerstein krümelte die Körner vom Kolben. Einige fielen zu Boden, den Rest hielt er in der Hand. Roch daran, warf den Fruchtkolben zurück ins Feld und nahm mit den jetzt wieder freien Fingern einige Maiskörner auf, die er in den Mund steckte und erwartungsvoll kaute.

»Schmeckt hervorragend, süß und gehaltvoll.« Er streckte Veren die Hand hin, »Hier, kosten Sie!«

Mißmutig griff sein Begleiter ebenfalls in die Körnermenge, zog drei, vier heraus.

»In Ordnung«, sagte er maulfaul.

»In Ordnung? Veren, Sie untertreiben, das ist wieder mal

Spitzenqualität. Der neue Boß wird gleich am Anfang was zum Staunen kriegen.«

»Der neue Boß?« Veren horchte auf.

»Ach, Sie wissen es noch nicht?« Hammerstein schüttete den restlichen Mais auf die staubige Erde, klopfte anschließend die Handflächen intensiv gegeneinander, um sie auch vom letzten Pflanzenrest zu reinigen. »Rover geht, für ihn kommt Shmul Aiger aus der New Yorker Zentrale, hat gerade seinen Jahres-Turn erledigt.«

»Kennen Sie ihn?«

»Nicht direkt, ich habe ihn vor etlichen Jahren bei einer Konferenz reden gehört. Damals war er noch im Aufstieg. Schien mir ein ziemlich weicher Mann zu sein, aber das kann sich geändert haben, schließlich gehört er heute zur Spitze.«

Allein wie Hammerstein das Wort ›Spitze‹ betonte, als hätte er ›Gott‹ gesagt. Veren kotzte es an. Typisch für diese kleinkarierte Denkweise: Der damals ziemlich weiche Mann müßte in der Spitze hart geworden sein! Klar, ein Wunder wäre es nicht bei dem, was die da oben alles taten für ihren Scheißprofit. Aber die stupide Gleichsetzung ärgerte ihn; nur harte Burschen vermutete Hammerstein an der Spitze, denn nur harte Männer konnten seiner Meinung nach Spitze sein. Und daß Col sich für einen harten Burschen hielt, dafür hätte Veren seinen linken Arm verwettet.

»Mein Gott, Christian! Es ist Ihnen also nichts passiert!« Der Botschafter, ein älterer, zum Dickwerden neigender Herr, stand im Morgenmantel vor ihm. Die Uhr, die in seinem Rücken auf einer Konsole vor dem Spiegel stand, zeigte zwei Stunden nach Mitternacht.

Lautes, anhaltendes Hupen hatte das Bewachungspersonal vor zehn Minuten auf die Straße getrieben, wo sie den gut verschnürten Corall fünf Meter vom Eingangstor entfernt vorfanden.

»Sind Sie wirklich in Ordnung? Nicht verletzt? Was haben wir uns für Sorgen gemacht, allein dreimal habe ich mit Ihrem Herrn Vater telefoniert.«

Die Wachmänner hatten ihn ins Haus getragen, eine etwas seltsame Last für die Empfangshalle, wo sonst Vertreter des Staates und anderer Botschaften in Gala zu erscheinen pflegten.

»Binden Sie mich doch endlich los!« hatte Corall ärgerlich verlangt und den Leuten, die verwirrt waren von der ungewöhnlichen Situation, damit ihr eigenartiges Verhalten klargemacht. Dann war auch der Botschafter herbeigeeilt, und Corall beglückwünschte sich, unterwegs nur einmal zwischen den Hammeln gekniet zu haben. Der Geruch dieser Tiere am eigenen Körper hätte ihn doch verdammt verunsichert.

Er war dem Botschafter vorher bei verschiedenen Gelegenheiten begegnet. Bei Inspektionsreisen, Partyeinladungen. In so einem kleinen Land kannte jede Fremdenkolonie ihre Mitglieder. »Es geht mir ausgezeichnet«, beruhigte er den alten Herrn. Daß der besorgt war – begreiflich. Wer verdarb es sich schon gern auf einem solchen Posten in der Dritten Welt mit einem der höchsten Beamten im deutschen Entwicklungsministerium? Fairerweise verurteilte Corall seinen Zynismus sofort; was konnte der arme Landesvertreter für die Entführung des Beamtensohnes? Er konnte in diesem unruhigen Weltwinkel nicht ständig die Fittiche über seine Schäfchen breiten. Das mußte sogar ein Mann wie sein Vater einsehen. Also bewegte den alten Knaben wohl echte Anteilnahme.

»Kommen Sie herein, ich habe das Mädchen schon wekken lassen. Möchten Sie vielleicht etwas essen oder trinken?«

Ein aufgescheuchter kleiner Vogel, so erschien der Botschafter Corall, wie er jetzt vor ihm hertrippelte und ihm den Weg zur Bibliothek wies.

Nicht nur die überraschende nächtliche Aufregung war schuld am überzogenen Verhalten des alten Mannes, es war der Triumph, es war der Erfolg seiner Verhandlungstaktik, was ihn geradezu euphorisch stimmte. Wie niedergeschlagen, wie verzweifelt war er gewesen! Ausgerechnet ein Jahr vor seiner Pensionierung mußte ihm das passieren. Die Begleiter brutal erschlagen, das ließ kaum auf Milde oder Kompromißbereitschaft schließen. Darauf hatte er auch in Bonn besonders nachdrücklich hingewiesen. Und dann der nervenaufreibende, hinhaltende Briefwechsel, vermittelt über ein Versteck im Kasthamandap-Tempel. Bonn hatte seinen Wunsch unterstützt, energisch beim König zu intervenieren, jede Verfolgung der Täter bis zur Klärung von Coralls Schicksal auszusetzen. Eine Terrorgruppe, die keiner kannte. Die vielleicht als Räuberbande im Salaturna-Gebiet schon eine Weile ihr Unwesen trieb, bisher aber nicht politisch in Erscheinung trat und daher wenig oder nur regionale Beachtung fand. Wer konnte berechnen, wie diese Leute reagierten? Obwohl ihre Forderungen, vor allem für die Geldübergabe, durchaus vernünftig klangen. Die Summe mußte auf ein Schweizer Konto überwiesen werden, von wo die Erpresser das Geld mit einem Codewort abriefen, das nur sie und die Bank kannten.

Gestern hatte ihn das Auswärtige Amt verständigt, die hunderttausend Dollar seien abgebucht. Nun hing alles am seidenen Faden: Hielten die Kidnapper ihr Wort, oder würde er unehrenhaft in Pension gehen? Niemand würde ihm offiziell die Schuld geben, falls es schiefging, aber die Aura des Erfolglosen würde an ihm kleben wie Altöl an Sohlen, und das auf einem Posten, wo aufsehenerregende Aktivitäten sowieso nur dünn gesät waren.

Da stand der Junge jetzt vor ihm, offensichtlich heil und gesund. Triumph! Er hatte gesiegt! Sieger in einem Schachspiel, das seine Mitarbeiter (und wenn er ehrlich war, auch er selbst) nur mit großer Skepsis gespielt hatten.

Der Botschafter machte Licht. Indirekte Beleuchtung enthüllte Wände voller Bücher, eine Polstergarnitur, ein Rauchtischchen und einige weitere Interieurs, die in einer typischen Bibliothek des 19. Jahrhunderts englischen Stils nicht fehlen durften, darunter im Hintergrund auch ein Billard auf polierten Nußbaumfüßen.

»Bitte nehmen Sie Platz, machen Sie es sich bequem! Da drüben steht ein Telefon, rufen Sie erst einmal Ihre Eltern an. Sieben Stunden Zeitunterschied, Sie wissen ja: In

Deutschland ist es erst sieben Uhr abends. Ich besorge etwas zu essen. Was wollen Sie trinken?«

Corall fühlte sich nicht behaglich, fühlte sich eingeengt, alles roch nach Staub, hatte er den Eindruck. »O ja, danke!« sagte er übertrieben freundlich, merkte jetzt, daß ihn tatsächlich Hunger quälte. »Ein Fleischchutney hätte ich gern. Wenn es geht«, setzte er zögernd hinzu. Und dann eifriger, als sei es ihm gerade eingefallen: »Vielleicht auch ein Glas Rotwein.«

»Aber selbstverständlich, lieber Freund, alles zu Ihrer Verfügung!« Er ließ Corall an sich vorbei den Raum betreten. Lächerlicherweise, stellte er fest, hielt er noch immer den Lichtschalter zwischen den Fingern. Wie ein verliebter Trottel benehme ich mich, dachte er verärgert. Aber es war eher Dankbarkeit, was ihn so verwirrte.

Als die Tür geschlossen wurde, griff Corall zum Hörer. Erstaunlich, das Fernamt war in Betrieb! In flüssigem Englisch versprach ihm der Mann in der Leitung, in weniger als fünfzehn Minuten eine Verbindung herzustellen. Aufseufzend fiel Corall in den nächsten Sessel, streckte die Beine aus. Müde schloß er die Augen. Sein ganzer Körper vibrierte noch im Rhythmus der Fahrt. Hinter den Lidern sah er wieder das abwärtsgewundene Band der Straße vorbeiziehen. Nach dem Salaturna-Tal holperten sie die Siwalikketten des Himalajavorlandes hinunter in die Ebene des Terai, die noch immer tausend Meter über dem Meeresspiegel lag. Auf der Mahendhra-Raj-Straße, die vor dreißig Jahren von den Chinesen als Geschenk erbaut wurde, ging es mühsam voran. Schlagloch reihte sich an Schlagloch. Man hatte dieser Gabe des chinesischen Nachbarn schon damals mißtraut und die Teerarbeiten dreißig Kilometer vor der Grenze zum Reich der Mitte eingestellt. Man wollte es den gelben Brüdern nicht zu bequem machen, vielleicht eines Tages mit ihren Panzerdivisionen auf der selbst angelegten Rollbahn bis ins Herz des Landes und weiter bis nach Indien vorzustoßen. Vermutlich war das auch der Grund, warum dieser Verbindungsweg Jahr für Jahr mehr herunterkam, warum man Löcher in der Straße höchstens mit Geröll auffüllte, niemals aber auch nur eine Tonne Teer für Ausbesserungsarbeiten abzweigte.

Corall hatte das Land an diesem Tag in seiner majestätischen Schönheit gesehen, angetan mit der jahrtausendealten Würde seiner hinduistischen und buddhistischen Kultur, die ihren Ausdruck in den hölzernen Bauten der Tempel, steinernen Stupas und Paläste fand. Und er hatte dieses Land in seiner grenzenlosen Armut erlebt. Den verdorrten Weizen auf den langsam zerfallenden ehemaligen Reisterrassen gesehen; die verlassenen Hütten in den Dörfern mit ihren eingestürzten Dächern; die am Rand der Straße kauernden Bettler, den dunklen, starren, hoffnungslosen Blck in die Ferne gerichtet. Hoffnungslos für diese Welt, aber stoisch das Glück im Nichts des Nirwanas erwartend.

Corall versteckte sich nicht zwischen den Hammeln. Wer würde in dieser Gegend später jemals nach ihm forschen, erst recht, wenn er wieder auftauchte? Und falls es doch jemand täte – wer von diesem armseligen Volk würde sich an den einsamen Weißen auf einem Lastwagen erinnern, sofern man ihn überhaupt mit seiner gebräunten Haut als Ausländer erkannte? Niemand. So hielt er die Augen offen. Nur einmal, als sie Kritipur durchfuhren, duckte er den Körper bis über die Schultern zwischen die Tiere. Eine Stadt war gefährlich. Nach zehn Minuten erreichten sie wieder freies Land. Der stechende Hammelgeruch in der Nase verflog bald wieder im Fahrtwind, lüftete auch seine Kleider.

Das Telefon klingelte. Das Vorzimmer in Bonn verband ihn mit seinem Vater. Er hatte es gewußt, auch um diese Zeit war Corall senior noch im Ministerium zu erreichen. Die kühle, vernunftbetonte Art seines Vaters war ihm jetzt erträglicher als möglicherweise unkontrollierbare Gefühlsüberschwemmungen seiner Mutter. Er hatte ja nichts gelitten, wollte darum auch nicht am Telefon die Wiederkehr des verlorenen Sohnes spielen. Der heftige Ausruf: »Christian! Christian, bist du es wirklich?« überraschte ihn.

»Ja, Vater, ich bin es wirklich. Es ist alles in Ordnung, ich bin gesund, alles okay, du mußt dir keine Sorgen machen, war alles halb so schlimm. Ich hoffe, ihr beiden, Mutter und du, seid auch in Ordnung.« Die schlecht unterdrückte Erregung in der Stimme seines Vaters war ihm neu. Komisch, eigentlich hatte er nie geglaubt, dem Senior viel zu bedeuten! Beruf und Karriere rangierten immer vor der Familie. Schön, wenn er sich diesmal geirrt hätte, aber es berührte ihn nicht weiter. Früher fürchtete und bewunderte er seinen Vater; später mochte er ihn sogar, als er alt genug war, hinter die Fassade zu blicken, und dort Unsicherheit, Angst und Arroganz entdeckte, wo er nur Wissen und Überlegenheit vermutet hatte. Diese Entdeckung: ›Auch Väter sind nur Menschen‹, kostete den Alten zwar Autorität, machte ihn andererseits sympathischer. Auf der Basis gegenseitiger, freundlicher Duldung verkehrten sie in den letzten Jahren miteinander, wozu auch gehörte, daß Christian stillschweigend die Freundin des Vaters akzeptierte, von der die Mutter nichts wußte. Die große Vater-Sohn-Beziehung pflegten sie allerdings auch dann nicht. Die echte Sorge des Seniors um ihn war also ein völlig neuer Zug, so jedenfalls empfand es Christian.

»Ja, ich komme, sobald die mich hier weglassen«, versprach er beschwichtigend, schon etwas ungeduldig nach der mehrfach wiederholten Bitte, doch so rasch wie möglich das Land zu verlassen. Zum Schluß trug er herzliche Grüße an die Mutter auf.

Schon während der letzten Sätze hatte der Botschafter den Raum betreten. Diskret hüstelnd wollte er die Bibliothek wieder verlassen, blieb aber, als sich das Gespräch offenkundig dem Ende zuneigte. Corall legte auf, atmete kurz durch, die erste Hürde war genommen.

»Bitte setzen Sie sich!« forderte ihn der Botschafter überschwenglich auf, rückte den Sessel zurecht, auf dem er vor dem Telefongespräch schon gesessen hatte. »Ich kann mir vorstellen, wie glücklich Ihr Herr Vater jetzt ist. Er war voller Sorge, ich muß sogar sagen, voller Verzweiflung.«

Sein Vater voller Verzweiflung über das Schicksal des Sohnes? Unbewußt schüttelte Corall den Kopf, völlig neue Seiten, die er da am Alten entdeckte. Oder hatte der seine Gefühle nur gut vor ihm versteckt?

Die Tür öffnete sich, und eine dicke ältere Chinesin, ein Tablett vor dem Bauch, betrat den Raum. Sofort verbreitete sich ein äußerst angenehmer Duft von scharf gewürztem Fleisch und Currygemüse. Neben den Schüsseln stand eine Flasche französischen Rotweins. Die Köchin setzte das Tablett auf dem Rauchtisch ab.

»Das ist Tao Ling, die Perle des Hauses«, stellte der Botschafter mit galanter Handbewegung vor. Sie stieß ein krächzendes Kichern durch die fleckigen Zähne und verbeugte sich geschmeichelt vor Corall. Der lächelte, den Kopf neigend, zurück. Sie verschwand mit einem Knicks, und der Gast machte sich hungrig über das Essen her. Eine gute Mahlzeit! Trotzdem dachte er noch immer an den Vater, und seit langer Zeit fühlte er wieder etwas von jener starken Zuneigung für ihn, die er in den letzten Jahren nur seinem Onkel entgegengebracht hatte, dem Bruder seiner Mutter, einem evangelischen Pfarrer.

»Sie sind in Deutschland eine Berühmtheit geworden«, unterbrach der Botschafter sein Drehen an der Gefühlsskala.

Tatsächlich, er hatte nie daran gedacht, wieviel Staub seine Entführung in der Heimat aufwirbeln würde! Die Boulevard-Presse konnte so eine Schlagzeile gar nicht ungedruckt lassen: Diplomatensohn als Entwicklungshelfer in Nepal gekidnappt! Das stimmte zwar nicht ganz, schmeckte aber nach Robinsonade und ein bißchen Albert Schweitzer gleichzeitig.

»Nun erzählen Sie doch! Wo hielt man Sie gefangen? Wie wurden Sie behandelt?«

Bis auf wenige Tatsachen, die Rückschlüsse auf das Lager zuließen, berichtete er wahrheitsgemäß. Geglückte Generalprobe auch für das Polizeiverhör am nächsten Vormittag, das ihm bevorstand, und die späteren Gelegenheiten, wenn man ihn nach seinen Erlebnissen fragen würde. Unvermittelt fiel ihm Gilda ein. Ob sie sich beim Lesen der Schlagzeilen wohl an ihn erinnerte? Wahrscheinlich kaum. Längst mit Fred verheiratet, hatte sie ihn sicher vergessen. Versonnen kratzte er auf dem Teller die Reste des Chutneys zusammen. Das nervenquälende Quietschen der Gabelzinken auf dem Porzellan holte ihn in die Gegenwart zurück. »Entschuldigung!« murmelte er. Ein gutzogener Beamtensohn kratzte mit dem Besteck nicht auf dem Teller herum, schon gar nicht im Beisein eines echten Diplomaten! Als solcher erwies sich nun der Botschafter, feinfühlig überging er den Fauxpas, füllte Coralls Glas mit Wein, bediente sich selbst mit einem Whisky.

Genußvoll probierte Corall den Rebensaft – doch besser als jede frische Yak-Milch! Die Blume des Getränks nachschmeckend, nahm er das Gespräch wieder auf.

»Erst jetzt wird mir bewußt, wie wenig ich mich in diesen letzten zwei Jahren um Politik gekümmert habe, wie wenig vor allem um die Verhältnisse in diesem Land. Was um mich herum vorging, ist mir fremd geblieben. Sicher, die Zeit war stets ausgefüllt mit Beratung der Bauern, eigenen Aktivitäten und der Bürokratie für den Entwicklungsdienst, aber ehrlich gesagt: Politik hat mich nicht interessiert. Jetzt plötzlich selbst zum Opfer politischer Machtproben geworden, möchte ich schon genauer wissen, was eigentlich in diesem Land gespielt wird. Sie können mir da sicherlich helfen.«

Der Botschafter, bequem im Sessel zurückgelehnt, spielerisch das Whiskyglas zwischen Daumen und Mittelfinger drehend, hatte aufmerksam zugehört. Hin und wieder nahm er einen Schluck, stellte das Glas aber nicht auf den Tisch zurück. Erst jetzt, so direkt angesprochen, deponierte er das Getränk in Reichweite neben seinem Sessel auf dem Fußboden. Dann faltete er die Hände über dem Bauch, drückte den Rücken noch fester in die Lehne. Beides nahezu rituelle Konzentrationsgesten: Freunde wußten, jetzt würde er länger reden.

»Was geschieht in diesem Land?« nahm er Coralls Frage auf, dehnte bedächtig die einzelnen Worte in Silben auseinander. Das war wohl mehr Einleitungseffekt als Überlegungspause, denn Antwort auf diese Frage hatte er Besuchern berufsmäßig schon ungezählte Male geben müssen.

»Schauen Sie, mein junger Freund«, fuhr er flüssiger fort,

»dieses Thema muß einfach erweitert werden. Auf Nepal bezogen, ist die Frage zu eng gestellt. Was wird in Asien – oder noch besser: Was wird zur Zeit in der Welt gespielt? Das wäre wohl die genaueste Formulierung. Lassen Sie mich darum politisch im Weltmaßstab ausholen, und unterbrechen Sie getrost meinen Gedankengang. Falls Ihnen Zusammenhänge oder Fakten nicht geläufig sind, erkläre ich das dann gern ausführlicher.

Beginnen muß man mit der amerikanischen Besetzung Mexikos vor fünf Jahren. Auch Ihnen wird nicht entgangen sein, wieviel Staub diese Annexion Mittelamerikas aufwirbelte. Nun, den aktuellen Vorwand der kommunistischen Bedrohung durch die kleinen Karibikstaaten Guatemala, San Salvador und Belize können wir wohl außer acht lassen. Der wirkliche Grund war das Öl. Gut, der Staub hat sich gelegt, jedenfalls vorübergehend, seit per Volksabstimmung vor drei Jahren Mexiko zum einundfünfzigsten Staat der USA proklamiert wurde. Auf die weltpolitische Konstellation aber hatte die amerikanische Aggression erhebliche Auswirkungen, denn jetzt decken die Vereinigten Staaten mit der Fördermenge in Alaska, Mexiko, Venezuela, Texas und den ausbaufähigen, neuen Funden im Schelfgebiet Kaliforniens und der Antarktis zusammen fünfundneunzig Prozent ihres Ölbedarfs für mindestens das kommende Jahrzehnt.

Damit wurde der Unruheherd am Horn von Afrika für die Amerikaner uninteressant. Die permanente Weigerung der europäischen Nato-Mitglieder, die Sicherung ihrer Energiezufuhr durch militärische Schutzaufgaben am Golf selbst wahrzunehmen, stieß damit ins Leere. Die Amerikaner versprachen zwar, bei weltstrategischen Territorialveränderungen weiterhin einzugreifen, zogen aber Flotte und Militärberater aus Saudi-Arabien und den angrenzenden Emiraten ab. Praktisch über Nacht mußten Europäer und Japaner umdenken. Von vornherein war klar, daß niemand die Rolle des amerikanischen Weltpolizisten ersetzen konnte. Auch nicht die Nuklearmächte England und Frankreich. Den teilweise religiösen Fanatikern am Roten Meer konnte man sich nur noch mit Kompromißbereitschaft und demutsvoller Freundlichkeit nähern.

1980 hatte der ehemalige Ölminister von Saudi-Arabien, Scheich Jamani, ein besonders kluger politischer Kopf, in der panarabischen Konferenz von TAIF verlangt, Öl künftig nicht weiter für mehr oder minder weiche Dollars, sondern nur noch gegen westliches Know-how zu liefern. Jamani dachte damals schon an die Nachölzeit und wollte mehr für die technische Entwicklung der arabischen Länder tun. Das hieß: nicht nur Waren, sondern Produktionsstätten im Austausch gegen den schwarzen Saft zu liefern. Unter dem etwas erpresserischen Schutzschild der Amerikaner war von den Industriestaaten dieses Ansinnen immer abgeblockt worden. Jetzt drängten sie sich geradezu, das Versäumte nachzuholen. Entwicklungshilfe gegen Öl, das neue Zwangsgeschäft. Die Amerikaner waren fein raus, von fremden Staaten bezogen sie nur noch rund fünf Prozent ihres Ölbedarfs. Eine Menge, die im Krisenfall sofort eingespart oder durch Reserven und größere Fördermengen aus den eigenen Quellen über eine gewisse Zeitspanne ersetzt werden konnte, auf keinen Fall aber die USA gegen ihren Willen in militärische Konflikte verwickelte. Der große Bruder hatte seine Verbündeten kräftig in den Hintern getreten.

Nun dachten viele, Amerika habe diesen Schritt zur Autarkie vor allem unternommen, um sich in eine ›Splendid Isolation‹ zurückzuziehen, müde der dauernden Querelen mit ihren matten europäischen Partnern, müde der Konjunkturschwankungen auf dem Weltwirtschaftsmarkt, der Auseinandersetzungen mit dem Kommunismus und des ständigen Wettkampfs um die Gunst der Dritten Welt. Aber weit gefehlt – genau das Gegenteil trat ein! Für Präsident Gershwin schien das – in direkter Nachfolge der Reagen-Politik – nur der Schritt zurück, um Anlauf zu nehmen. Denn nachdem man die Ölfrage geregelt hatte, besaß man selbst unangefochten die wichtigste Waffe für den Rest des Jahrhunderts und wahrscheinlich darüber hinaus: den Weizen!

Konkurrenzlos im Ostblock und der Dritten Welt, verfügen die USA zusammen mit Kanada inzwischen über die einzigen wesentlichen Nahrungsmittelüberschüsse. Argentinien, von Revolutionen geschüttelt, produziert nur noch knapp genug für den eigenen Bedarf, und Australien leidet unter seinen Dürreproblemen.

1973 hatte eine ursprünglich geheime, aber bald an die Öffentlichkeit getragene CIA-Studie zum ersten Mal darauf aufmerksam gemacht, daß Weizen in der Zukunft ein politisches Druckmittel sein würde, wirkungsvoller als jede atomare Drohung. Überall in den armen Ländern der asiatischen Welt traten die Vereinigten Staaten nun zu einer Großoffensive ihrer Einkreisungspolitik gegen den sowjetischen Gegner an. Die ›Grüne Revolution‹ rollte, warb um Sympathie für Amerika. Großzügig wurde Saatgut verteilt, natürlich nicht ohne den Blick auf die Wohlfahrt der eigenen Geschäfte. Auch Deutschland paßte sich dem Zug der Zeit an. Technologie-Transfer nicht nur in die arabischen Staaten, sondern auf deren Wunsch auch auf den asiatischen Kontinent. Auch in der praktischen Entwicklungshilfe wurde man tätig. Darum, mein lieber Corall, ist es euch jungen Menschen jetzt so viel leichter geworden, den Militärdienst zu schwänzen, wenn ihr für drei Jahre Hilfsarbeiten in der Dritten Welt leistet. Mit Waffengewalt können wir heutzutage nichts mehr ausrichten, aber als Botschafter des guten Willens seid ihr hier draußen willkommen.

Nun droht das Konzept in letzter Zeit aus dem Ruder zu laufen. Die Rostkrankheiten des Weizens in diesem Jahr beschränken sich nicht nur auf die nepalesischen Felder. Überall aus dem asiatischen Raum höre ich von meinen Kollegen ähnliche Hiobs-Botschaften. Der Reis ist als Nahrungsmittel nahezu ausgerottet. Die Anfälligkeit der importierten Sorten läßt eine Anpflanzung nicht mehr zu, und in den vorangegangenen Jahren sind die einheimischen Arten ausgestorben, verdrängt durch billig angebotenes amerikanisches Saatgut.

Eine böse Entwicklung, wenn Sie mich fragen. Weizen bedeutete ja eine völlige Umstellung der Nahrungs- und Eßgewohnheiten dieser Menschen, aber das ist ein eigener

Bereich, auf den ich in diesem Zusammenhang gar nicht abschweifen möchte. Der gefährliche Punkt – und damit komme ich zu Ihrer Anfangsfrage zurück – ist der diesjährige katastrophale Ernteausfall. Große Hilfslieferungen aus dem Ausland werden nötig sein, um eine Hungersnot von immensen Ausmaßen abzuwenden, denn außer Nepal sind auch noch weite Teile Indiens, Koreas und Indonesiens betroffen. Auch die Japaner haben Schwierigkeiten, aber die sind eine der wenigen reichen Nationen dieser Weltgegend und kommen als erste an die Krippe, weil sie zahlen. Hier in Nepal jedenfalls wird es Unruhen geben. Ihre Entführung, Christian, war nur der Auftakt; das Vertrauen in den weißen Mann scheint erschüttert. Die hunderttausend Dollar Lösegeld für Ihre Freilassung wurden von den Kidnappern als Grundstock eines Hilfsfonds ›Nahrung für Nepal‹ deklariert. Hinzu kommt, daß das autoritäre Regime von König Hendra Bikram äußerst unbeliebt ist. Man unterstellt, speziell im Zusammenhang mit dem Ankauf von Weizen und der Vernachlässigung heimischer Reissorten, Korruption im Beamtenapparat. Sie wissen ja, wie die Leute sind. Jetzt ist schnell vergessen, daß anfangs alle mit Hosianna-Geschrei die Getreidesorten der Grünen Revolution wegen ihres hohen Ertrags begrüßt haben. Büßen sollen es jetzt die jungen Beamten. Der König stützt sich inzwischen nämlich sehr stark auf eine in Lagern und Heimen westlicher Hilfsorganisationen großgezogene Jugend-Elite. Auch die Konzerne, sagen wir mal aus Deutschland, die eine Vertretung in Nepal aufbauen wollen, sehen sich unter diesen Leuten um, werben natürlich lieber einen Mann an, der Deutsch spricht. Zumal, wenn dieses Unternehmen früher für Kinderdörfer oder Lepralager jährlich Hunderttausende von Mark aus Steuerminderungsgründen gespendet hat. Auf diesem Umweg bekommen sie einen Teil ihrer Investitionen zurück. Aber Zusammenarbeit und Bestechung zwischen diesen beiden Gruppen ist schwer nachweisbar, wenn auch nicht auszuschließen, niemand blickt genau dahinter.

Das Volk vermutet solche Praktiken schnell und wird darin von Demagogen bestärkt, die ihr Süppchen kochen möchten. Erste handfeste Aktion ist Ihre Entführung. Der Kessel brodelt, und ich weiß nicht, wie lange die staatlichen Schutzkräfte noch den Deckel draufhalten können. Wird das ganze Ausmaß der Erntekatastrophe sichtbar, kocht die Wut wahrscheinlich über.« Der Botschafter angelte am Boden nach seinem Glas, ohne den Blick von Corall zu lassen.

»Was ist denn an dem Gerücht, es gäbe keinerlei Vorratsspeicher, weder in Katmandu noch überhaupt im Land? Bauwünsche dieser Art würden ignoriert, oder es gäbe nur Lippenbekenntnisse dafür? Die Überschüsse der vergangenen Jahre, heißt es, seien als Viehfutter für ausländische Mastbetriebe in Nepal vergeudet worden.«

»Hm.« Der Botschafter wandte die Augen ab, er hatte sein Glas gefunden. Mit weit nach hinten geneigtem Kopf trank er in einem Zug den restlichen Whisky. Ein ziemlicher Schluck, denn vorher schwappte der halbe Inhalt noch darin. War er ein Trinker? So wirkte er eigentlich nicht. Wollte er etwas hinunterspülen, betäuben, oder brauchte er eine Überlegungspause? Das geleerte Glas balancierte er auf der Lehne. Den Balanceakt betrachtend, sagte er wie nebenbei: »Ja, tatsächlich, ich habe davon gehört. Vielleicht stecken die Mästereibetriebe dahinter, ich weiß es nicht. Im deutschen Entwicklungshilfe-Etat jedenfalls waren dafür nie Gelder ausgewiesen. Sie müßten mal im Ministerium nachfragen, vielleicht bei Ihrem Herrn Vater.«

Abrupt beendete er das Spielchen mit dem Glas, stellte es hart zurück auf den Tisch. Eine Wirkung des Alkohols merkte man ihm nicht an. »Sie müssen müde sein, mein Freund.«

»Ja, ja, ich bin müde«, wischte Corall die Ablenkungsfloskel beiseite. »Ich gehe auch gleich ins Bett. Eine Frage hätte ich aber noch gern beantwortet. Sie sind längere Zeit im Land als ich.« – »Fünf Jahre«, warf der Botschafter dazwischen. »Was geschieht mit einem Sherpa-Mädchen, wenn es sich mit einem Fremden einläßt?«

Der Botschafter zog die Augenbrauen hoch und spitzte die Lippen, als wollte er pfeifen, besann sich dann wohl, wie unangebracht eine solche Kundgebung in seinem Alter und bei seinem gesellschaftlichen Stand wirken mußte.

»Eine delikate Geschichte«, sagte er und tippte mit dem Zeigefinger eine Weile auf seiner Oberlippe herum. »Ist Ihnen das passiert?« fragte er schließlich.

Corall fühlte das Gesicht heiß werden, hoffte aber die Röte zu unterdrücken. »Nein, nein!« sagte er rasch, mit möglichst harmloser Stimme abwiegelnd. »Wann sollte ich das erlebt haben, etwa während meiner Gefangenschaft?« Er quälte sogar ein unschuldiges Lächeln hervor, hoffte inständig, sein Gegenüber zu täuschen, und hätte sich für die Frage prügeln mögen. »Nein, ich spreche neidvoll von einem ostdeutschen Kollegen«, witzelte er krampfhaft. Hatte er den alten Mann überzeugt?

»Na, dann ist es gut.« Der Botschafter nahm den Finger vom Mund und schob sich mit energischer Geste aus dem Sessel auf die Füße. »Das Mädchen wird von der Familie verstoßen«, sagte er dabei. »Viele Chancen hat es nicht mehr. So, und jetzt gute Nacht! Tao Ling wird Ihnen Ihr Zimmer zeigen. Wir reden morgen, nein ...« Nach einem Blick auf seine Uhr korrigierte er sich. »... heute früh weiter.«

In drohendes Rot gekleidet, hockt Hanumann, der Affengott, auf seinem steinernen Podest vor dem Königspalast. Eine Kapuze, unter der kein Gesicht ist, bedeckt den Kopf. Über seiner Gestalt spielt der Wind in den Fransen eines Schirms, wispert ihm zu, was in der Stadt geschieht. Hanumann beschützt die Diebe.

Mit einer Blumengirlande, die vom Scheitel bis zum Nabel hing, hatte ihn ein unbekannter Verehrer geschmückt. Vielleicht eine Bitte um Beistand in schlimmer Mission? Einige Touristen umstanden die Figur, warfen, wie es Brauch war, kleine Münzen in die Nische zwischen seinen Knien, wo das scharlachrote Tuch seines Mantels einen Spalt offen ließ. Hanumann würde auch für sie ein Wort bei Schiwa einlegen, vielleicht ließe der die Reisenden eines Tages zurückkehren. Wichtig für Hanumanns Schützlinge, die Diebe –

denn wen sollte man berauben in diesem armen Land, wenn nicht die Fremdlinge?

Die Sonne tauchte die hölzernen Giebel mit ihren kunstvoll geschnitzten Aufsätzen in rötliches Abendlicht. Corall, aus Sorge, er könne Marjam Singh verpassen, ging schon seit zehn Minuten, etwas abgesetzt von der übrigen Besuchergruppe, vor dem Götterbild auf und ab. Am Vormittag hatte er der einheimischen Polizei auf dem Kommissariat seine Abenteuer ähnlich wie dem Botschafter geschildert, dann mit seiner Mutter in Bonn telefoniert und den Rest des Tages mit Essen und Stadtbesichtigung verbracht. Nun stand er erwartungsvoll vor dem Königspalast.

Aus dem Palasthof trat ein junger Nepalese. Nicht sehr hochgewachsen, aber schlank und muskulös. Nur mit einem T-Shirt, das seine durchtrainierte Figur noch besser zur Geltung brachte, und Jeans bekleidet, war er nicht anders als Hunderte seiner Altersgenossen gekleidet. Der stolze Gesichtsausdruck jedoch, die ebenmäßigen Züge und das geheimnisvolle Feuer in den mandelförmigen Augen, zogen sofort die Aufmerksamkeit auf seine Person. Eine schwer in Worte faßbare Aura von Unnahbarkeit umgab ihn, die Distanz hielt und gleichzeitig Sympathien für ihn weckte. Er war das vollkommene Ebenbild der Vorstellung von einem Samurai, hätte man in Japan gesagt, das Modell eines ritterlichen Kämpfers.

Der vielleicht knapp zwanzig Jahre alte Mann ließ nur kurz den Blick über die Hanumann-Betrachter schweifen, dann spielte ein Lächeln um die schmalen Lippen, und er eilte mit leicht federnden Schritten auf den wartenden Corall zu.

Christian hatte es auch erraten: Marjam Singh. Jedenfalls hoffte er, der möge es sein. Die Hoffnung wurde nicht enttäuscht. Der Samurai blieb vor ihm stehen, die schmalen Augen schauten prüfend, aber nur kurz. Dann sagte er, und sein Lächeln vertiefte sich dabei, mit angenehmer Stimme auf deutsch: »Du bist es!«

Er legte die aneinander gedrückten Handflächen mit der Daumenseite vor die Stirn, verneigte den Oberkörper, wobei er karikierend im Ton des Verschwörers sagte: »Wenn die Sonne sinkt, wird Nepal frei sein.«

Mit leichter Röte im Gesicht erwiderte Corall: »Die Sonne sinkt.« Marjam richtete sich auf, umarmte, ungeachtet der Zuschauer, den Deutschen: »Willkommen, Bruder, ich bin dein Schatten.«

Verlegen drückte Corall ebenfalls die Arme um die Schultern des neuen Freunds, fühlte durch den dünnen Stoff die harten Muskeln auf Rücken und Oberarm. Nach dieser Begrüßungszeremonie packte Marjam ihn am Ellbogen.

»Komm!« sagte er in tadellosem Deutsch, fast ohne Akzent. »Laß uns hier nicht länger unter den neugierigen Menschen stehen! Es erwartet uns jemand.« Er zog Corall fort, der willig folgte. »Wohin gehen wir?«

»Wir besuchen die Kleine Göttin«, antwortete Marjam lachend. Die Kleine Göttin, das eingesperrte Kind in dem schönen Palast. Verschiedentlich war Corall an ihrem prachtvollen Gefängnis vorbeigegangen, auch heute nachmittag. Er hatte sich jedoch niemals die Zeit genommen, hineinzuschauen. Touristenschnickschnack. Und wenn abends die wahrhaft Gläubigen kamen, hielt man sich als Weißer besser fern.

Die Kleine Göttin, lebende Ehefrau eines toten Gottes. Als Gemahlin des großen grausamen Schiwa genoß sie Verehrung als Parvati, die mythische Gattin, deren Inkarnation sie blieb, bis ihre Monatsregel sie unrein machte und aus dem Stand der Goldschmiede, die in Nepal den Priestern gleichgestellt sind, eine neue Kleine Göttin erwählt wurde.

Nur wenige hundert Meter trennten den Königspalast vom weißen Haus der Göttin. Das niedrige Tor zum Innenhof bewachten zwei steinerne Löwen, fürchterlich die Reißzähne bleckend, womit sie allerdings mehr Dämonen als Menschen schreckten. Außer Marjam und Corall strebten ganze Familien, in der Mehrzahl ländliche Besucher, durch die enge Pforte. Drinnen verbreitete sich der Eingang zu einer sechssäuligen Passage. Kostbare geschnitzte Ornamente verzierten die Holzpfosten. Marjam zog seinen Begleiter über den groß gepflasterten Platz in die hinterste

Ecke. Der Hof füllte sich immer mehr, die Menge begann bereits zu drängeln.

»Wir warten hier«, flüsterte Marjam Corall ins Ohr. Er hielt ihn jetzt fest an der Hand. »In wenigen Augenblicken verschwinden wir aber durch eine kleine Tür hinter uns. Blick dich noch nicht um! Ich werde dich später führen, aber du mußt schnell sein. Niemand darf uns entdecken, sonst gibt es Ärger.«

Zwei Stockwerke hoch umschloß der Palast den Hof als Viereck. In jeder Etage, auf jeder Seite gleich, gab es einen schräg vorragenden hölzernen Balkon, hinter ihm immer drei mit Querstangen vergitterte Fenster. Rote Vorhänge verhinderten die Sicht ins Innere. An jeder dieser Öffnungen konnte die Göttin erscheinen.

Plötzlich kam Bewegung in die Wartenden. Im obersten Geschoß, Corall genau gegenüber, wurde der Vorhang am mittleren Fenster zur Seite geschlagen, und ein bunt bemaltes Kindergesicht mit rotem Federkopfputz auf dem Haar schaute herunter in die Menge. Die Kleine Göttin!

Erst gab es nur einzelne Rufe: »Parvati, denk an uns!« – »Oh, schreckliche Durga, beschütze mein Kind, behüte es vor dem Dämon der Krankheit!« Dann überschrien sich die Stimmen und ihre Wünsche. Das etwa zwölfjährige Mädchen blickte starr in den Hof. Die Stirn bis zur Nasenwurzel war rot geschminkt. Zwischen den Augen, auf ovalem gelben Untergrund, prangte der schwarze Segensfleck, Abzeichen der Jungfrau. Die Lider waren schwarz umrandet, wobei der obere Lidstrich grotesk bis über die Schläfe verlängert war. Eine Maske nach den Regeln klassischer Schönheit.

Plötzlich übertönte eine Stimme, mächtiger als alle anderen, das Geschrei. Corall konnte nicht ausmachen, aus welcher Richtung sie kam. Sie schien auf einmal von überall gleichzeitig zu dröhnen. »Parvati, o mächtige Göttin! Laß uns nicht Hungers sterben! Erhalte unsere Ernte! Bewahre die Frucht vor dem Fluch der fremden Teufel, die sie uns gebracht haben!«

Corall verspürte ein kräftiges Ziehen an der Hand. Als er sich Marjam zuwandte, wies dieser energisch mit dem Kopf in die Richtung nach hinten zur Hauswand. Corall folgte ihm. Die Menge schrie auf wie ein Mann. Die Angst vor dem Hunger einte alle. Das Kind dort oben hob die Hand, den Sinn der flehenden Bitte wohl nicht begreifend, und winkte mechanisch. Der Vorhang fiel, aber das sah Corall schon nicht mehr. Kräftig mitgerissen, rannte er die vier, fünf Schritte bis zu der kleinen Pforte, halb verdeckt von einer Holzsäule, sah, wie Marjam hinter einem Kettenvorhang verschwand, ohne seine Hand loszulassen, folgte ihm in die blindmachende Dunkelheit einer engen Stiege und lief dort auf den stehengebliebenen Partner auf. Wie ein Baum stand der Samurai, der Aufprall verrückte ihn nicht einen Zentimeter. Eine Hand legte sich Corall über den Mund, erstickte dessen Schmerzensschrei.

»Sei ruhig, Bruder!« murmelte der Schatten. »Wenn sie uns hier finden, reißen sie dich in Stücke.«

»Wo sind wir?« fragte Corall genauso leise zurück, fand aber, kaum ausgesprochen, die Äußerung besonders töricht. Der andere blieb ernst.

»Im Haus der Göttin. Ein großes Sakrileg, auch für einen Hindu«, flüsterte er. »Setz dich! Hier sind Stufen.«

Corall hörte ihn herumtasten, tat es ihm nach, faßte mehrfach auf Marjams Fußspitzen, bis er ein bequemes Plätzchen auf der engen Stiege entdeckte. Er spürte beim Sitzen Marjams Knie im Kreuz, keine weiche Lehne.

»Und jetzt?« fragte er in die Dunkelheit hinein.

»Wir warten, bis die Pilger gegangen sind und der Hof abgeschlossen wird. Paß auf, der Mann, zu dem ich dich bringe, ist der Vater der Kleinen Göttin. Die Zeit reicht bestimmt, dir einiges über ihn zu erzählen. Du mußt wissen: Alle zehn, zwölf Jahre, wenn die Göttin ihre Monatsregel zum ersten Mal bekommt und entlassen wird, beginnt ein mächtiges Gerangel innerhalb der Goldschmiedezunft. Offiziell wird die nächste Göttin nach einer Reihe von Prüfungen, die Gott Schiwa selbst vornimmt, durch die Priester ausgesucht. So wird sie in dunklen Räumen verschiedentlich erschreckt, darf aber keine Angst zeigen. Nun kann man natürlich mal mehr oder weniger großen Schrecken verbreiten, je nach gewünschtem Ergebnis, der übliche Humbug. In Wirklichkeit nämlich sind eine Menge Geld und Erpressung im Spiel. Absprachen, Koalitionen, Versprechungen, kurz das normale Geschäft zwischen Konkurrenten, die zu einer Einigung finden müssen, wenn es um viel Macht geht. Der Vater der Göttin wird, wenn er es geschickt anstellt, zum einflußreichsten Berater am Königshof. Denn durch die hohe Auszeichnung seiner Tochter hat er, wenn alles vorbei ist, natürlich die gewichtige Zunft der Goldschmiede geeint hinter sich. Außerdem verdient die Göttin an den Spenden der Gläubigen und Touristen einen Haufen Geld.

Der Vater dieser kleinen Parvati ist ein besonders kluger Mann. Er liebt das Volk, haßt die Machenschaften der Lepra-Mafia, wie Ketjak sie nennt und bekämpft sie mit aller Vorsicht seit vier Jahren. Das muß heimlich geschehen, weil diese Leute bei Hofe ebenfalls großen Einfluß besitzen und ihn möglicherweise durch ihre Wirtschaftskraft verdrängen könnten. Also hält er sich öffentlich bedeckt und trifft mit uns auf diesem konspirativen Weg zusammen. Er ist jetzt schon zwischen den Leuten da draußen und holt uns, wenn die Luft rein ist. Er gibt dir Aufschluß über unsere Lage, mehr wahrscheinlich, als Ketjak das vermochte. Er wird dann sagen, was man von uns beiden erwartet.«

Sie lauschten nun schweigend nach draußen. Die Stimmen verklangen nur langsam, der Hungerschrei rührte Aggressionen auf. Schließlich kehrte Ruhe ein. Gerade als Corall vom Stillsitzen eine totale Verkrampfung seiner Muskeln befürchtete, hörte er klatschende Geräusche. Jemand kam mit schlappenden Sandalen über das Pflaster geschlendert. Unwillkürlich sah Corall vor seinem geistigen Auge eine riesige Donald-Duck-Ente mit platten Füßen über den Hof watscheln. Die Schritte machten vor dem Kettenvorhang halt.

»Ihr könnt herauskommen«, sagte eine leicht quäkige Stimme auf englisch.

»Laß uns gehen!« flüsterte Marjam an Coralls Ohr. »Es ist mein Onkel, der Vater der Göttin.«

Corall stand auf. Vorsichtig tastete er sich an der Wand das Treppchen hinunter, halb geführt von Marjam, der ihm eine Hand auf die linke Schulter drückte. Nach wenigen Schritten zeichnete das Mondlicht einen Schatten auf die sichtbar werdende Türöffnung. Als er durch den Kettenvorhang trat, sah er, wer den Schatten warf. Ein dicker kleiner Mann, der ihm etwa bis zur Brust reichte und tatsächlich eine entenähnliche Figur besaß: schmale Schultern, eine schmächtige Brust, aber von den Rippen aus einen vorspringenden Bauch und ein bemerkenswert mächtiges Hinterteil. Das Gesicht wirkte noch jung, was bei der fast faltenlosen Haut des Asiaten nicht unbedingt ein Altersmerkmal bedeutete.

»Das also ist unser junger Freund«, tönte die quäkende Stimme wieder, und eine feiste Hand tätschelte Corall die Wange. Daß diese fetten Finger einmal kunstvoll Gold geschmiedet haben sollten, sah man ihnen nicht mehr an. Die Tätschelei war Corall genauso unangenehm wie der ganze Mann. Falls dieser das merkte, ließ er es jedenfalls nicht merken.

»Kommen Sie, wir wollen uns unterhalten, uns kennenlernen! Ich denke, wir haben noch viel miteinander vor.« Zwanglos ergriff die ›Ente‹ Coralls Arm, hakte seinen darunter und zog den Deutschen über den Hof zur anderen Seite des Palastes. Marjam folgte ihnen schweigend; bis jetzt hatte sein Onkel noch keine Notiz von ihm genommen.

Durch einen ebenfalls mit Kettenschnüren verhängten Türrahmen betraten sie wieder das Haus. An den kunstvoll geschnitzten Seitenbalken befestigt, flackerten zwei blakende Fackeln, warfen huschende Schatten in einen langen teppichbelegten Saal. Fünf steinerne Stufen führten nach oben. Die Türflügel, die den Raum zum Hof hin abschließen konnten, waren nach innen geöffnet, ein architektonisches ›Willkommen‹ für den Gast.

Der flackernd wechselnde Flammenschein warf Lichter auf mehrere verzerrte Dämonenfratzen, die in den unwirklichsten Verrenkungen, teilweise mehrgliedrig, an den Wänen entlang Spalier standen. Die unsteten Schattensprünge erweckten sie zum Leben. Auf dem Boden, über die sicherlich kostbaren Teppiche hinweg, war ein schmaler Läufer ausgerollt. Zu seinen beiden Seiten lagen je drei Kissen. In der Mitte zwischen den Sitzgelegenheiten brannten Öllampen still ihren Docht zu Ruß.

Romantisch, verdammt! Richtig abenteuerlich romantisch! Und wieder übermannte Corall das Gefühl, in einem Märchen aus Tausendundeiner Nacht den Helden zu spielen, löschte für Augenblicke die unangenehmen Empfindungen aus, die er litt, als Marjam den fetten Bonzen ›Onkel‹ nannte, machte ihn die demütigende Berührung seiner Wange durch diesen Mann vergessen. Okay, okay, es paßte ihm manches nicht! Aber dieser Augenblick erschien ihm erhebend, überwältigte ihn.

Er blickte sich um. Marjam hielt die Augen gesenkt. Die Arme übereinandergeschlagen, wirkte wieder so unnahbar und stolz wie bei der ersten Begegnung vor knapp einer Stunde. Corall schämte sich plötzlich seines Überschwangs. Der andere, der ihm schon so vertraut schien, mahnte ihn durch seine Haltung, jetzt mehr dem Verstand als dem Gefühl zu folgen.

»Setzt euch!« forderte der Onkel seine beiden Begleiter auf, zog damit zum ersten Mal auch seinen Neffen sprachlich in die Runde. Unsichtbare Hände schlossen die Türen, sperrten das Fackellicht aus. Die Wände des Saals, die Dämonen versanken in Dunkelheit, nur die drei Lichtflecke der Öllampen erhellten noch drei sich überschneidende Kreise, in denen die Männer Platz nahmen. Jell Raj Singh auf der linken Längsseite des Läufers, die beiden jungen Leute ihm gegenüber.

Jell Raj brauchte ein Weilchen, bis er Fettsteiß und Kleidung zu bequemer Lage geordnet hatte. Hier zupfte er eitel, da legte er in dekorative Falten, dann richtete er endlich die schmalen Schultern auf, die nun zusammen mit dem Oberkörper auf dem mächtigen Podest des Unterleibs ruhten, und sagte: »Mein Name ist Jell Raj Singh, falls es Ihnen mein Neffe Marjam noch nicht gesagt haben sollte. Ich bin der Vater der Kleinen Göttin. Von Beruf Goldschmied, einer

Zunft zugehörig, die der Priesterkaste in diesem Land sehr nahe steht. Aus unseren Familien erwählt der Gott Schiwa seine leibliche Gemahlin; vor acht Jahren erkor er meine Tochter. Ich selbst bin seitdem, ohne mir zu schmeicheln, der engste Berater seiner Majestät Hendra Bikram des Dritten und werde es wohl auch bleiben, bis es Schiwa gefällt, meine arme Tochter zu verstoßen.«

Interessiert rechnete Corall das mutmaßliche Alter des Mädchens aus und kam zu dem Ergebnis, Jell Rajs politische Laufbahn neige sich wohl dem Ende zu. Höchstens zwei Jahre, eher kürzer, mochte es noch dauern, bis das bunt bemalte Kind, das er vorhin vom Hof aus gesehen hatte, zur Frau reifte. Zeit genug, um Coralls Aufgabe zum Abschluß zu bringen.

»Ich freue mich«, drang die quäkende Stimme wieder in sein Bewußtsein, »Sie in unserem Kreis begrüßen zu dürfen. Wir sind keine Verschwörer, wir sind das, was man in Ihrem Land ›gute Patrioten‹ nennt, Menschen, die um der Sache ihrer Heimat willen auch mal den Kopf riskieren.«

Hoffentlich nicht nur den anderer! ergänzte Corall sarkastisch in Gedanken. Sofort blockierte er ärgerlich diesen Zynismus ab. Warum bist du hier, wenn du dem Mann mißtraust? fragte er sich ärgerlich. Doch konnte er seine Abneigung gegen Pathos und Erscheinung Jell Rajs nicht abschütteln. Wieder blickte er auf Marjam, der im Halbschatten seiner Öllampe wie versteinert wirkte. »Sie haben sich entschlossen, auf unsere Seite zu treten, wir danken Ihnen durch meinen Mund für Ihre Hilfe.«

Jell Raj klatschte in die Hände. Ein Geräusch verriet, daß am anderen Ende des Saals jemand den Raum betrat. Geschirr klapperte leise, und geisterhaft servierten Hände aus dem Dunkel zierliche Prozellanschalen, gefüllt mit Gemüse, Fleisch und – welch großer Luxus! – auch mit Reis.

»Sehen Sie«, nahm Jell Raj das Gespräch wieder auf, »hier ist Reis, heute eine importierte Delikatesse in Nepal, obwohl die älteste Reissorte der Welt aus dieser Erde stammte. Angelsächsische Botaniker tauften sie ›Trekking‹. Heute ist sie ausgestorben. Und das bringt uns zu unserem Problem, Mister Corall. Ich muß Ihnen nicht schildern, wie es draußen im Land um unsere Ernte bestellt ist. Wer wüßte besser Bescheid als Sie? Wir, die Regierung, der König, sind verzweifelt. Eine Hungersnot droht, wenn uns nicht das Ausland – und vor allen die Amerikaner – mit Getreidelieferungen helfen. Die ersten Kontakte sind aufgenommen, aber in diesem Jahr ist unser Land nicht das einzige mit einer Mißernte bestrafte Reich Schiwas. Als ich durch Zufall bei Ihrem Botschafter erfuhr, Ihr Vater sei im bundesdeutschen Entwicklungsministerium hoher Beamter, hoffte ich, Sie für eine Mitarbeit zu gewinnen, denn wir brauchen einen Menschen mit Verstand, politischen Beziehungen und einem Herz für unsere Sorgen.«

Obwohl auch diese letzte Floskel Corall viel zu schwülstig in den Ohren klang, konnte er sich doch nicht dem Drängen in dieser quäkenden Stimme entziehen, fand er sein Mitgefühl wieder, so wie er es in der Klarheit der Berge, in Ketjaks Camp, verspürt hatte. »Ich wette, du hast vorhin da draußen den Brotschrei ausgestoßen«, warf Marjam schleppend ein, griff damit zum ersten Mal in das Gespräch ein und zeigte gleichzeitig, daß er trotz seiner meditativen Haltung aufmerksam zuhörte. Jell Raj ignorierte die Unterbrechung.

»Wir sind ein kleiner Staat, Mister Corall, eingeklemmt zwischen dem mächtigen China und dem Koloß auf tönernen Füßen, der Indien heißt. Wir sind kaum industrialisiert, wir leben und sterben mit unserer Landwirtschaft, und im Moment sterben wir. Schuld daran ist eine kleine Clique von Menschen unserer Hautfarbe und Nationalität, deren Zunge und deren Herz aber weiß sind, die weiß denken und weiß sprechen. Sie wissen schon, wen ich meine. Dieser Clique und ihren Machenschaften gilt es endlich entgegenzutreten. Da müssen wir an die Wurzeln kommen, und die wachsen im Ausland, in Amerika. Ich muß wissen, was da gespielt und geplant wird. Wir müssen den Fremdeinflüssen endlich einen Riegel vorschieben, unsere Abhängigkeit beseitigen.«

Der Dicke kippte vorsichtig aus einem Schälchen mit Brühe und kleingeschnittenem Fleisch einige Brocken und

Tropfen über seinen Reis, dann mischte er beides mit den Fingern zu einem Brei. Corall starrte mit leichtem Anflug von Ekel auf die Manscherei. Gleichzeitig nutzte er die Pause, endlich auch ein paar Sätze zu sagen. Anscheinend hatte der königliche Berater bisher weder eine Äußerung seines jungen Gastes für nötig gehalten noch überhaupt vermißt. Der typische Egomane, voll überzeugt, immer recht zu haben, voll überzeugt, daß auch die anderen das immer wußten!

»Ich freue mich, Ihrer Sache zu helfen«, begann er ziemlich lahm, beinahe hätte er ›dienen‹ gesagt, fand das aber zu übertrieben. Was sagte man überhaupt in einer solchen Situation? Mußte er besonders freundlich sein? Warum eigentlich? Sie wollten doch etwas von ihm. Andererseits wollte er seine Abneigung gegen diesen Mann nicht zum Ausdruck bringen. Alles erschien ihm plötzlich in düsterem Licht, nicht mehr so klar und durchsichtig oder – besser – geradlinig wie in den Bergen. Sicher, sein Mitgefühl für dieses zerstörte Land und seine bedrohten Menschen wurde deshalb nicht eine Sekunde schwächer, aber das hier, so merkte er, war der graue Alltag seiner konspirativen Arbeit, die er freiwillig gewählt hatte. Das hier war nicht mehr flottes Abenteuer mit nützlichem Ergebnis, das hier hieß, sich unter das Joch der vertretenen Interessen beugen. Fühlte er in Ketjak den ebenbürtigen Partner, mußte er in dem Dicken wohl einen Führer anerkennen, der Befehle ausgab und Macht über ihn hatte, ob ihm das paßte oder nicht.

Jell Raj formte aus dem Soße-Reis-Gemisch ein Kügelchen; geschickt zog er den Kloß mit zwei Fingern aus der Schale und schob ihn, den Kopf leicht zurückgeneigt, zwischen die fetten Lippen. Auch Marjam machte sich bedächtig, allerdings mit dem Löffel, über seine Speiseschälchen her. Der Dicke schmatzte zufrieden und nickte Corall freundlich zu, während er die Finger wieder in die Reisschale tauchte.

»Ich stehe zu Ihrer Verfügung«, fuhr er fort, fand seine Stimme noch immer zu wenig enthusiastisch und gab es auf. »Was soll ich tun? Was erwarten Sie von mir?« Der

Dicke musterte ihn aus seinen dunklen Kuhaugen, führte eine zweite Reiskugel zum Mund. Corall wandte den Blick ab und begann zu essen. Auch er mischte Fleisch und Reis, tat noch einen Löffel von der Gemüseplatte dazu. Alles durchaus schmackhaft. Als Jell Raj mit keiner Geste, keinem Wort auf seine Ergebenheitserklärung einging, sah er wieder auf. Der Vater der Kleinen Göttin saß jetzt mit gekreuzten Beinen und in den Schoß gelegten Händen wie eine Buddhastatue vor seinen Eßnäpfen, die wie Opferschalen vor ihm standen.

»Mister Corall«, sagte er freundlich quäkend, »ich freue mich, ich bin dankbar, Sie hier bewirten zu dürfen. Sie ahnen wahrscheinlich gar nicht, wie wertvoll Sie unserer Sache sind.«

Corall atmete auf, er wurde hier also doch als gleichwertig empfunden. Trotzdem entging ihm nicht der rasche Seitenblick, den Marjam seinem Onkel zuwarf, um dann sofort wieder in seine meditative Haltung zu versinken.

»Sie fragen, was Sie für uns tun können, eine Frage, die mich sehr glücklich macht. Ich weiß nicht, wieviel mein Freund Ketjak Ihnen schon gesagt hat, darum will ich mich kurz fassen. Wir möchten, daß Sie über die Schuldigen Beweise heranschaffen, zusammen mit meinem Neffen Marjam. Man verweigert uns seit Jahren Finanzierung, Knowhow und Baumaterial, um explosionssichere und haltbare Großsilos für Getreide zu errichten. Wer steckt dahinter? Die Kunsheis? So nennen wir die Lepraleute nach dem größten Lager in Nepal. Daß sie es sind, scheint ziemlich sicher. Was sie bezwecken, ist klar, und ihre Rechnung ging bisher auf: Wir müssen Weizen kaufen, dort wo er noch im Überschuß und zu hohem Preis abgegeben wird: in Amerika. Daran verdienen außer den Farmern auch die einheimischen Zwischenhändler, also unsere gebildeten Kunsheis.«

Er hämmerte plötzlich mit der Faust auf den Boden. Für einen Asiaten, noch dazu einen der oberen Gesellschaftsschicht, eine ungewöhnliche Gefühlsäußerung.

»Sollen wir vielleicht Zustände wie in Bangladesh bekommen? Lesen Sie das, Mister Corall!« sagte er, wieder ruhig geworden. Aus einer Tasche seiner weiten Hosen zog er eine englische Ausgabe der ›Indian-Times‹ hervor und reichte sie Corall über den Teppich. Der Deutsche nahm das Blatt, warf einen Blick auf das Datum. Die Zeitung war gute sechs Wochen alt. Auf der ersten Seite, weiter unten, war ein Artikel angestrichen. Die Überschrift lautete: ›Spendenskandal in Bangladesh!‹ Der Bericht stammte von einem ungenannten Korrespondenten und beklagte den Umgang mit Spendengetreide für die notleidende Bevölkerung in Asiens ärmster Region. ›Das Schlimme an diesen Schiebungen ist, daß sie völlig legal abgewickelt werden‹, schrieb der Reporter. ›Die Getreidesäcke wandern vom Schiff in staatliche Warenlager, werden dort sofort dem Zugriff der Spendernation entzogen. Nur ein Bruchteil, meine Gewährsleute schätzen zwischen zehn, höchstens fünfzehn Prozent, werden ihrem ursprünglichen Zweck zugeführt und kostenlos unter die Hungernden verteilt. Meist geschieht das in Sammellagern für hilfsbedürftige Obdachlose und Kranke. Dort ist für ausländische Beobachter der Nachweis für den zweckgebundenen Einsatz der Getreidespenden am augenfälligsten zu führen. Tatsächlich aber fließt der größere Teil der Weizenlieferung auf den freien Markt, wird dort zu günstigen Preisen bei starker Nachfrage verhökert und füllt korrupten Beamten die Taschen. Damit das System reibungslos funktioniert, wird auch der Staat an den Gewinnen beteiligt. Ein Riesenskandal! Vierzig Prozent, also fast die Hälfte des Nationalbudgets, sollen aus diesen Erlösen bestritten werden. Das heißt, Staat und Beamtenschaft betrügen Hand in Hand nicht nur ihre darbenden Bürger, sondern auch noch die Geberländer der westlichen Welt.‹

Corall ließ das Blatt sinken. So sah also die Wahrheit hinter den Lobeshymnen aus, die sein Vater auf die Arbeit und die Kapitalvergabe des Ministeriums zu singen pflegte.

Jell Raj beobachtete den Eindruck der Lektüre auf dem Gesicht seines neuen Verbündeten. Dann ergänzte er:

»Um den Irrsinn komplett zu machen, kann dieses gewinnträchtige Geschäft mit dem Elend nur weiterlaufen, wenn die Nahrungsmittelproduktion in Bangladesh nicht gesteigert wird. Verstehen Sie? Der Hunger muß auf Grund knapper eigener Erträge erhalten bleiben, denn sonst fließen die Getreidespenden nicht mehr. Versiegen die Spendenquellen aber, verliert der Staat die beste Einnahmegarantie, und seine Beamten sind ihre Pfründe los. Sind solche Verhältnisse allerdings erst einmal eingespielt, braucht sich der Apparat keine allzu großen Sorgen zu machen. Schließlich drücken die Spendenverkäufe am freien Markt auf den Erzeugerpreis. Zumindest kann man dafür sorgen, immer etwas billiger zu bleiben, als die einheimischen Produzenten. Die Folgen können Sie sich leicht ausmalen: Den Bauern fehlt jeder Anreiz, ihre Äcker zu bestellen, geschweige denn noch weiteres Land unter den Pflug zu nehmen. Das System funktioniert also aus sich selbst, dank eurer Entwicklungshilfe, und glauben Sie nicht, das alles sei den Geberländern, voran den USA, nicht bekannt. Die begrüßen solche Zustände sogar; so halten sie die Dritte Welt am knappen Zügel, und ihre Farmer können dem Staat für seine Wohltaten ihr Überschußgetreide teuer verkaufen. Zu kurz kommen dabei nur wieder die Ärmsten der Armen, die nicht genug Geld haben, die ihnen zugedachte kostenlose Nahrung am Ende doch zu kaufen.

Nein, solche Korruption möchte ich in meinem Land nicht erleben. Darum brauche ich die Speicher, Mister Corall. Falls es jemals wieder eine gute Ernte geben sollte, dann muß für schlechte Zeiten vorgesorgt werden, dann darf das kostbare Korn nicht mehr als Viehfutter für Fleisch verschwendet werden, für Fleisch, das nur in vollgefressene Bäuche längst satter Menschen anderer Kontinente wandert.«

Seine quäkende Stimme überschlug sich im letzten Satz. Noch einmal hieb er mit der Faust auf den Boden vor den untergeschlagenen Beinen. Corall betrachtete ihn nachdenklich, ziemlich geschockt durch das eben Gehörte. Ketjak und dieser Vater einer Göttin operierten seine Illusionen erbarmungslos zu Tode, aber gleichzeitig störte ihn einiges: Auch dieser Mann besaß einen umfangreichen Bauch, auch dieser Mann aß erstaunlicherweise Fleisch, ebenso Marjam.

Dann fiel ihm wieder ein: Buddha hatte nur den Abscheu vor fleischlicher Nahrung gepredigt, den Genuß von Fleisch aber nicht verboten, nur das Töten. Selbst ein Priester durfte erbettelte Fleischspeisen zu sich nehmen.

Diese Abschweifung verdeutlichte Corall sein gespaltenes Verhältnis zu Marjams Onkel. Einerseits erschütterte ihn, was der erste königliche Berater über das Elend in diesem Teil der Welt berichtete, andererseits regte ihn das Mißverhältnis zu diesen Klagen im äußerlichen Erscheinungsbild seines neuen Partners auf.

Jell Raj hatte sich wieder in der Gewalt.

»Aber es geschieht noch mehr, was mir angst macht«, sagte er jetzt mit betont leiser Stimme. »Vor zehn Jahren begann man bei uns mit eurer ›Grünen Revolution‹. Nach anfänglichen Rekorderträgen hat sie uns den Reis gekostet und jetzt wohl auch den Weizen. Ein Saatgutvertreter besuchte mich vor wenigen Tagen und riet mir, wir sollten es doch jetzt einmal mit Mais versuchen, er hätte da eine hervorragende Sorte ... Mister Corall, ich frage Sie, was soll aus uns werden? Dieses Volk, seit Jahrtausenden, ja, seit Menschengedenken mit Reis ernährt, mußte vor fünf Jahren seine Eßgewohnheiten auf Weizen umstellen. Schwer genug, wenn Sie wissen, was allein Tradition in der Dritten Welt bedeutet. Jetzt kommt man schon wieder und verlangt, als wäre es eine Alltäglichkeit, ab morgen sollen wir Mais essen! Was ist aus dieser Welt geworden, Mister Corall? Ich weiß, unser Überleben hängt nur von einer Handvoll Nutzpflanzen ab. Kann man, nein, darf man die aber derart manipulieren und verschleißen, wie das anscheinend geschieht? Getreide kann doch nicht alle halbe Dutzend Jahre wie ein neues Automodell gewechselt werden!

Vor nicht langer Zeit produzierte die Welt täglich etwa zwei Pfund Korn pro Mann oder Frau auf dieser Erde, das waren dreitausend Kalorien für jeden Magen. Ausreichend Nahrung, auch ohne ein Zusatzprodukt wie Fleisch oder Gemüse, um jeden Menschen auf allen fünf Kontinenten satt zu machen. Hunger war eigentlich nur ein Verteilungsproblem. Ich fürchte, diese Zeit ist vorbei. Was machen diese Getreidehändler mit dem Korn? Was tun sie ihm an? Brot oder Reis sind kein Spielobjekt reiner Verkaufsstrategie, oder doch?

Finden Sie für uns heraus, Mister Corall, was dahintersteckt. Wir sind ein armes, abhängiges, politisch unmündiges Land. Offiziell in unserem Auftrag kann in dieser Richtung nichts unternommen werden, unser Vertrauen begleitet Ihre Eigeninitiative, Sie und Marjam.«

Marjam! Da saß er, dieser imponierende junge Mann, saß da, als ginge ihn das alles wenig an. Wer war er? Sein Schatten. Ein Wort für ihn mit viel Erklärung, aber ohne Bedeutung. Voll sollte er sich auf einen Menschen verlassen, der ihm zwar sofort sehr sympathisch war, von dem er aber sonst nichts wußte. Und umgekehrt dasselbe. Nur – wog er Selbstvertrauen gegen Selbstvertrauen, so erschien ihm der Nepalese stärker gewichtet. Viel von dieser Unnahbarkeit, die er gleich anfangs gespürt hatte, ging auf eine angeborene innere Autorität zurück, gepaart mit einer starken Selbstdisziplin, so analysierte Corall. Und diesem Mann sollte er vorgesetzt sein? Der sollte sich ihm unterordnen? Kaum vorstellbar. Er betrachtete den anderen verstohlen. Eine schöne Geschichte, das mit dem Schatten! Aber was steckte wirklich dahinter? Wahrscheinlich sollte er mit seiner weißen Farbe im Gesicht nur die Galionsfigur abgeben, dem braunen Partner die Türen der ›Alten Welt‹ öffnen. Oder war da noch etwas anderes? Ein Verdacht keimte in ihm auf, den er sofort in eine Frage umsetzte.

»Und was tut *er*?« fragte Corall schroffer in die eingetretene Stille, als er wollte, und wandte Marjam das Gesicht zu. Einer Buddhastatue ähnlich hockte der ›Samurai‹ vor seinen geleerten Essensschalen, starrte ohne Regung ins Dunkel, hinter dem sich die Längswand des Saals verbarg. Auch Coralls Frage entlockte ihm keine Bewegung.

»Ich verstehe nicht. Er ist ihr Schatten. Hat Ketjak das nicht erklärt?« fragte Jell Raj irritiert.

»Ja, er hat es erklärt, aber nur die eine Seite dieser Mission scheint mir die für mich positive. Nichts hat er darüber gesagt, ob Marjam mich in eurem Auftrag überwacht, nichts hat er darüber gesagt, ob Marjam mein Scharfrichter ist, wenn ich abspringe, wie Ketjak es ausdrückte. Sieh mich an, Scharfrichter und antworte!« rief er pathetisch und böse seinem Schatten zu. Langsam, ganz langsam drehte ihm der Nepalese, der Mann mit dem Ausdruck und der Figur eines Kämpfers, das Gesicht zu. Ohne eine Gemütsbewegung betrachteten ihn die dunklen Augen wie einen Stein, fast zum Fürchten. Dann öffneten sich die schmalen Lippen: »Sag's ihm, Onkel!«

Abschätzend ließ der königliche Berater die Augen zwischen den beiden jungen Männern wandern, die Aufforderung Marjams ignorierte er erst einmal mehrere Sekunden lang. Schließlich meinte er und versuchte dabei, seinem quäkenden Organ einen besonders freundlichen Ton zu verleihen:

»Das ist doch alles Unsinn. Der Unsinn meines auf dramatische Effekte versessenen Freundes Ketjak. Aber wir müssen vorsichtig sein. Sie sind jetzt ein Eingeweihter. Sie wissen, daß ein hohes Regierungsmitglied eine befreundete mächtige Nation erpreßt hat, wenn auch mit dem Einverständnis des angeblichen Opfers. Sie kennen meine Beziehungen zu einer militanten Untergrundorganisation und jetzt auch meine Pläne. Glauben Sie, Sie hätten mich zu Gesicht bekommen, wenn Ketjak Ihnen nicht bedingungslos vertraute – und jetzt auch wir? Andererseits müßten wir Sie bei Verrat unschädlich machen, zur eigenen Sicherheit, das verstehen Sie doch?

Aber das ist, wie gesagt, alles Unsinn. Wenn einer von uns Ihnen böse Motive unterstellte, wären wir doch nie mit unseren Wünschen an Sie herangetreten.«

Bei Jell Rajs Worten fühlte Corall sich plötzlich ausgestoßen, hatte gemerkt, wie fremd er eigentlich in diesem Milieu fernöstlicher Familien und Intrigen war. Ein Gefühl, das sich zum Zustand verdichtete; ihn fröstelte.

Aber nur Momente lang; dann rief er sich selbst zur Ordnung. Wo war seine Begeisterung geblieben, sein Wille, Kys Vertrauen nicht zu enttäuschen? Sein eigenes Interesse, diesen mysteriösen Vorfällen auf die Spur zu kommen? Ein

Idiot war er, ein kindlicher Idiot, und er wollte doch erwachsen sein, so wie es diese Aufgabe verlangte. Hatte der Mann nicht recht? Würde er einem Unbekannten, einem ziemlich Unbekannten jedenfalls, so trauen, wie sie ihm schon vertraut hatten? Würde er nicht auch Vorsichtsmaßnahmen ergreifen, einen Aufpasser mitschicken? Selbstverständlich! Private Allüren, eingeschnappt sein, den Beleidigten spielen, so etwas mußte ab sofort aus seinem Empfindungsspektrum verbannt werden.

Auge in Auge bohrten Corall und Marjam ihre Blicke, keiner senkte die Lider, aber plötzlich zog ein Lachen um Marjams Lippen, so wie vorhin. Sein unnahbares, schön geformtes Gesicht hellte sich auf, wie eine verschlossene Knospe ihre Blätter zur Blüte entfaltet. »Bruder!« lachte er. »Bruder, du hast Angst vor mir, aber du bist der Herr, und ich bin dein Schatten, das sollte dir Jell Raj sagen. Nun sage ich es dir – Herr!« Er fiel aus der Hocke auf die Knie, führte die Handflächen demütig zur Stirn, beugte Kopf und Schultern vor Corall bis an den Boden.

»Bruder Schatten!« lachte jetzt auch Corall erleichtert und beglückt. »Erhebe dich, und laß dich umarmen!«

In diesem Augenblick flogen die Türflügel krachend gegen die Wand. Das flackernde Feuer der Eingangsfackeln tauchte den Raum wieder ins Zwielicht. Eine düstere Szene. Drei Männer mit nacktem Oberkörper, Holzperlenschnüre um den Hals, sonst nur mit Turban und einem Lendenschurz bekleidet, standen vor den Stufen. Einer von ihnen riß die linke Fackel aus ihrer eisernen Halterung und schwang sie funkensprühend durch die Luft. Der bizarre Schein erweckte die Dämonenfratzen zum Leben. Sie bleckten die Zähne, schienen höhnisch zu kichern, bösartig und drohend ihre vielarmigen Leiber zu bewegen.

Anscheinend hatten es die Eindringlinge schwerer, ihre Augen an die wechselnde Helligkeit zu gewöhnen. Geblendet standen sie sekundenlang in ihrem eigenen Lichtkreis, zwei schatteten sogar die Augen mit der Hand ab, um ihre Gegner zu erkennen. Die Szene war derart bizarr und abenteuerlich, daß Corall sie im ersten Moment gar nicht ernst nahm. Dann hörte er den Schrei: »Wo bist du, Jell Raj Singh, stinkender Hund? Verkriechst du dich? Warte, ich will dir deinen verfluchten Hals brechen!«

Das klang weder bizarr noch freundlich, das war auch keine Herausforderung, das bedeutete eine glasharte Bedrohung. Und mit dem zweiten höhnischen Ruf vernahm Corall, daß auch ihm dieser kämpferische Einbruch galt.

»Komm her, du weißes Schwein, quiek um dein Leben!« Beide Männer stießen ihre Drohungen in hartem, stockendem, kehligem Englisch hervor. Der dritte schwang noch immer funkensprühend die Fackel.

Der Knall der gesprengten Tür war noch nicht verklungen, da flog Marjam flink wie eine Katze auf die Füße. Corall, der eben noch mit ihm gelacht hatte, beobachtete bewundernd die Wandlung des Jungen zum Kämpfer. Tierische Geschmeidigkeit, ja die ganze mörderische Intensität einer Raubkatze schien in ihm wach zu werden. So stand er da, lauernd, witternd, den besten Augenblick zum Angriff ausspähend.

Die Kerle hatten englisch gesprochen, der Überfall galt also besonders ihm; sonst hätten sich die Killer wohl der Landessprache bedient. Der plötzliche Streß führte seine Gedanken zu kalter Klarheit, die innere Spannung verlangsamte merkwürdigerweise seine Gefühlsreaktionen, so als erlebte er das alles in Zeitlupe, was ihm ausreichend Gelegenheit verschaffte, das Geschehen zu begreifen.

»A Ki!« hörte Corall plötzlich über sich. Marjam zischte es durch die schmal gespannten Lippen. Corall rann ein kalter Schauer zwischen die Schulterblätter. Die Silbe war kein Wort, aber Inhalt! Ketjak hatte ihn den gelehrt, nein, er hatte ihn übersetzt. Seine Lehrer stießen den Ruf aus, Kälte in den Augen, und danach trafen ihn besonders harte Schläge in der Übungsstunde Taek Wo Dan. A Ki – das war keine Vokabel, das war ein Begriff: Töte ihn! Töte ihn … A Ki, das hieß, jetzt ist alles erlaubt, jetzt gilt nur noch: du oder ich! A Ki, kein Wort, mehr ein Code der Eingeweihten, ein Schrei innerster Überzeugung, ein Schrei ohne Kompromiß. A Ki – töte, töte, töte … Er war ihm erklärt worden, er hatte ihn verstanden: Hier hörte er ihn zum ersten Mal wirklich, denn hier war es ernst, hier galt es jetzt: A Ki – töte ...

Er sprang ebenfalls in die Höhe. Jetzt war er gefordert, jemand zählte auf ihn, rechnete bis zum letzten Einsatz mit seiner Bereitschaft. A Ki ...

Aber niemals zuvor hatte er sich in einer solchen Situation befunden. Niemals zuvor hatte er einen Menschen im Ernstfall angegriffen, geschweige denn zu töten versucht.

Wer waren diese schweißstinkenden halbnackten Attentäter? Er blickte auf den vorwärts stürmenden Marjam. Die Aura des Mutes in dieser Bewegung, der bedingungslose Kampfwillen rissen ihn mit. Etwas, das er jetzt Stolz nannte, obwohl es vielleicht nur Lust am Töten war, trieb ihn ebenfalls nach vorn. Massenhysterie, Kampfeswille oder Blödheit – er wollte das nicht mehr untersuchen. Was blieb, war ein tiefes Gefühl der Befriedigung, das jede Angst auslöschte, und ihn den Gegner suchen ließ, das Wissen um die eigene Stärke.

Marjam hatte die Männer erreicht. Der Fackelträger sprang vor, versuchte ihn mit dem brennenden Holz zu erschlagen. Mit einer eleganten Drehung der Schulter, fast einem Tanzschritt, wich Marjam der Keule aus. Der Schlag zischte ins Leere. Gleichzeitig fuhr Marjams Fuß dem Mann zwischen die Schenkel, traf das Geschlecht und hebelte den Killer aus seiner sowieso schon schlecht balancierten Position. Noch nicht wieder aus der Schlagbewegung aufgerichtet, stürzte er mit schrillem Schmerzensschrei über Marjams Rücken, der gebückt vor ihm stand, und den fallenden Körper abrollen ließ. Während der erste Gegner sich auf dem Boden wälzte, parierte Marjam bereits den zweiten Angriff. Alle drei Eindringlinge waren erfahrene Karatekämpfer.

Corall, mechanisch in die Grundhaltung des Taek Wo Dan gesprungen, sah seinen Mut nun durch den dritten Banditen geprüft. Der Mann benahm sich vorsichtiger als seine beiden Spießgesellen, näherte sich in leicht geduckter Stellung, täuschte vier-, fünfmal mit karategespreizten Händen einen Angriff vor. Corall parierte ebenso zum Scheingefecht, tänzelte dabei langsam rückwärts. Er war dankbar für diese erste Trainingsrunde, sie half ihm bei der Situationsorientierung. Zu seinem eigenen Erstaunen empfand er mehr Neugier als Furcht. Neugier auf eine Erfahrung, die ihm bisher fremdgeblieben war. Als Zivilisationsmensch hatte er noch nie um sein Leben gekämpft. Viel weniger bewegte ihn in diesem Augenblick der Gedanke an den möglichen eigenen Tod. Er fühlte es direkt: Er konnte gar nicht verlieren. Euphorische Hochstimmung beflügelte ihn. Zum ersten Mal in seinem Leben kämpfte er um dieses Leben, machte eine Urerfahrung, würde endlich wissen, wer er wirklich war. Identität, verfluchte Gilda! Hier galt es jetzt, das war die Probe, ganz er selbst zu sein und keine Angst zu spüren, nur Lust am Siegenwollen!

Fast besinnungslos trug er seinen Ausfall vor. Die innere Spannung sprengte die Fesseln der Vorsicht, ein lustvolles Vibrieren der Nerven. Das alles löste sich in einem Schrei: A Ki! Mit zwei Körpertäuschungen gelangte er ungetroffen an den Mann.

Die Killer hatten mit diesem Widerstand wohl nicht gerechnet. Wer sie auch schickte, er hatte den Gegner falsch eingeschätzt, oder die Attentäter absichtlich falsch informiert. Marjam zerschlug systematisch seine beiden Gegner. In geradezu klassischem Stil, mit Finten, Drehungen, Sprung und Schlag, schien er völlig zur gefühllosen Kampfmaschine geworden, das einzig Emotionale blieb der immer wieder triumphierend hervorgestoßene Schlachtruf: A Ki! Wahrlich, ein echter Totentanz!

Coralls Feind schien dessen Aura von Kampflust und Siegesgewißheit gelähmt zu haben. Sein Abwehrschlag landete mit dem Ellbogen auf Coralls Schulter, dann fühlte er schmerzhaft, wie ihm der Weiße das Knie in den Unterleib rammte, bevor er sein eigenes Bein hochbekam. Gleichzeitig zersplitterte die Stirn des anderen sein Nasenbein. Der Schmerz explodierte im Kopf, warf ihm den Oberkörper nach vorn. Er krallte taumelnd die Hände in den Rücken des Gegners; der schlug ihm die Handkanten in die Achselgruben dicht neben dem Halsansatz. Noch einmal zielte das hochgezogene Knie hart an die Kinnspitze des Angreifers.

Die Wucht warf den Mann nach hinten, besinnungslos fiel er zu Boden. Ein Blutfaden rann ihm aus der Nase, tropfte auf den wertvollen Teppich, hinterließ einen schmutzigen braunen Fleck.

Coralls Blutrauschgefühl war verraucht. Der jämmerliche Anblick seines Kontrahenten erlaubte ihm im Augenblick keinen Triumph. Leer, ausgepumpt und mit einem Anflug von Mitleid starrte er auf den Bewußtlosen, wandte sich dann ab zu Marjam. Der Schatten hatte genauso gesiegt. Seine beiden Angreifer lagen mit seltsam verrenkten Hälsen ihm zu Füßen. Sie waren tot. Mit bewegungslosem Gesicht kam der Nepalese zu Corall herüber, blieb vor ihm stehen. Sein Blick suchte den Blick des anderen.

»Ich hätte dich schützen müssen«, sagte er ruhig. »Du hast dich selbst geschützt, Bruder.«

Bei diesem Lob flammte doch noch das geballte Glücksgefühl des Siegers in Corall auf. Selbstbewußtsein wuchs in ihm, wie er es bisher nicht gekannt hatte. Ist mir das gelungen, dachte er, wird mir alles gelingen. Ky, Gilda – ich werde euer Vertrauen nicht enttäuschen.

»Was soll mit ihm geschehen?« fragte Marjam ins Halbdunkel seinen Onkel und deutete auf den noch immer bewußtlosen Killer. Der Vater der Kleinen Göttin schien sich während des ganzen Kampfes nicht von seinem Platz gerührt zu haben. Noch immer hockte er im Lotussitz vor seinen Reisschalen.

»Er wird nichts sagen, wahrscheinlich kennt er seinen Auftraggeber nicht einmal. Töte auch diese Schmeißfliege am Körper unserer Nation!«

Corall staunte über sich selbst. Wie wenig erschreckte ihn der Tod dieser beiden Kerle da drüben! Auch schockte ihn das gleichmütig ausgesprochene Todesurteil kaum. Was war mit ihm geschehen, ihm, dem Sohn eines deutschen Beamten, dem Angehörigen einer deutschen Mittelstandsfamilie, mit einem Pfarrer als Onkel und einer frommen Mutter, die nicht nur Lippenbekenntnisse ablegte, sondern auch noch regelmäßig zur Kirche ging? Was war mit ihm passiert? Das konnte nicht nur das Erwachsensein-Gefühl bewirken! War er schon immer gefühlskalt gewesen? Galten ihm Menschenleben nichts? Niemals zuvor hatte er eine Situation erlebt, um das zu entscheiden.

Marjam zog den Kopf des Bewußtlosen an den Holzketten um den Hals empor. Corall schaute ihm zu.

Halte ich es aus, oder falle ich ihm in den Arm? Wollte ich den Mann nicht eben selbst umbringen?

Marjam stieß einen knurrenden Laut aus. Links hielt er an den zusammengedrehten Holzperlen den röchelnden Kopf halb in die Höhe, die rechte Handkante sauste herab wie ein Fallbeil; das Genick brach. Ein Schauer durchrieselte Corall, aber er empfand weder Abscheu über den Vorgang noch über den Täter.

Wie leicht ist es zu töten! dachte er irritiert, und dann fiel ihm ein, wie sehr ihn noch die Leichen seiner Mitarbeiter im Feld erregt hatten.

Also doch ein Persönlichkeitswandel? Oder hatte er damals nur routinemäßig, ohne es zu merken, der gesellschaftlichen Norm genügt? Man erregte sich eben über Mord. Unbewußte Heuchelei? Wenn er sich jetzt ehrlich prüfte, entdeckte er sogar ein gewisses Hochgefühl wieder. Beschlichen hatte es ihn bereits in Ketjaks Camp: Genuß der außergewöhnlichen Erlebnisse, die ihm dieses Land, dieses Abenteuer boten, in das er sich da verstrickt hatte. ›Marjam, der Scharfrichter‹ – er erinnerte sich, ihn in eigener Sache so genannt zu haben. Das war keine Viertelstunde her. Es beunruhigte ihn nur kurz.

»Laßt die Leichen liegen!« sagte die quäkende Stimme befehlend. »Ich sorge für ihr Verschwinden.« In diesem Moment glaubte Corall ein Geräusch am anderen Ende des Saals zu hören. So als wären sie nicht allein, als hätte sich dort jemand bewegt, ein Scharren war es gewesen oder etwas ähnliches. Aber die Raumseite, von der vorhin serviert worden war, lag im Dunkel. Corall konnte nichts erkennen, und da Jell Raj keine Reaktion zeigte, mußte er sich wohl geirrt haben. Jell Rajs Stimme verlangte wieder seine Aufmerksamkeit, er vergaß die Episode. Besorgt meinte der königliche Berater:

»Die Männer hatten es auch auf Sie abgesehen, nicht nur auf mich, mein lieber Corall, das bereitet mir Kopfzerbrechen, offenbar sind Ihnen die Kunsheis schon auf der Spur. Marjam, du begleitest unseren Freund bis zur Botschaft, es darf ihm nichts passieren. Ihr beide müßt so bald wie möglich Katmandu verlassen.«

Der Schatten bückte sich nach der ausgebrannten Fackel. Der fehlgezielte Schlag hatte sie zu Boden geschmettert und erlöschen lassen. Er hob das verkohlte Holz auf und warf es durch das dunkle Loch der offenen Tür in den Hof. Mit klapperndem Geräusch sprang das Wurfgeschoß, immer wieder von den Steinen abprallend, unsichtbar über das Pflaster. Marjam lauschte, nichts regte sich mehr.

»Laß uns gehen!« lächelte er Corall zu. Nichts, nicht die geringste Geste oder Tonlage der Stimme verriet Erregung. Er hatte eben drei Menschen getötet, einen davon nicht einmal im Kampf, sondern ihn einfach nur totgeschlagen; aber sein Benehmen blieb ohne Hinweis auf diese Tat. Corall lächelte mit schmalen Lippen zurück, der Codex verlangte es so, der Codex, den er sich selbst in den letzten Minuten endgültig gebastelt hatte; die Reaktion des harten Mannes. Marjam war eindeutig ein Killer, er mochte ihn trotzdem.

»Freund Christian!« rief der Onkel und wieder hörbar bemüht, seiner Stimme nur freundliche Klänge zu geben. »Sie haben eben mehr als nur den Vorgeschmack auf Ihre kommende Mission erlebt. Werden Sie hart genug sein, alles durchzustehen? Das habe ich mich vor diesem Abend gefragt, jetzt weiß ich, Sie sind es! Ein glänzender Vertrauensbeweis, den uns da der böse Zufall beschert hat, ich gratuliere, Sie haben sich hervorragend geschlagen. Machen Sie sich keine Gedanken, es werden noch öfter für die Erfüllung dieser Mission ekelhafte Dinge getan werden müssen. Aber wir haben ein Sprichwort in Nepal, das will ich Ihnen mit auf den Weg geben. Es heißt: Hunger schmerzt mehr als Sünde. Brüder, ihr zieht aus, um gegen den Hunger zu kämpfen. Denkt daran!

Sie schwiegen eine Weile, nachdem sie den Palast der

Göttin verlassen hatten. Laue Temperaturen hüllten ihre Körper wärmend wie ein zweites Kleid ein. Die nächtliche Straße bot ein bizarres Bild. Die Tempel links und rechts des Weges schmückten brennende Öllämpchen, hingen eng nebeneinandergebunden von den tiefgezogenen Dächern herab. Leise klimperten kunstvoll geschmiedete eiserne Anhänger rund um die baumelnden Töpfchen im Wind. Eine eigenartige Musik, die schwermütig stimmte. Wer sie hörte, vergaß sie niemals wieder. Der Duft von verbranntem Sandelholz, Opfer an die Götter, mischte sich mit Kochdünsten und dem Geruch faulenden Abfalls. Asien. Corall wußte: Wer diese Symphonie an unverwechselbaren Eindrücken einmal in sich aufgenommen hatte, dem ließ sie kaum noch Platz für eine andere Kultur.

»Ich kann den Alten nicht leiden«, sagte Marjam mißmutig. Ihn störte das Schweigen, das Corall genoß. Dieses Stimmungsbild stimulierte ihn nicht mehr, er war selbst Teil davon. »Ich kann den Alten nicht leiden«, wiederholte Marjam gedankenversunken. »Dabei ist er noch gar nicht so alt, Mitte Vierzig etwa.«

Die Eröffnung verblüffte Corall, schließlich hatte Marjam den Dicken anfänglich geheimnisvoll gelobt, wenn beide sich während des Essens auch kaum Beachtung geschenkt hatten. Die Kritik machte ihm Marjam noch sympathischer. Auch ihm hatte der Onkel nicht gefallen, wenn er ihn auch als unvermeidliche Figur im großen Spiel inzwischen akzeptierte. Ohne seine Zustimmung zu verraten, fragte er: »Warum gefällt er dir nicht? Was hast du gegen ihn?«

»Ach, weißt du, Bruder, er sieht sehr auf seinen Vorteil.«

»Er machte auf mich einen sehr zielgerichteten Eindruck, wirkte durchaus wie ein Mann, der sein Land retten will. Wer steckt hinter diesem Anschlag? Die Kunsheis?«

»Wer weiß es? Es ist möglich, aber er hat viele Feinde. Der Kampf muß dich sehr erschreckt haben. Ich bin überrascht, wie gut du dich gehalten hast. Dein Kampfstil zeigt zwar Mängel und Lücken, aber der Geist ist hervorragend. Hat dich die Hinrichtung sehr schockiert? Siehst du jetzt in mir vielleicht tatsächlich nur noch deinen möglichen Henker?«

Er blieb stehen, festgenagelt von diesem Gedanken. Corall schüttelte beruhigend den Kopf.

»Ich will nicht leugnen, daß mir dieses Bild vorhin genauso vor Augen stand. Aber ich empfinde weder Angst noch Abscheu vor dir. Im Gegenteil, ich bewundere deinen Mut. Es ist gut, daß du dieses Thema von dir aus noch einmal zur Sprache bringst. Es hätte eine Belastung unserer Beziehungen sein können, völlig klar. Mach dir aber jetzt keine Sorgen mehr! Ich bin nicht zimperlich und fest entschlossen, meinen Teil bei diesem ungeschriebenen Vertrag zu erfüllen.

Weißt du, mit dieser Aufgabe habe ich zum ersten Mal im Leben das Gefühl, etwas Sinnvolles zu tun. Ich bin mit dem gleichen Eindruck aus Deutschland damals fortgefahren, um in Nepal Entwicklungshilfe zu leisten. Doch alles, was ich hier anpackte, war ein Griff ins Leere, die praktischen Ergebnisse fehlten. Ky hat es richtig erkannt: Ich habe mich wirklich bemüht, aber das große prägende Erfolgserlebnis blieb mir bisher versagt. Dann habe ich durch Ky und jetzt durch deinen Onkel erfahren, wie skrupellos man teilweise guten Willen in der Dritten Welt ausbeutet. So etwas wirkt auf idealistische Gemüter katastrophal. Aber ich war ja nicht nur aus ideellen Gründen hierher gekommen. Ich wollte mich – ich weiß nicht, ob du das verstehen kannst – vor allem persönlich beweisen, mich erproben, wenn du willst. Bisher ist das nicht überzeugend gelungen. Jetzt bietet ihr, Ky, dein Onkel und du, mir diese Möglichkeit, und daß es dabei hart hergeht, hat der heutige Abend gezeigt. Ich bleibe trotzdem der Sache treu bis zum Schluß, so oder so. Ich weiß auch, es wird keine Geschichte für Schwächlinge. Moralische Skrupel, körperlicher Ekel, Vorurteile und sonstige Schwächen – wer sie hat, sollte von dieser Aufgabe die Finger lassen. Falls ich sie habe, verspreche ich, sie erfolgreich zu unterdrücken.«

»Brav gebrüllt, mein Löwe!« spottete Marjam gutmütig, stellte seine Ironie aber sofort ein, er wollte den neuen Freund nicht kränken. Also fügte er ernsthaft an: »Ich freue mich aufrichtig, daß du die Dinge so siehst, und ich glaube dir auch, daß du sie so siehst. Laß uns da drüben noch einen Moment auf den Tempelstufen Platz nehmen, die Botschaft ist schräg gegenüber, du bist praktisch zu Hause.

Es würde mich schon stören, wenn du in mir bloß deinen Killer siehst, wobei ich auch für dich töten werde, wenn du es verlangst. Das ist keine Floskel. Aber es stört mich, wenn ich bei allem, was uns vielleicht erwartet, nicht als dein Partner, sondern nur als dein Werkzeug gelte. Die Idee des Schattens stammt aus altindischem Traditionsgut. Dort ordnete man verdienten Männern einen Schatten zu, der ihm ergeben diente bis zum Tod. Erst der Tod löste dieses Band. Bei uns soll es nicht viel anders sein, nur hoffe ich nicht, daß uns der Tod trennt, sondern nur das erfolgreiche Ende unserer gemeinsamen Arbeit. Ich bin ja nicht irgendein Taek Wo Dan-Kämpfer, ich bin der Leiter einer Spezialtruppe unserer Polizei. Das verdanke ich zuallererst meinem Onkel, aber auch meinem Können.« Er zog die Mundwinkel schief und kratzte sich den Nasenrücken heftig mit dem Daumennagel.

Sie saßen auf der untersten Stufe einer steilen Steintreppe. Das weitgeschwungene Pagodendach wölbte sich darüber. Kleine Glöckchen wetteiferten im Wind mit dem Klingeln der verzierten Lampenanhänger. Gußeiserne Tierfiguren mit füchterlich gebleckten Zähnen und starr blickenden runden Augen schauten von drei Treppenabsätzen böse auf sie herunter.

»Mein Können hast du erlebt, so wie ich es auf Wunsch meines Onkels gelernt habe, gern gelernt habe. Ich habe auf seinen Wunsch und seine Empfehlung hin aber auch das Goethe-Institut besucht. Darum spreche ich so gut Deutsch, beherrsche Englisch, kann lesen und rechnen, besitze sogar ein deutsches Abitur und könnte in der Bundesrepublik studieren. Statt dessen schlage ich hier Leute tot.«

»Hast du schon oft so getötet?« Corall hätte sich für die Frage ohrfeigen mögen, aber sie war heraus. Die Peinlichkeit schien Marjam nicht zu spüren.

»Erspar mir Zahlen!« sagte er ruhig. Die Arme lagen locker auf den Oberschenkeln. Die Handflächen nach oben gedreht, schaute er mit starrem Blick auf diese Werkzeuge des Todes. »Ich mußte schon häufig töten, meist auf seinen Befehl. Vielleicht ist das der Grund, warum ich meinen Onkel nicht mag. Obwohl ich gestehen muß, töten schreckt mich nicht mehr. Es gibt mir sogar ein gefährliches Gefühl der Macht.«

Corall schnaufte kurz durch die Nase, schwieg jedoch. Er kannte dieses Gefühl und war froh, nicht allein derartige Passionen zu pflegen. Warnend mahnte er sich, wie leicht man doch Gewaltausübung zur Selbstbestätigung erheben könnte. Er mußte aufpassen.

»Mein Onkel ist hier ein mächtiger Mann seit acht Jahren«, fuhr Marjam fort. »Er hat viele Feinde. Seine Pläne sind undurchsichtig, er hat mehr Menschen ruinieren und umbringen lassen, als du seinen patriotischen Reden anhörst. Sicher, die Kunsheis mögen die Attentäter geschickt haben, es muß aber nicht sein. Ich bin jedenfalls froh, für geraume Zeit seinen Machenschaften zu entrinnen. Nicht daß es mich stört, als legaler Polizeiangehöriger Komplice einer eben von dieser Polizei bekämpften Terrorgruppe zu sein, die Zeiten sind nun mal so in diesem Land. Aber selten weiß ich dabei, worum es geht. Bei unserem Auftrag werde ich, zusammen mit dir, endlich selbst entscheiden und danach handeln.«

»Du sprichst von Ky Ketjak und seinen Leuten, nicht wahr? Kennst du Ketjak persönlich?«

»Und ob!« Marjam nahm jetzt den Blick von den Händen. Während er redete, hatte er die Finger in sinnlosem Spiel bewegt und nicht aus den Augen gelassen. Jetzt lachte er befreit. »Ich mag Ketjak. Jeder anständige Mann muß ihn mögen. In dieser Bande korrupter Politiker ist er der einzig aufrechte Bursche. Ich wette, du bist genauso begeistert von ihm!«

Auch Corall strahlte wie ein verliebtes Mädchen. »Klar bin ich begeistert von ihm! Es sind seine Persönlichkeit, seine Überzeugungskraft – man muß ihn mögen. Warum haßt er die Kunsheis so?«

Marjams Lachen wurde lauter, er legte sogar den Kopf zurück, weit klafften die Zähne auseinander, fröhliche Bosheit, so lachte er aus voller Kehle. Corall schaute entgeistert, was hatte er Lächerliches gefragt? Plötzlich kippte Marjam den Oberkörper wieder nach vorn. Das Lachen endete jäh.

»Er ist doch selbst einer«, sagte er, und noch einmal stieg ihm ein leises Glucksen aus der Kehle.

»Was denn? Ketjak ist ein Kunshei?«

»Natürlich! Seine Mutter hatte sich den Aussatz bei irgendeinem Kerl geholt. Ketjak haben sie rausgeworfen. Angeblich soll er eine Nonne vergewaltigt haben. Das Luder hatte ihn aber angestiftet und schrie erst, als sie überrascht wurden. Schöne Sauerei, wie? Sie haben ihm alles kaputtgemacht, und da ist ihm ein Licht aufgegangen. Mein Lieber, wenn einer aus diesem ganzen Revolutionsklüngel hier wirklich an das Volk denkt, dann ist es Ketjak, mehr jedenfalls als mein Onkel.«

»Daher also seine guten Englischkenntnisse«, sagte Corall versonnen.

»Wir sollten jetzt gehen«, meinte Marjam. Er stand auf und streckte die Glieder. »Hast eine Menge erlebt und getan heute abend. Es wird mir künftig eine Freude sein, einen so beherzten Taek Wo Dan-Kämpfer zu schulen. Ich rufe dich morgen an, und du wirst mir sagen, wann es losgeht. Die Weichen sind gestellt, Bruder.«

Beide legten die Handflächen vor der Stirn zusammen und verbeugten sich förmlich.

Für ihn war es nur eine Stadt von dreien, die er in dieser Woche besuchte. Für ihn blieb sie gesichtslos. Es interessierte ihn nicht, daß Belgrad als graueste und schmutzigste Metropole Südosteuropas galt, daß man sie politisch als zentralistisches Monster schmähte. Er wußte nichts von ihrer Geschichte, es war ihm egal, wie oft Zerstörung und Plünderer in den letzten Jahrhunderten die Häuser heimgesucht hatten. Sechsunddreißigmal war das geschehen, und auch er kam mit schlechten Absichten.

Der Mann wunderte sich, wie leicht ihm selbst hier das Eindringen gemacht wurde. Der Mann war seit einer Woche unterwegs. Er hatte weite Strecken zurückgelegt, meist mit dem Flugzeug. Es war das dritte Mal, daß er eindrang, und spätestens nach diesem Einbruch würden die Experten System dahinter erkennen und sich zu fürchten beginnen, falls sie sich nicht schon seit dem ersten Brand fürchteten.

Der Mann hieß Ulf Tarax, aber das stand nicht in seinem Paß. Er erfüllte Spezialaufgaben, und niemand, der davon wußte, hatte die Ausführung je kritisiert. Aber es gab nicht viele, die ihn kannten.

Tarax traf am späten Nachmittag mit einer Maschine der Sabena direkt aus Brüssel ein. Vom Flughafen aus fuhr er mit einem alten klapprigen Autobus in die Stadt. Eine Firmenmarke war an dem verwahrlosten verbeulten Fahrzeug nicht mehr auszumachen. Die graugrüne Farbe blätterte von den Metallwänden, die Polster waren verschmutzt, teilweise mit Löchern übersät, strömten einen ekelhaften Modergeruch aus. Der Motor jaulte und schepperte, so daß Tarax sich wunderte, überhaupt noch die Haltestelle am Parlament zu erreichen. Dort stieg er aus. Einen Moment lang blieb er stehen – nicht unschlüssig, er kannte seinen Weg –, sondern nur zur Orientierung. Sein Auge erfaßte vier Markierungspunkte, er nickte still für sich, eine Angewohnheit: Alles war so, wie es sein sollte. Er klemmte seine schwere Aktentasche, das einzige Gepäckstück, fester unter den Arm und ging langsam zwischen den Passanten auf der Obala Marschall Tito in Richtung Altstadt. Eine breite baumgesäumte Allee. Flüchtig streiften seine Gedanken mangels anderen Interesses die Erinnerung an jenen Mann, dessen Namen die Straße trug. Er wußte nicht viel über ihn, wahrscheinlich auch nicht viel mehr als die meisten Fußgänger, denen er begegnete. Der Mann hatte als Partisanenführer sein Land vom Faschismus befreit und später Stalin und den Bolschewiken die Stirn geboten. Eine starke Persönlichkeit, ein harter Bursche, Tarax versagte ihm nicht die Bewunderung. Gestorben war er in hohem Alter, Genaueres wußte Tarax nicht mehr, damals war er noch ein Teenager gewesen.

Als er weiterging, versperrte ihm eine schlecht abgesicherte Baugrube den Weg. Der unfertige Eingang einer U-

Bahnstation. Jahrelang hatte man an Tunneln gebuddelt, sogar Brücken errichtet, um der Stadt eine Untergrundbahn anzupassen. Dann waren schon vor einem Jahrzehnt, anfang der achtziger Jahre, Geld und Elan versickert. Auch dieses Hindernis überraschte Tarax nicht, obwohl er zum ersten Mal davorstand. Der Anblick dieser Investitionsruine schien auch die Einheimischen nicht zu stören. Zwei Millionen Menschen lebten in Belgrad mit einer Infrastruktur, die nicht einmal für eine halbe Million reichte. Man hatte sich ans Schlangestehen gewöhnt, vor Läden, Theatern, am Autobus. Ein Spötter hatte den Satz zur Parole gemacht: ›Unsere Stadt hat sich in einen großen Wartesaal verwandelt, alle warten auf schönere Tage.‹ Um diese Zeit allerdings wurden die Straßen leerer, das einzige, was Tarax im Augenblick am Stadtbild wirklich interessierte. Er kam jetzt ans Ende der Allee. Hier verzweigte sich der zweispurige Breitbandasphalt in die engen Gäßchen der Altstadt. Eine Verkehrsinsel setzte den Schlußpunkt. Serbischer Nationalismus hatte in dem Vielvölkerstaat die Beschriftung von Hinweisschildern mit kyrillischen Buchstaben durchgesetzt. Hier blieb er unter einer Laterne stehen, lehnte den Rücken leger gegen den Metallpfahl, stellte seine schwere Aktentasche auf den Boden und zog, wie es Touristen an dieser Stelle meist zu tun pflegen, einen Stadtplan hervor. Eine Sicherheitsorientierung, den Weg hatte sein Gehirn längst gespeichert. Obwohl er noch nie die jugoslawische Hauptstadt besucht hatte, war ihm weder der dreistöckige Backsteinbau gegenüber fremd noch der kleine Platz davor mit den Blumenrabatten. Ohne hinzuschauen, wußte er: Das Straßenschild über ihm an der Laterne trug den Namen Ulica Ivana in kyrillischen Buchstaben, die er nicht lesen konnte; aber das war auch nicht wichtig. Jede bedeutungsvolle Einzelheit, jeden notwendigen Orientierungspunkt auf seinem Weg hatte er im Gedächtnis, auswendig gelernt wie eine Rolle.

Dafür mußte gute Vorarbeit geleistet werden. Die hatte ein Assistent besorgt, vier Tage lang. Dann hatte er das Material aufgearbeitet, war unverdächtig verschwunden und hatte es ihm übergeben. Sie waren ein gutes Team. Gemessen an dem, was sie schon alles erledigt hatten, war dies hier ein harmloser Auftrag.

Der Blick auf den Stadtplan galt als allerletzte Kontrolle, nur noch einmal dem visuellen Eindruck jener unleserlichen Buchstaben, nach denen er seinen Weg suchen mußte. Er faltete die Karte zusammen, schob sie nachlässig in die äußere Jackentasche. Es begann dunkel zu werden. Die Laterne über ihm flammte plötzlich auf. Langsam schlenderte er, beide Arme um die Tasche gelegt, die Ulica Ivana entlang. Sein Gesicht beschattete ein breitkrempiger Hut, erleuchtete Schaufenster mied er. Nach der zweiten Querstraße bog Tarax links in die Plinarska Obala ab, wieder eine breitere Straße. Tarax kannte zwar nicht den Ausspruch jenes schon erwähnten Spötters: ›Von der Geschichte der Zivilisation künden hier nur Ruinen.‹ Aber er vermißte in dieser Altstadt wirklich alte Gebäude. Kein Haus stand länger als hundert Jahre auf seinen Fundamenten. Zuletzt hatten Flugzeuge der deutschen Wehrmacht im April 1941 die Stadt zu Asche gebombt, das war jetzt ziemlich genau fünfzig Jahre her. Auch das Bauwerk, das Tarax suchte, war erst in den späten Siebzigern errichtet worden. Immerhin hatte man sich bemüht, an eine große Tradition anzuknüpfen, und in der Fassade den Stil der österreichischen Imperialzeit kopiert.

An der Ecke der Plinarska begann Tarax seine Schritte zu zählen. Bei Nummer achtundfünfzig, vom Eckstein der Bordkante an gerechnet, das Haus zur Linken. Der aus Quadersteinen zusammengesetzte große kantige Block war imposant genug mit seinen unzeitgemäßen Stilelementen. Einer Schrittidentifizierung hätte es nicht bedurft, nur sicherheitshalber, Routine. Ein zweisprachiges Schild wies neben Serbisch auch in Englisch aus, daß hier das Biologische Institut der Technischen Universität untergebracht war.

Tarax betrachtete sein Ziel nur kurz. Er wußte, das gesuchte Objekt lag leicht zugänglich im Hof. Ohne auffällige Blicke über das Haus schweifen zu lassen, ging er daran vorbei. Für die Arbeit, die es zu tun galt, war der Abend noch nicht alt genug. So lief er seine vorgezeichnete Strecke ab, den sogenannten Fluchtweg (besser wäre wohl ›Absetz-route‹ gewesen, denn mit einer Entdeckung rechnete Tarax nicht ernsthaft). Wie auch immer, ob langsam gegangen und unerkannt oder gerannt und verfolgt, es blieb eine Flucht. Sie endete an einer Haltestelle, wo er nach Zeitplan ohne Überraschungen später genau den letzten Bus errei-chen würde, der ihn weit vom Tatort weg und wieder ins Stadtzentrum zurückbringen würde.

Er setzte sich auf eine wacklige Bank aus morschen Holz-leisten. Die Farbe war schon lange vom Regen abgewaschen worden. Alle zehn Minuten fuhr ein Autobus. Tarax kon-trollierte drei Wagen auf Zeitabweichungen vom Fahrplan. Die Verspätung betrug nie mehr als zwei Minuten. Das war eine Spanne, mit der er leben konnte, es sei denn, er würde tatsächlich verfolgt. Mit dieser gefährlichen Möglichkeit rechnete er allerdings nicht, nach allem, was ihm der Assi-stent berichtet hatte. Geschah es dennoch, mußte er die Hä-scher abschütteln, bevor er die Haltestelle erreichte. Als ech-ter Profi traute er sich die Lösung dieser Aufgabe zu.

Tarax blieb, bis die Schlußlichter des letzten Busses, den er abgewartet hatte, im Dunkeln verschwanden. Dann stand er auf. Es war ein lauer Spätsommerabend. Er zog seinen Trenchcoat aus, hing ihn sich über die Schulter, prüfte nochmals den Sitz des Hutes, nahm die Aktentasche hoch und machte sich im festgelegten Tempo auf den Rückweg.

Diesmal blieb er stehen, als er das Institut erreichte. Ein kleines Steinmäuerchen schirmte die schmale Rasenfläche vor dem Haus gegen die Straße ab. Er setzte seinen Fuß dar-auf, tat, als bände er seinen Schnürsenkel neu. Mehrere Passanten hatten ihn bereits auf der andern Straßenseite überholt, befanden sich jetzt in seinem Rücken. Ein Blick nach hinten durch die Lücke zwischen Arm und Körper zeigte ihm, daß niemand sonst in Sichtweite war. Auch hier verödete das Stadtinnere mit fortschreitender Dauer des Abends. Der Mantel rutschte ihm von der Schulter. Er griff danach, hob ihn vom Boden auf und nahm ohne große Hast den Fuß von der Mauer. Er zog den Mantel wieder über und streifte Handschuhe über die Finger, dünne weiße Stoffhandschuhe, was einen Beobachter sicher gewundert hätte. Allerdings mußte man in der Dunkelheit schon genau hinsehen, um das weiße anschmiegsame Leinen als Handschuhe zu erkennen. Mit einem kurzen Rundblick überzeugte sich Tarax, daß in dem Gebäude hinter keinem Fenster mehr Licht brannte. Diesmal packte er die schwere Tasche am Henkel (auf diesem kurzen Stück würde der Riemen kaum noch reißen) und lenkte seine Schritte in den asphaltierten Aufgang zum Hof.

Im Schatten der Hofecke blieb er wieder stehen. Wartete, ob vielleicht doch jemand auf ihn aufmerksam geworden war, den er übersehen hatte und der nun kam, um das merkwürdige Verhalten des Fremden zu überprüfen. Für diesen Fall hatte er die Hose geöffnet, bereit, sofort sein Wasser abzuschlagen und damit die Situation zu erklären. Aber alles blieb ruhig. Tarax lächelte ins Dunkle und knöpfte den Hosenschlitz zu. Vorsichtshalber hinterließ er doch eine größere Pfütze und einen Fleck an der Hauswand, für einen entdeckten Rückzug noch immer ein gutes Alibi.

Da behaupteten die Leute, im Sozialismus werde alles doppelt und dreifach überwacht, dabei war das Eindringen ein Spaziergang. Wahrscheinlich waren sie sich ihrer Sache schon zu sicher, meinten, genug Angst verbreitet zu haben, um jeden abzuschrecken. Für ihre Landsleute mochte das gelten, für ihn nicht. Seine Augen hatten sich inzwischen an die Finsternis im Hof gewöhnt. Hierher drang das spärliche Licht der Straßenlaternen nicht mehr. Tarax war es zufrieden. Deutlich konnte er trotzdem die langgestreckten Konturen des dreißig Meter langen flachen Neubaus erkennen. Ein riesiger Kühlschrank aus Beton. Die Eingangstür der fensterlosen Halle befand sich in der dem Hofeingang zugewandten schmalen Vorderfront, parallel zum Hauptgebäude, das alles verdeckte. Vorsichtig, aber ohne zu zögern, ging er darauf zu. Eine Eisentür. Er lehnte die Tasche dagegen. Holte aus der Jacke unter dem Mantel ein überdimensionales, aber äußerlich ganz normales Feuerzeug hervor. Um von dem hochenergetischen Gas nichts zu verschwenden, brachte er den Mini-Schweißbrenner dicht an das Schloß, bevor er zündete. Das war der gefährlichste Moment. Die intensiv gebündelte Flamme verbreitete zischend Lärm und einen Lichtbogen von greller blauvioletter Farbe. Tarax fluchte unhörbar, er hatte vergessen, die Sonnenbrille aufzusetzen; jetzt war es zu spät. Also kniff er die Lider zum Spalt zusammen und versuchte den Blick in die blendende Helligkeit möglichst zu vermeiden. Zum Hof hin schirmte er den Lichtschein mit dem Körper ab, fühlte, wie die Handflächen in den dreißig Sekunden, die der Vorgang dauerte, feucht wurden. Selbstverschuldete Tortur, bis er wie mit einem Büchsenöffner das Schloß herausgeschnitten hatte. Mit einem dumpfem Plumpser fiel die nutzlos gewordene Sperre nach innen. Ein leichter Druck, und die Tür schwang geräuschlos auf. Tarax hob die Tasche auf, verstaute das Feuerzeug wieder in der Hosentasche, atmete auf. Er betrat die Halle, schob mit dem Rücken die Tür wieder zu. Dann holte er eine Taschenlampe hervor und kontrollierte als erstes die Uhrzeit. Er hatte sogar vorzeitig das erste Etappenziel erreicht.

Zum dritten Mal in acht Tagen stand er jetzt in einer Gen-Bank. Die Kühle der Luft war ihm inzwischen genauso vertraut wie die langen Regale mit absolut steril verschweißten Büchsen. Büchsen, in denen Samen der verschiedensten Nutzpflanzen aufbewahrt wurden. Der Schein seiner Taschenlampe verharrte als Lichtpunkt auf der obersten Reihe. Er trat näher und las die Etiketten. Tarax war auf diesen Auftrag genausogut vorbereitet wie bei ähnlichen Aktionen. Er kannte die Hintergründe seiner Arbeit, mußte sie kennen, um keine Fehler zu machen. Mike Arbush, einer von McGills fähigsten Biogenetikern, hatte ihn trainiert, allerdings ohne zu wissen, wofür der aufmerksame Schüler die Informationen verwenden würde. Die Idee, Vielfalt der Natur durch Samenhortung zu erhalten, stammte aus den sechziger Jahren, hatte ihm Arbush erklärt und als Quellen den Club of Rome und den Umweltbericht ›Global 2000‹ des damaligen Präsidenten Carter genannt. In beiden Veröffentlichungen hatte Tarax nachgelesen. Verdammt hellsichtig, was beide prophezeiten, und verdammt pessimistisch! Bis zur Jahrtausendwende sollte danach mehr als die Hälfte aller Vegetationsarten aussterben. Eine Katastrophe – schließlich waren Pflanzen nicht beliebig wiederherstellbare Ressourcen. Arbush bestätigte ihm, die Aussagen seien eher noch zu vorsichtig gewesen. Er hatte das nicht ganz kapiert; denn was da verschwand, konnten nur Unkraut und nutzloses Grünzeug sein. Nutzpflanzen hegte und pflegte man doch. Der Biogenetiker nannte ihm dann eine Zahl. Den genauen Prozentsatz hatte er vergessen, er erinnerte sich aber, daß er ziemlich hoch lag, so etwa bei fünfundsiebzig Prozent herum. Danach wurden drei Viertel aller damals noch existierenden und gefährdeten Pflanzen längst nicht auf ihre Tauglichkeit für Nahrungszwecke, Arzneimittel oder Verwendung als Bau- und Werkstoffe überprüft. Bei diesen Statistiken kam Besorgnis in der Fachwelt auf, erzählte ihm Arbush, und die Biologen entwickelten einen Rettungsversuch, ein neues Modell der Arche Noah. Immerhin vierunddreißig Nationen beteiligten sich daran. Das ›Board for Plant Genetic Resources‹ nagelte die Planken, Stapellauf fand in Rom statt. Achtzig Aufbewahrungsorte gab es unterdessen in den vierunddreißig Ländern. In einer dieser Arche Noah-Kabinen stand er jetzt. Tarax kannte nicht nur die Geschichte dieser Rettungsaktion, Arbush hatte ihm auch die begleitenden Kommentare vorgelesen, und da begriff der Amerikaner, warum ihn McGill über den halben Erdball schickte, um sein vernichtendes Werk zu besorgen.

Frederic Vester, Kuratoriumsmitglied im ›Board‹, schrieb über die Gen-Banken und ihre Aufgabe, ›sie seien eine der größten Herausforderungen der Menschheitsgeschichte‹. Und M. L. Oldfield, der kanadische Abgesandte, vertiefte die Analyse: ›... jeder Person oder Gruppe, der es gelingt, die Kontrolle über eine bestimmte Menge genetischer Ressourcen zu bekommen, ist eine unendlich politische und wirtschaftliche Macht in die Hände gegeben ...‹ Da beide mit ihrer Wertung recht hatten, beteiligten sich seit Mitte der sechziger Jahre auch Großkonzerne am Sammeln von Pflanzensamen. Allerdings erfuhr die Öffentlichkeit nicht viel darüber, denn wie die Welternährungsorganisation der UNO, die FAO beklagte, verweigerten die Firmen jede Auskunft und Zusammenarbeit. Nur hin und wieder drang eine Information nach draußen. So sollte United Brands, die frühere United Fruit (umgetauft wegen ihres schlechten Image), zwei Drittel aller konservierten Weltbestände aus dem Genmaterial der Banane horten. Doch auch das war nur eine Flüsterzahl, Gerücht wie vieles andere auch. Über McGill sprach niemand.

Tarax entzifferte im Schein der Stablampe auf den Etiketten die kyrillischen Initialen für Mais. Er nickte zufrieden, alles andere wäre eine Überraschung gewesen, aber die gedruckte Bestätigung erleichterte ihn trotzdem. Er lenkte den Strahl der Lampe auf die Tasche zwischen seinen Füßen, bückte sich, klappte sie auf und entnahm ihr eine große Plastiktüte. Ein neuartiges Maiszuckerfabrikat, hatte er dem Zoll erklärt. Bei der Handgepäckkontrolle gab es keinerlei Beanstandung. Das Zeug schmeckte sogar süß, präpariert für ganz Neugierige unter den Sicherheitskräften. Vielleicht verursachte es später Bauchschmerzen, wer weiß. Ihm stand nicht der Sinn danach, es auszuprobieren. Auch sonst hatte niemand von diesem Schwelbrandgemisch gekostet, das in Verbindung mit Metall große Hitze entwickelte und, ließ man ihm genügend Zeit, um allen Sauerstoff bis zu einer Untergrenze von zwölf Prozent zu verbrennen, mit großer Vernichtungskraft explodierte. In einem Raum von dieser Größe nach zwanzig Minuten.

Die Verteilungsprozedur gestaltete sich ein wenig umständlich, aber Tarax besaß bereits Übung. Er steckte die Taschenlampe in den Mund, packte die Tüte mit beiden Händen, lief so die Reihen entlang und streute einen dünnen Pulverfaden über die Konservendeckel. Die erste Ladung reichte für zwei Regale. Hunderttausend Maisvarietäten, in aller Welt gesammelt, lagen hier aufbewahrt. Wieder schaute er auf die Uhr. Unmöglich, jede einzelne Büchse mit dem Brandmaterial in Berührung zu bringen! Die Hitze mußte genügen, den restlichen Bestand zu vernichten, falls die Explosion durch zu frühe Entdeckung des Attentats verhindert wurde. Aber weder in Ottawa noch auf Formosa war das passiert, warum also hier? Zwar nicht logisch, aber wahrscheinlich. Außerdem reichte das mitgebrachte Pulver bei weitem nicht für eine so große Anzahl von Dosen. Ihm blieb noch eine knappe halbe Stunde. Jetzt war er mit der dritten und letzten Packung unterwegs.

Moskau – das blieb wohl die offene Flanke. Sein Auftraggeber bot viel Geld, wenn er die Sammlung an der Lommonossov-Universität in die Luft fliegen ließ. Aber was nutzten ihm die Dollars in einem sibirischen Straflager oder, noch schlimmer, wenn sie ihn wegen Sabotage einen Kopf kürzer machten?

Er war fertig. Die letzten Körner rieselten aus der schlaff gewordenen Plastikhülle. Tarax knüllte den leeren Beutel zusammen, warf ihn zu Boden, nahm die Taschenlampe aus dem Mund. Die Kiefer schmerzten vor Anstrengung. Noch einmal kreiste der Lichtkegel durch den Raum, es schien alles in der geplanten Anordnung. Der Minischneidbrenner flammte auf. Tarax näherte ihn einem Pulverhäufchen am Anfang der Dosenreihe, legte Feuer wie an eine Lunte. Die Chemikalie glühte nur, aber die Glut fraß sich vorwärts. Tarax nahm die dünn gewordene Aktentasche unter den Arm, sammelte die drei Tüten vom Boden auf (nur kein Beweismaterial liegen lassen!), steckte sie ein und löschte an der Tür die Lampe. Die Leuchtspur stürmte gespenstisch durch das Dunkel, sah er mit Befriedigung. Die ersten Dosen rötete bereits die Hitze. Mit Vergnügen hörte er das Knacken der gerösteten Kerne.

»Teurer Puffmais«, sagte er halblaut, dann trat er vorsichtig ins Freie. Draußen verharrte Tarax regungslos. Noch immer schien niemand in der Nähe zu sein. Er atmete auf. Nun versuchte er die Tür möglichst dicht, ohne Ritze, zu schließen. Durch das hineingeschweißte Loch würde nur wenig Sauerstoff eindringen, jedenfalls nicht genug, um die Explosion zu verhindern. Er tauchte in die Dunkelheit der Straße ein. Mit jedem Schritt, den er zwischen sich und den

Tatort legte, merkte er, wie die innere Spannung wich. Hochgestimmt eilte Tarax der Busstation entgegen. Ein Firmenangehöriger würde ihm heute nacht Unterkunft bieten. Morgen früh flog er mit der ersten Auslandsmaschine. Kein Hotel besaß eine Eintragung über seinen Aufenthalt. Mit falschen Papieren war er gekommen, mit seinem richtigen Paß würde er risikolos das Land verlassen. Der Auftrag war wie die beiden anderen schnell und zufriedenstellend erledigt. Moskau – Pech! –, das war ein Schönheitsfehler, aber in diesem Spiel bekamen die Russen sowieso keinen Stich, wie ihre Getreidekäufe der vergangenen Jahre bewiesen. Er freute sich auf das Restaurant und eine große Portion Cevapcici – scharf und mit viel Zwiebeln.

In Erinnerung an die Abschiedsfarce auf dem Flughafen in Katmandu amüsierte sich Corall. Jetzt sogar hörbar beim Anflug auf Frankfurt. Erstaunt wandte ihm Marjam das Gesicht zu. Bis dahin hatte der Nepalese interessiert durch das ovale Fenster Deutschland betrachtet.

Corall lachte, es war auch zu komisch gewesen, der ›große Bahnhof‹ an der Gangway. Jell Raj kam und heuchelte vor dem Botschafter in einer kurzen Rede Bedauern über die schreckliche Entführung des jungen Entwicklungshelfers, der, wie er mit Pathos sagte, ›so voller Idealismus in dieses Land gekommen sei‹, was sogar stimmte, ›und dann so schnöde für üble politische Machenschaften sein Leben riskieren mußte‹. Das stimmte nicht. Corall hatte es genossen, Mittelpunkt in diesem erlauchten Kreis zu sein. Frau Botschafter weinte ein paar Tränen, das hohe Tier vom Kommissariat schwor, man werde die Täter fassen, und der offizielle Vertreter des Außenministeriums drückte die Hoffnung aus, der Vorfall möge die guten Beziehungen zwischen beiden Ländern nicht trüben. Alle fühlten sich schließlich glücklich, und der Botschafter hob das in seinen Schlußworten hervor.

Von Katmandu flogen sie mit der Air India nach Delhi. Dort stiegen sie in die Lufthansa um. Keine europäische Linie startete im von Bergen umstellten und nur mit einer kurzen Piste ausgestatteten Kessel von Katmandu. Die Landung in Frankfurt war sanft. Über Funk hatte die Lufthansa-Crew zwischen Kuweit und Rom erfahren, wer sich an Bord befand. Zwar bat man Corall nicht in die erste Klasse, aber den Service ergänzten eine Gratis-Flasche Champagner und das besonders freundliche Lächeln der Stewardeß. Jetzt, als die Maschine von der Runway rollte und langsam dem Flughafengebäude zusteuerte, trat sie wieder neben seinen Sitz. »Sie möchten bitte als letzter aussteigen«, sagte sie halb über ihn gebeugt. Er roch ihr dezentes Parfüm, blickte gezwungenermaßen aber durchaus gern in ihren gutgepolsterten Ausschnitt. Nur mit verdrehtem Hals konnte er auch ihr bezauberndes Lächeln genießen.

»Warum?« fragte er erstaunt. Sie hielt das auffordernde Lächeln um die Lippen fest.

»Ich weiß es nicht. Der Tower hat den Captain gebeten, Ihnen diesen Wunsch zu übermitteln. Ich habe über Sie in der Zeitung gelesen«, fügte sie nach einer kleinen Pause mit leicht gesenktem Tonfall hinzu, offensichtlich im Widerstreit, ob ihre Kompetenzen diese persönliche Äußerung überhaupt erlaubten. Dann aber, einmal die Schranke übersprungen, fügte sie hinzu: »War es sehr schlimm? Sehr gefährlich?« Das letzte Wort dehnte sie sinnlich, ihre Zungenspitze fuhr anschließend leicht über die Oberlippe.

Warum nicht? dachte Corall, aber er wußte, es blieb weder Zeit, noch hätte er einen geeigneten Ort für das Rendezvous in der Eile vorschlagen können.

»Nein«, sagte er bedauernd, »nicht sehr schlimm.«

»Ich glaube, es ist wegen der Presse«, sagte sie enttäuscht und ging. An seinen Empfang hatte Corall noch gar nicht gedacht. Stimmt, der Botschafter hatte es erzählt, seine Entführung wirbelte Staub auf. Na ja, warum nicht? Dann also die Presse. Marjam verfolgte den Dialog, ohne seine Aufmerksamkeit zu verraten.

»Die Presse, nicht schlecht«, meinte er nun. »Weißt du, was du ihnen erzählen wirst?«

»Kommt drauf an, was sie fragen.«

»Okay, ich mache mich dünn. Melde mich dann in Bonn

bei dir.« Er streckte Corall die Hand hin. »Machen wir es ab
jetzt europäisch. Namaste, Bruder, namaste, auch wenn ich
nicht die Finger vor die Stirn lege.«

»Machen wir es europäisch, Marjam.« Sie schüttelten sich
die Hände. Corall war gerührt, dabei sollte es nur eine kurze
Trennung sein. Er trat in den Gang und ließ Marjam vorbei.

»Namaste, Bruder!«

Als letzter trat er aus der Kabine. Zwei Mädchen in blauer
Rockuniform erwarteten ihn.

»Herr Christian Corall?« fragte die größere höflich, doch
nur der Form halber. Sie hatte sich vorher aus der Zeitung
sein Bild eingeprägt, um Pannen zu vermeiden. Er nickte
gezwungen freundlich, fand diese geballte Aufmerksamkeit
beinahe peinlich. Beim Abschied in Katmandu war wenigstens noch Spaß, heimlicher Spaß, dabei. Man kannte sich
auch, obwohl nicht zugegeben. Die Atmosphäre atmete
Verschwörung. Hier dagegen schien er in eine kalte Ma-
schinerie öffentlicher Neugier zu geraten, die weniger Anteilnahme als Sensationslust zeigte. Na, er würde ihnen
schon etwas erzählen!

Die beiden jungen Damen flankierten seinen Marsch
durch die Paßabfertigung in einem kleinen, nicht öffentlichen Büro, begleiteten ihn weiter durch die langen Gänge
im Frankfurter Ankunftsterminal, versicherten, man werde
sich um sein Gepäck kümmern, wiesen ihm den Weg eine
Treppe hinauf, dann an einer holzverkleideten Wand entlang. Schließlich riß die hübschere eine der vielen Türen mit
Loungesymbolen auf: Der VIP-Raum des Flughafens.

Alles blau bezogen, viel Fenster in der Wand und mindestens zehn Leute stehend über den Teppich verteilt. Ganz
vorn sein Vater, die Mutter halb versteckt dahinter. Der
Schrei: »Mein Sohn!« Ihre ausgestreckten Arme, seine ausgestreckten Arme, zwei, drei Schritte, Umarmung, blendende Blitzlichter, das lächelnde Gesicht seines Vaters,
Schulterklopfen. Offensichtlich war er wieder zu Hause.

Sie nahmen zu dritt in der blauen Sitzgruppe Platz, die als
locker angeordneter Halbkreis vor dem Fenster zusammengeschoben worden war. Die Pressevertreter zogen entweder

ihre Stühlchen heran oder standen mit dem Rücken zur Wand. Noch einmal wurden Fotos gemacht.

»Wie fühlen Sie sich, Herr Corall?« eröffnete ein Journalist mit eitel gut gepflegter Frisur das Frage- und Antwortspiel.

»Jetzt gut, natürlich.« Ihn störte, daß seine Mutter sich seiner Hand bemächtigt hatte; er wollte aber nicht herzlos sein und sie wegziehen. Trotzdem machte ihn die Geste herzlicher Mutterliebe nervös.

»Wie hat man Sie behandelt?« wollte eine der zwei Reporterinnen im Raum wissen.

»Zufriedenstellend, sehr zufriedenstellend. Ich mußte nicht hungern, man hat mich nicht mißhandelt, wenn Sie das meinen.«

»Können Sie bitte den genauen Hergang Ihrer Entführung schildern? Es soll Tote gegeben haben.«

»Ja, es hat leider Tote gegeben«, bestätigte Corall mit großem Ernst. Er spürte den erschreckten Druck der mütterlichen Hand. Ihm fiel wieder die Nacht im Palast der Kleinen Göttin ein. Wie leicht hatte er sich an das Sterben anderer gewöhnt! Aber er wollte diesen Gleichmut nicht der kommerziellen Neugier preisgeben. »Mehr kann ich Ihnen leider nicht sagen, weil ich gleich zu Beginn des Überfalls bewußtlos geschlagen wurde«, ergänzte er darum seine Aussage lapidar.

»Sie sind der erste Entwicklungshelfer, der in Nepal gekidnappt wurde. Können Sie uns etwas über die Motive Ihrer Entführer sagen?« Auf diese Frage hatte Corall gewartet, ein Mann im Hintergrund, mit dem Rücken zum Türpfosten, in einem zerknautschten Trenchcoat hatte sie gestellt. Zuerst bot sie ihm einmal Gelegenheit, seiner Mutter die Hand zu entziehen, als scheinbar emotionale Reaktion. Das stimmte aber nicht.

Nur nicht zu hastig sprechen, ganz ruhig! Glaubhaft wirken, nicht ins Ideologische abrutschen! ermahnte er seine bereits ungebremst aufsteigende Redelust.

»Ich kenne die Motive meiner Entführer recht gut.« Er war zufrieden mit dem kühlen Klang seiner Stimme. »Wenn ich jetzt sage, ich verstehe sie sogar, glauben Sie bitte nicht, man hätte mir eine Gehirnwäsche verpaßt, oder ich ständе unter dem psychologischen Streß-Tick, meine Peiniger besonders zu lieben. Soll ja schon alles vorgekommen sein. Nein, meine Damen und Herren, was ich jetzt sage, entspringt meiner ehrlichen Überzeugung: Ich verstehe die Gründe meiner Entführung, und ich unterstütze sie sogar bis zu einem gewißen Grad. Sie alle haben es gehört und wohl auch geschrieben; die Lösegeldsumme ist zum Grundstock für eine ›Aktion Hungerhilfe‹ in Nepal deklariert worden. Ich kann nicht nachprüfen, ob sie tatsächlich dafür verwendet wird, aber allein das propagandistische Thema, unter dem man die Erpressung rechtfertigt, sollte auch uns in Deutschland aufrütteln.«

Ein Schauer rieselte ihm die Wirbelsäule hinunter. Welcher Skandal, wenn jemals aufflog, daß er mit im Komplott steckte! In dieser Umgebung, konfrontiert mit einer vielleicht mißtrauischen Presse, drang ihm erst richtig ins Bewußtsein, wie erpreßbar er beispielsweise für Jell Raj Singh geworden war. Mein Gott, wie würden sie über diese Wahrheit herfallen! Er wollte sich gar nicht die Schlagzeilen ausmalen, jetzt war wirklich keine Zeit dafür. Er mußte seine Gedanken konzentrieren. Doch obwohl er schon weitersprach, um das abzukürzen, was alle für eine dramatische Kunstpause hielten, quälte ihn die plötzlich entdeckte Achillesferse.

»Meine Herren!« (Er vergaß in seiner momentanen depressiven Stimmung glatt die beiden Damen in seiner Anrede.) »Es wird in absehbarer Zeit in Nepal gehungert werden. Die Ernten verdorren auf den Feldern. Es sind nicht die Hitze, nicht der fehlende Regen. Es sind unbekannte Krankheiten, die nach dem Reis jetzt auch den Weizen auszurotten drohen. Und ich kann mich des Eindrucks nicht entziehen, nach dem, was ich dort selbst erlebt habe, daß unsere Bemühungen, die wir Entwicklungshilfe nennen, nicht ganz schuldlos daran sind. Wir haben Pflanzen, industrielle Produktionsweisen, Lebensstil und Begehrlichkeiten exportiert, Strukturen aufgebrochen, Sitten und Gebräuche verändert, und zwar in einem Umfang, der wohl nicht mehr zu verantworten ist, jedenfalls nicht unter der zynischen Vorgabe, helfen zu wollen!«

Er zögerte, schwieg, wußte nicht, ob er noch mehr sagen sollte, sagen durfte. Klüger war es wahrscheinlich, den Mund zu halten und nur auf Fragen zu antworten. Und die kamen.

»Können Sie das näher erläutern?« meldete sich die junge, schlecht und aufdringlich geschminkte Vertreterin der Boulevard-Zeitung mit der zwei Millionen-Auflage.

Klang diese Aufforderung feindlich? Hatte er doch schon zu viel gesagt? Hatte man Verdacht geschöpft? Ihn schauderte.

»Was gibt es da noch viel zu reden?« Er ging in die Vorwärtsverteidigung. Erst jetzt wagte er es, seinem Vater wieder einen Blick zuzuwerfen. Wie mußte ihn seine Kritik an staatlichen Hilfsmaßnahmen treffen! Mit hochgezogenen Augenbrauen, erstaunte Fragen im Blick, sah ihn der gepflegte Mitfünfziger an. Corall wandte die Augen rasch wieder ab. Taktgefühl würde seinem Vater verbieten, seine Behauptungen in Zweifel zu ziehen, öffentlich mit ihm eine Diskussion zu führen, und für das ›Nachher‹ konnte er sich nur wappnen.

Sein Vater stand auf, rieb nervös die Hände und sagte, in verbindlichem Tonfall um Verständnis werbend: »Ich glaube, Sie sollten meinen Sohn mit weiteren Fragen verschonen. Er und seine Mutter haben nach der Aufregung wohl endlich Ruhe verdient.«

»Selbstverständlich«, pflichtete der Journalist mit den silbergrau ondulierten Haaren bei. »Aber was sagt das Ministerium zu den Anschuldigungen Ihres Sohnes, Herr Ministerialdirektor?«

»Kein Kommentar«, antwortete Corall senior sehr routiniert lächelnd. »Da müssen Sie schon meinen Minister fragen.«

Zwei blonde Knaben, im Urwald spielend, völlig unbekümmert, als wäre es der Central Park in New York oder der Englische Garten in München – für einen fremden Beobachter ein erstaunlicher Anblick. Sie rannten, so rasch es ihnen möglich war, einen von breitblättrigen Gewächsen und Schlingpflanzen überwucherten Pfad zwischen uralten Kapokbäumen entlang. Es roch betäubend aus hunderterlei verschiedenen Blüten in hunderterlei verschiedenen Farben. Insekten, stechende Blutsauger, aber auch Schmetterlinge mit handtellergroßen Flügeln surrten, summten, schossen und taumelten durch die Luft. Keiner der Jungen schlug nach ihnen, jagte sie oder versuchte, eine der Blumen abzubrechen.

Sie fügen sich ganz natürlich in diese Umgebung, dachte Löbsack, der gute zehn Meter langsamer hinter ihnen folgte. Sie waren jetzt eine gute Stunde unterwegs, Zeit, das Experiment zu beginnen. Er zögerte. Besser warten, bis die beiden von sich aus kamen, nichts zwingen, obwohl das Ergebnis weder von seiner Anregung noch von seinem Zögern beeinflußt werden konnte. Trotzdem wirkte das experimentelle Umfeld besser, wenn er die Jungen ihre Wünsche äußern ließ. Also trottete er weiter hinter ihnen her.

Einer fiel über eine Luftwurzel, stürzte ziemlich hart auf den feuchten Boden, weil er die Hände nicht schnell genug zum Abstützen vor die Brust bekam. Löbsack blieb stehen, hielt sich im Hintergrund, beobachtete. Beide lachten, obwohl der Fall recht unsanft war. Der andere half ihm wieder auf die Füße, bürstete mit den Fingern den Overall seines Begleiters von verfaultem Laub und schwarzer Erde sauber. Dann wandte er sich um.

»He, Lehrer, komm! Wir haben Durst!« Es war also soweit. Ohne besondere Eile holte Löbsack den Vorsprung der Jungen auf. Sie sehen wirklich älter aus, als sie sind, dachte er flüchtig, aber diesen Einfall überlagerte die Zufriedenheit mit der Formulierung des Rufers. ›Wir haben Durst‹, hatte er gesagt. ›Wir‹, nicht ›ich‹. Er setzte wie selbstverständlich seine Bedürfnisse auch bei seinem Kameraden voraus, schließlich waren beide den selben Weg gelaufen, in feuchter, stickiger Wärme, auch wenn ihre Overalls wie eine körpereigene Klimaanlage wirkten. Der Stoff stieß Hitze ab und ventilierte den Schweiß fast neunzigprozentig durch das

Tuch nach außen. Trotzdem, der Feuchtigkeitsverlust war groß.

»So, ihr habt Durst – was machen wir da?« fragte Löbsack gespielt erschrocken. »Es ist mir ein Mißgeschick passiert.« Und er zog eine zerknautschte Plastikflasche aus seinem eigenen Overall, nachdem er den Reißverschluß bis zur Brust aufgezogen hatte. »Das Ding ist wohl ausgelaufen, jedenfalls ist nur noch so wenig drin, daß es gerade für meinen eigenen Durst reicht. Habt ihr beide Verständnis für den Durst eines alten Mannes? Verzichtet ihr auf euren Anteil? Denn wenn von dem kläglichen Rest jeder trinkt, reicht es für keinen, seinen Durst zu stillen.« Er hielt die Flasche, die einem Wassersack ähnelte, in die Höhe. Die Jungen sahen, daß sie wirklich nur noch drei, vier große Schlucke enthielt. Wäre sie aber ausgelaufen, wie Löbsack behauptete, dann hätte sein eigener Overall naß sein müssen. Er log also, und er log so dick, daß beide Knaben, intelligent, wie sie waren, es merken mußten. Gespannt wartete er auf ihre Reaktion, ohne allerdings etwas von Neugier in seinem Verhalten widerzuspiegeln.

Die klaren blauen Augen blickten zu ihm auf, beide wirkten einen Moment enttäuscht, dann verzog sich der Mund des links von ihm stehenden Jungen wieder zu einem vergnügten Lachen.

»Du schwindelst, Lehrer, du schwindelst!« rief er vergnügt.

»Ja«, fiel der andere ein, »du sagst nicht die Wahrheit. Du hast es heimlich getrunken, sonst wäre dein Anzug naß.« Sie faßten sich ohne Absprache an den Händen und vollführten einen Indianertanz um ihn herum, ziemlich eng, denn der Weg gestattete an dieser Stelle nicht viel Raum. Neben der Luftwurzel, über die der eine Junge gefallen war, wuchsen weitere wie zu Holz erstarrte Schlangen aus dem Boden. Dabei sangen sie: »Du schwindelst, du schwindelst, Lehrer! Du hast uns Lügen erzählt …« Die rhythmische Melodie, die sie ihrem Singsang unterlegten, stammte von einem alten Indianerlied. Aber es war nichts Bösartiges, Aggressives in ihrer Aktion, kein Angriff, keine Häme, nur

Spaß. Löbsack registrierte es zufrieden. Der erste Teil ging okay, also weiter!

»Hört auf, hört auf, ich gestehe, ich habe das Wasser heimlich getrunken. Ich bin ein alter Mann, so lange Strecken machen mich völlig kaputt, wenn ich nichts trinke.« Sie blieben stehen. »Und weil das so ist«, fuhr er mit strenger Miene fort, »werde ich auch den Rest verbrauchen, und ihr werdet warten, bis wir zurück sind.«

»Ich finde das nicht richtig, Lehrer«, sagte der blonde Junge zu seiner Linken. »Das Wasser war für uns drei da. Du hast es selbst verkündet, bevor wir gegangen sind.«

»Das ist richtig, Gene, aber ich mußte unterwegs anders entscheiden, verstehst du?« Der Junge nickte langsam, die Augen leicht umwölkt. Der andere folgte aufmerksam dem Dialog.

»Du hättest uns fragen sollen«, sagte er vorwurfsvoll, aber völlig frei von Wut. Löbsack hörte genau auf jede Tonschattierung.

»Warum hätte ich euch fragen sollen?« entgegnete er mit gespielter Ungeduld.

»Ich verstehe dich nicht, Lehrer«, schaltete sich der zweite ein. »So bist du doch sonst nicht zu uns.« Löbsack hätte ihn ans Herz drücken mögen, durfte aber das Experiment bis zum Schluß nicht gefährden. »Haßt du mich jetzt vielleicht, weil ich euer Wasser getrunken habe?« fragte er direkt.

»Warum sollten wir dich hassen?« Gene war es, der antwortete, und Verwunderung über diese Frage schwang in seiner Stimme.

»Was ist Haß, Lehrer?« fragte sein Bruder.

»Du kannst nicht hassen, ich weiß es«, sagte Löbsack jetzt sanft. Er strich dem Jungen über das Haar und beschloß, das Experiment für diesmal abzubrechen. »Ich wollte euch nur prüfen. Seht her!« Er steckte den zerknautschten Wassersack wieder in seinen Overall zurück. »Ich habe doch noch genug zu trinken für euch.« Bei diesen Worten zog er aus seinen hinteren Hosentaschen mit jeder Hand eine flache Flasche aus Kunststoff hervor. Die Jungen griffen danach und grinsten breit. Löbsack fühlte sich gleich zweimal erleichtert. Erstens, daß beide richtig reagiert hatten, wobei im Hinterkopf die Frage tickte, was er bei diesen technischen Vorgaben eigentlich anderes erwartet hatte, und zweitens, daß ihm der Druck der beiden Reserveflaschen nicht mehr den Overall ausbeulte.

An diesem Tag sprang das Zählwerk der Menschheitsuhr vor dem Gebäude der Vereinten Nationen in New York auf fünf Milliarden. In jeder Sekunde rückte das Zählwerk unerbittlich um eine Eins weiter. Das hieß, in jeder Sekunde wuchs die Menschheit um einen Esser an. Sechzig in der Minute, dreitausendsechshundert pro Stunde, 86400 am Tag, 31 Millionen im Jahr ...

Zweifellos: Er war wieder zu Hause und fühlte sich doch fremd. Sein Zimmer, die Möbel, die Bücher, er war zu Hause, formal zu Hause, aber es blieb ihm alles fremd. Das Haus, der Geist war gleich geblieben, er hatte sich geändert.

Zwei Tage wohnte er schon wieder hier. Eine große Unrast hatte ihn befallen. Er schlenderte in die Küche, sprach mit seiner Mutter Belangloses über den Nepal-Aufenthalt. Log Mageres über seine Entführung zusammen, damit er nicht später Widersprüchliches erzählte. Versuchte dann zu lesen – es interessierte ihn nicht. Er ging spazieren und dann wieder in die Küche.

Marjam hatte sich gemeldet, telefonisch. Er wohnte in einem Hotel in der Nähe vom Bahnhof. Sie hatten sich noch nicht sehen können, aber Marjam hatte die finanzielle Seite geregelt, das Geld lag auf dem Konto, frei verfügbar, und jede Stunde, die er hier noch herumlief, mußte unter ›verschwendet‹ abgebucht werden.

Natürlich machte ihm sein Vater Schwierigkeiten. Zumindest anfangs, wie damals, als er nach Nepal wollte. Sicher, er zeigte ein offenes Ohr für die Wünsche des Sohns. Die Entführung hatte ihn seelisch wirklich mitgenommen. Er zweifelte auch nicht daran, das Volontariat bei McGill mit Hilfe des Ministeriums durchsetzen zu können, aber alles sträubte sich in ihm, Privilegien, Informationsstränge, Bekanntschaften für die Protektion eines Familienmitglieds einzusetzen. Er sprach nicht von Beamtenehre, dachte vielleicht nicht einmal an so geschwollene Formeln, doch wie er es auch bezeichnete, es lief für Corall auf diesen lächerlichen Begriff hinaus. So kämpften sie miteinander, zäh und freundlich, denn im Gegensatz zu früher brüllte sein Vater nicht nach spätestens fünf Minuten. Das empfand Corall bereits als Fortschritt. Er mußte zu McGill.

McGill, das war die Firma, die Saatweizen nach Nepal verkaufte. Im Monopol verkaufte, wie Ketjak ihm eingeschärft hatte. McGill hieß der Schlüssel, um in die Untersuchung einzutreten. Marjam war dort bereits akkreditiert. Sein Onkel hatte das besorgt, als Vorwand dienten Verhandlungen über die angebotenen Maislieferungen. Jetzt mußte er nachziehen. Man konnte es auf zwei Dutzend Arten versuchen, dort anzukommen. Drei, vier davon mochten sogar zum Erfolg führen, würden seine Stellung aber immer so tief unten ansiedeln, daß er keinerlei Chance bekam, die wirklich wichtigen Leute an der Spitze zu erreichen. Nein, die Sache mußte einen offiziellen Anstrich erhalten, hochoffiziell war noch besser, Regierungsvertreter zog immer, den faßte man mit Glacéhandschuhen an. Natürlich würde ihm auch als Bonze die Wahrheit nicht auf dem Silbertablett präsentiert werden, doch was konnte das schaden? Er war ihr auf jeden Fall näher, wußte, wonach er suchen mußte, ahnte die Richtung; und die bestimmte man auf dem Kutschbock leichter denn als bloßer Mitfahrer.

Heute morgen hatte sein Vater endlich nachgegeben. Er wollte mit dem Staatssekretär reden. Er könnte zwar nichts versprechen ...

Corall senior lief mit leicht federnden Schritten die Freitreppe zum Eingang hinauf. Ohne sich umzuwenden, kannte er das Bild in seinem Rücken. Franz Alois, sein Fahrer, schlug die Vordertür zu, gleich würde er den dumpfen Plumps hören. Da war er – das satte, schmatzende Geräusch, dezent und krisensicher, wie es nur die Fahrzeugtüren der höchsten Bauklasse von sich gaben, wenn sie ins Schloß fielen. Jetzt würde Franz Alois ihm nachschauen, ob er vielleicht noch einen Wunsch äußerte, dann um den Kühler herumgehen und den Wagen, wenn er im Haus verschwunden war, auf den Hof fahren. Der Portier stand um diese Morgenstunde immer neben seiner Loge, um ihm und den höheren Chargen im Ministerium die Glastür aufzuhalten. So auch jetzt. Also Corall mit seinen angelernt federnden Schritten den oberen Absatz erreichte, sah er in der Scheibe seinen gespiegelten Chauffeur ihm nachstarren. Kuhlmann öffnete mit freundlichem Lächeln, Corall hätte gern gewußt, was er wirklich dabei dachte. Alles wie an jedem Morgen, und doch war es kein normaler Tag, der da begann. Er mußte etwas tun, was er ungern tat, er mußte den Minister um einen Gefallen, um einen persönlichen Gefallen bitten. Verdammt, verdammt ...

Corall ging zu den drei Fahrstühlen an der linken Seite der großen Eingangshalle. Alle, die mit ihm warteten, daß die dunkelblau gestrichenen Stahltüren sich öffneten und der Lift sie nach oben an ihre Schreibtische brachte, grüßten ehrerbietig freundlich, zogen sich alle unauffällig ein wenig zurück zur Seite. Schultern und Kopf leicht geneigt, bildeten sie fast gesetzmäßig einen Halbkreis, in dem Corall allein vor der Lifttür stand. Geachtet, vorgelassen, einsam. Manche seiner Amtskollegen genossen diese Devotion, war sie doch sichtbares Abzeichen ihres Dienstrangs, in der ansonsten gleichmachenden Einförmigkeit dunkelblauer Anzüge, denen man selten sofort den unterschiedlichen Tuchpreis anmerkte. Ihm war das schnuppe, sein Selbstgefühl speiste sich aus anderen Quellen. Oft erschien ihm schon der allmorgendliche Fitneßbeweis seiner Spannkraft überaus albern, wenn er jugendlich nachfedernd die Stufen zum Ministerium hinaufeilte, obwohl er zum Beispiel heute lieber langsam und nachdenklich gegangen wäre, froh um jede Sekunde, die er später in sein Zimmer kam.

Die Lifttür öffnete sich, niemand folgte ihm, wagte den Fahrstuhl vor dem vierzehnten Stockwerk aufzuhalten. Corall fuhr allein, er war früher als sonst gekommen, die höheren Amtsränge traten meist zehn bis zwanzig Minuten später in das Foyer, er auch. Aber heute wollte er noch Zeit gewinnen, ganz ruhig, hoffentlich entspannt sein, wenn er zum Minister ging. So blieb er allein in der Kabine, denn alles, was vorher hinter ihm im Halbkreis gewartet hatte, liftete allenfalls bis zur neunten Etage.

Der Minister! Es war ihm mehr als unangenehm, aber der Junge hatte es sich in den Kopf gesetzt. Er konnte es ihm nicht wieder abschlagen, nicht nach dem, was passiert war. Seine Bitte, den Jungen bei McGill einige Wochen als Informanten mitlaufen zu lassen, war zwar genehmigt worden, aber nicht für die New Yorker Zentrale, sondern für das Zweigwerk in Minnesota. Der Junge bestand aber auf New York. Nur der Minister mit seinem politischen Gewicht konnte jetzt noch eine Verbesserung der Einladung über die amerikanische Botschaft durchsetzen. Aber der Minister haßte es, sein Prestige für solche – noch dazu persönlichen – Wünsche seiner Mitarbeiter abzuwetzen. Trotzdem, diesmal mußte es sein. Noch nie hatte er bisher das Wohlwollen des Chefs ihm gegenüber in dieser Form getestet. In einer schlaflosen Stunde heute nacht hatte er immer wieder überlegt, wie er an ihn herantreten sollte. Danach entschied er, ganz massiv zu sein. Der Mann konnte ziemlich eklig werden, wenn ihm was nicht paßte, und lehnte er die schlichte Bitte um Hilfe ab, konnte man kaum ein zweites Mal mit demselben Anliegen vorsprechen, auch nicht in fordernder Form, das würde erst recht ein schiefes Licht werfen. Also gleich klotzen. Scheiterte er dann, mußte er sich nur die Vorwürfe seines Sohnes anhören, hatte aber ein reines Gewissen.

Der Lift hielt. Corall senior ging langsam die dreißig Schritte zu seinem Büro. Hier oben war noch niemand, dem er Spannkraft und sportliche Einsatzfreude demonstrieren mußte. Zu seinem Erstaunen saß seine Sekretärin schon am Platz. Frau Marker, eine unauffällige gepflegte Mitdreißigerin – er hatte sie mehr nach ihrem äußeren Erscheinungsbild als nach ihrer Qualifikation gewählt. Trotzdem erwies sie sich als gute Kraft.

»Das Ministerbüro hat schon angerufen. Ihr Termin steht für zehn nach neun.«

Er dankte flüchtig nickend und verschwand in seinem

Zimmer. Ein Blick auf die Uhr, es blieb ihm noch knapp eine Viertelstunde. Die saß er in seinem schwarzgepolsterten Lederdrehstuhl, prüfte die unterschiedlichsten Formulierungen seiner Bitte, entschied sich seufzend, doch bei der harten Tour in weicher Verpackung zu bleiben. Dann stand er auf und ging quer über den Gang die wenigen Meter zum Ministerbüro.

Der Minister hatte einen kantigen Schädel, die Stirn zeigte echte Ecken, wo bei andern Menschen eine Rundung zum Haaransatz führte. Eine Hornbrille saß auf der fleischigen Nase, die Lippen waren ständig schmal zusammengekniffen. Der Mann hatte keinen leichten Aufstieg bis zu diesem Schreibtisch hinter sich. Zweimal in Affären um Spendengelder für die Partei verwickelt, ohne daß man ihm direkt etwas nachweisen konnte, hatten ihn in die Medien gebracht und einer Schlammschlacht ausgesetzt, die der politische Gegner entfesselte. Er überstand beide Attacken, wobei die zweite mehr Kraft kostete. Sie lag vier Jahre zurück, und damals stand er in der Parteihierarchie bereits erheblich höher als beim ersten Skandal. Wahrscheinlich waren diese beiden Erlebnisse der Grund, warum er nur ungern private Wünsche erfüllte, zumindest soweit sie nicht den allerengsten Kreis betrafen. Corall gehörte nicht zum allerengsten Kreis. Er war parteilos, ein Arbeitsbeamter, der seine hohe Stellung mehr dem umfassenden Wissen in seinem Ressort als der politischen Protektion verdankte. Natürlich hatte auch er Protektion genossen, darüber machte er sich keine Illusionen. Wer mehr wußte als der Durchschnitt, wurde automatisch bevorzugt, wenn er seinen Informationsvorsprung richtig einsetzte. Corall senior hatte heute nacht sein Risiko kalkuliert. Niemals wagte er etwas, falls er überhaupt etwas wagte, ohne seine Grenzen auszuloten.

»Guten Morgen, Herr Minister«, sagte er.

Der große Mann lächelte freundlich, soweit sein verkniffener Mund Freundlichkeit aufkommen ließ. Es war für ihn immer ein Problem, persönliche Dinge mit Mitarbeitern zu besprechen. Sachfragen – jederzeit, da konnte debattiert, gestritten und entschieden werden. Persönliche Wünsche

128

hingegen jagten ihm immer Schauer über den Rücken, auch wenn es keiner merkte. Corall war ein brauchbarer Mann; in der Sache mit seinem Sohn hatte er sich vernünftig verhalten, keinerlei Intervention des Ministeriums über das übliche Maß hinaus verlangt. Trotzdem, er konnte in den zurückliegenden zwei Jahren seiner Amtszeit nicht recht warm werden mit dem Mann. Parteilos, wenn auch sicher nahestehend, aber schwer durchschaubar. Manchmal vermutete er sogar einen ziemlich prinzipienlosen Karrieremacher hinter der puritanischen Fassade, hatte aber keine Beweise und sich auch nie darum bemüht. Jedenfalls war ihm sein Amtschef schon verschiedentlich behilflich gewesen, nur darum erklärte er sich überhaupt bereit, ihn in persönlicher Angelegenheit zu empfangen.

»Wie geht's?« fragte er unverbindlich abtastend.

»Das kommt darauf an, wie weit Sie mir helfen können, Herr Minister.« Das klang schon verdammt deutlich. Was wollte der Mann wirklich? Er fühlte den unsichtbaren Schweißausbruch im Rücken, jahrelange Erfahrung riet ihm, den anderen kommen zu lassen, ihm keinen Schritt entgegenzugehen. Das entmutigte und machte Absagen leichter. Er hatte seine Sekretärin gestern abend noch im Vorzimmer des Beamten sondieren lassen, als er von dem Wunsch nach privater Audienz erfuhr. Bei Frau Marker brachte seine Dame aber nichts heraus, die wußte selbst nichts.

»Na, lassen Sie mal hören!« versuchte er es auf die väterliche Art, leicht distanziert im Ton, obwohl er aus der Personalakte längst wußte, daß Corall zwölf Jahre älter war als er.

»Es geht um meinen Sohn.« Der Minister atmete kürzer, das war zu vermuten gewesen, Familienprotektion, genau die Spielart, die er besonders haßte. Wenn der Mann doch wenigstens was für sich selbst verlangt hätte. »Sie wissen, er ist als Entwicklungshelfer in Nepal entführt worden.«

»Ja, ich weiß, aber es ist doch glücklicherweise gut ausgegangen. Was soll ich denn tun?«

Also doch! Corall senior schluckte den plötzlich erhöhten Speichelfluß hinunter. Im diplomatischen Umgang geschult, brannte sich das ›soll‹ in der Ministerfrage sofort in seinem Denken fest. Ein ›kann‹ hätte ihn verführt, es doch mit der reinen Bitte, ohne Druck zu versuchen. Jetzt entschied er endgültig.

»Es geht um ein neues Projekt, bei dem er mitmachen möchte. Übrigens, wie läßt sich denn Ihre Schulidee in Wallersburg an?«

Der Minister lächelte, das heißt, er zog die Lippen hoch, zeigte die Zähne bei der Drohgebärde eines Raubtiers. Im gesellschaftlichen Umgang nannte man eine solche Mimik Lächeln.

»Ach, danke«, sagte er gedehnt, »es läuft zufriedenstellend.« Dieser Hundesohn, er würde also etwas tun müssen! Dann nahm er seine aufkeimende Wut auf einen normalen Pegel zurück. Genau betrachtet, schuldete er in diesem Fall dem Mann tatsächlich Dank, so gesehen bedeutete die Anspielung keine Erpressung, sondern nur eine Erinnerung. Seine Stimme schrumpfte schon wieder, als er fortfuhr. »Also, was kann ich tun?«

Corall registrierte das ›kann‹ mit Erleichterung. »Ich frage nach Ihrer guten Idee in Wallersburg nur deshalb, weil sich auch mein Sohn fortbilden möchte.« Die Lippen des Ministers entspannten sich zu einem echten Lächeln. Mit dieser Formulierung signalisierte ihm Corall: ›Wir verstehen uns, von meiner Seite keine weiteren Schwierigkeiten, wenn du mir auch hilfst.‹ Dieser Hundesohn!

»So? Was möchte er denn unternehmen?«

»Es geht um ein Volontariat bei McGill. Grundsätzlich habe ich eine Zustimmung schon erreicht, nur mein Sohn möchte in die Zentrale nach New York, man bietet ihm aber Minnesota an. Meinen Sie, es wäre Ihnen möglich – vielleicht über die Botschaft –, die Burschen umzustimmen?«

Was bleibt mir anderes übrig, du Hundesohn? Er dachte kurz nach. Die Aufgabe erschien weniger schwierig, als er gefürchtet hatte. Der Getreidekonzern war vor gar nicht langer Zeit mit einer erheblichen Spendensumme an die Fraktion herangetreten. Es ging um die Erleichterung von Einfuhrbestimmungen für Rindfleisch aus Drittländern in die EG. Der Konzern bewirtschaftete große Viehzuchtfarmen in Brasilien. Die Sache gestaltete sich ziemlich schwierig, das hatten die Leute auch anerkannt. Er hatte noch etwas gut. Schließlich regelte das Ministerium die Angelegenheit als Entwicklungshilfebeitrag für eine unterentwickelte Region in Südamerika. Das Fleisch wurde gekauft, blieb aber in den Kühlhäusern der Gemeinschaft tiefgefroren liegen. Bei der eigenen Überproduktion hätten die zusätzlichen Rinderhälften entschieden auf den Preis gedrückt.

»Ich glaube, da läßt sich was machen, mein Freund. Bis wann braucht Ihr Sohn den Bescheid?«

Corall atmete auf. »Möglichst bald.« Seine Kalkulation war aufgegangen. Der Zusatz ›mein Freund‹ hieß: Wir sind dann quitt – Wallersburg gegen das Volontariat bei McGill. Corall senior war es zufrieden. Er stand auf, der Minister blieb sitzen. Also würde doch Groll zurückbleiben. Schade, damit mußte er leben, aber die Mißbilligung würde sich in Grenzen halten.

»Ich danke Ihnen im Namen meines Sohnes ganz herzlich, Herr Minister.«

»Keine Ursache! Nach allem, was er durchgemacht hat, ist es mir geradezu ein Bedürfnis, behilflich zu sein. Grüßen Sie ihn bitte von mir, ich werde mein möglichstes tun.« Der Mann blieb sitzen, kein Handschlag, kein Nicken oder Lächeln. Die Audienz war erfolgreich beendet. Auch wenn in den nächsten Wochen Eiszeit herrschen sollte, der Minister brauchte ihn auf Dauer. Wallersburg bewies das.

Corall ging beschwingt in sein Zimmer zurück, diesmal war der federnde Schritt echter Ausdruck seiner Gefühle. Wallersburg, da hatte er dem Minister in seinem Wahlkreis aus der Patsche geholfen. Die Idee stammte natürlich von dem gewieften Taktiker selbst, aber er hatte den legalen Weg dazu durch die Bürokratie entworfen.

Zurück am Schreibtisch, nahm er die Akte darüber aus der Schublade. Durch die Gegensprechanlage gebot er Frau Marker, ihm die nächsten fünfzehn Minuten Besucher und Telefongespräche vom Hals zu halten, dann schlug er sie auf. Ein Glanzstück an Formalismus.

Wallersburg baute vor knapp zehn Jahren eine moderne Berufsschule mit mehreren Lehrwerkstätten, zentral für den ganzen Kreis. Dann kam der erneute Geburtenknick, die Ausbildungszahlen gingen beängstigend zurück, die Nachfolgekosten blieben. Die Zuschüsse der Landesregierung, berechnet nach der Klassenstärke, sanken rapide. Die Kreisoberen wandten sich hilfesuchend an ihren zum Minister gewordenen Abgeordneten. Der wußte Rat. Man konnte in Wallersburg doch junge Männer aus entwicklungsbedürftigen afrikanischen Nationen schulen. Das Ministerium übernahm Wallersburg und die Kosten; das regelte Corall. Der politische Coup daran blieb, daß auch künftig deutsche Lehrlinge in Wallersburg ausgebildet wurden und nur die von Deutschen freibleibenden Plätze vom Ministerium mit Stipendiaten der Dritten Welt besetzt würden. Im Klartext: Man unterrichtete mit für das Ausland bestimmten Geldern in Wallersburg die geburtenschwachen Jahrgänge im Wahlbezirk des Ministers, ohne daß es den Landkreis einen Pfennig kostete. Corall las die betreffende Stelle nach. Offiziell durfte nur ein Fünftel der Lehrlingsstellen von deutschen Jungen belegt werden. Der Betrieb war als Modellversuch deklariert, um die Farbigen praktisch an einer deutschen Schule ihr Handwerk erlernen zu lassen, an der die Einheimischen Gäste waren. Ein geschickter Schachzug. Corall hatte niemals nachgeforscht, wie sich die Ausbildungsplätze wirklich verteilten. Was er nicht wußte, konnte ihm niemand anlasten, das war ganz allein Sache des Ministers; er hatte nur die verwaltungsrechtliche Konstruktion geliefert, und formal war die Ordnung. Er schloß den Aktendeckel. Diesmal legte er ihn allerdings nicht in das Register zurück. Er stand auf und verstaute das Schriftstück im Tresor, zu dem nur er den Schlüssel besaß. Dann drückte er das schwarze Knöpfchen der Gegensprechanlage, teilte Frau Marker mit, er sei jetzt frei für die ersten Termine. Der Arbeitstag hatte begonnen.

Sein Vater hatte ihm mitgeteilt, alles werde nun doch nach seinen Wünschen laufen, der Minister verbürge sich dafür.

Eine Menge Sorgen warf Christians Gemüt als Ballast ab. Nicht sonderlich eindrucksvoll, wenn er schon an der ersten Hürde gescheitert wäre! Sie zu überwinden, bedeutete einen großen Schritt in Richtung Ziel, denn der Einstieg in das Abenteuer bei McGill war schwierig. Bei einem so bürokratischen Vater hatte er sich da wenig Illusionen gemacht. Jetzt war alles glatter abgewickelt als erhofft. Kannte er seinen Vater doch nur schlecht? Er widmete dieser Frage keinen Raum, sie lenkte ab, und die Antwort würde nichts ändern.

Das Telefon klingelte.

»Ich gehe schon ran!« rief er seiner Mutter zu. Der Apparat stand im Flur auf einer roten Holzkommode, dahinter der Gästespiegel. Ständig stand man sich selbst beim Telefonieren gegenüber, beobachtete ungewollt Mienenspiel und Gesten.

So sah Corall sein überraschtes Gesicht, als er den Hörer abhob, seinen Namen sagte und die Stimme am anderen Ende der Leitung mitteilte: »Hier ist Gilda!«

Unverkennbar, jetzt, da sie ihren Namen gesagt hatte, diese sanfte, streichelnde Tonlage: Gilda, typisch Gilda, wenn sie gefallen wollte. ›Hier ist Gilda‹, hatte sie gesagt, so als sei das gar nichts, so als riefe sie mindestens einmal am Tag an.

Sie legte sein Schweigen anders aus.

»Erinnerst du dich nicht mehr? München?« Eine Spur Traurigkeit schwang in ihren Worten mit.

»Gilda!« Er brüllte fast. »Und ob ich mich erinnere! Ich dachte, du hättest mich längst vergessen! Wie geht es dir? Was macht der alte Fred?«

Sie ging auf seine Fragen nicht ein. »Hör genau zu!« sagte die Stimme statt dessen drängend und nichts Streichelndes, Sanftes war mehr darin. »Ich kann nicht lange telefonieren, aber ich möchte dich sehen. Ich habe deine Geschichte in Nepal verfolgt, besonders, was du den Zeitungsfritzen nach deiner Rückkehr gesagt hast. Ich glaube, für uns beide könnte es nützlich sein, miteinander zu reden. Willst du? Hast du Zeit? Morgen vielleicht?« Die Erwähnung des nepa-

lesischen Abenteuers dämpfte sofort seine hochgespannten
Gefühle, die noch nicht einmal Gedanken gewesen waren.
Es versetzte ihm einen Stich.

Alles Quatsch natürlich! Was sollte sie auch für ein persönliches Interesse an ihm haben? Die Neugier selbstverständlich. Verdammte Gilda, wie oft hatte er in den vergangenen Monaten an sie gedacht! Und jetzt war er vor Enttäuschung fast versucht, ihr – abzusagen.

Aber die Schwäche siegte. Bedeutend kühler, bedeutend
leiser erklärte er sich einverstanden.

»Paß auf«, sagte sie, und jetzt klangen die Anweisungen
direkt gehetzt, »ich kann mich nur schlecht in der Öffentlichkeit zeigen. Das heißt«, korrigierte sie hastig, »ich will
mich nicht auffällig bemerkbar machen. Komm morgen zum
Wasserschloß Niedereinbeck, mach die Führung um fünfzehn Uhr mit, warte nicht auf mich, ich schließe mich der
Gruppe an.«

»Was ist los?« fragte er, halb wieder versöhnt und seinerseits interessiert. Es knackte in der Leitung, Gilda hatte ein-
gehängt.

Schloß Niedereinbeck umgab ein breiter leerer Graben.
Wasserschloß nannte sich dieses Bauwerk aus dem 19. Jahrhundert lediglich deshalb, weil von jeder Seite eine kühn
geschwungene Brücke, Miniaturnachbau alter Rheinbrük-
ken, zum Schloß führte. Alle vier Eingänge waren gleich ge-
staltet. Breite Freitreppen endeten vor einem ovalen Torbo-
gen, den zwei monumentale steinerne Barockengel bewachten.

Die Seiten der Türfront begrenzten griechische Säulenre-
liefs. Dazwischen ein Fenster, verziert mit Girlanden aus
Kalkstuck, darüber ein oval geschwungener Dachgiebel; etwas zurückgesetzt dann die eigentliche fenstergeschmückte
Schloßfassade. Der Baukomplex war ein Quadrat mit Innenhof, aus dem sich nur die Eingänge hervorhoben.

Corall kam eine Viertelstunde vor drei Uhr an. Schloßbe-
sichtigungen langweilten ihn unsäglich. Einmal, erinnerte
sich Corall, wanderte er in Wien Schloß Schönbrunn ab. In
der langen Stunde entdeckte er nur ein einziges interessan-

tes Ausstellungsstück, aber das war es wert: das Stehpult im Audienzzimmer des alten Franz-Joseph. Unter einer Glasplatte lag auf diesem Pult die Seite des Audienzkalenders vom 28. Juni 1913. Auf den Tag ein Jahr vor den Schüssen in Sarajewo. Was tat der Kaiser an diesem 28. Juni? Die minuziös geführten Eintragungen hielten fest: Acht Stunden empfing der alte Herr im Abstand von etwa drei Minuten Männer, Männer, Männer. Männer, die für einen verliehenen Orden untertänigst dankten; Männer, denen ein Amt übertragen worden war, die untertänigst dafür dankten. Männer, die untertänigst um einen Orden baten; Männer, die untertänigst ein Amt übernehmen wollten. Sein krisengeschütteltes Land krachte in allen Fugen, der Kaiser hängte Orden an Hofschranzen, verteilte Pfründe und Protektion.

Dieses Blatt Papier, das war erlebte Geschichte. Was sagten ihm dagegen 18 000 Knoten pro Quadratmeter Gobelin? Nichts! Er gab gern zu, ein Kunstbanause zu sein, und er fand das ehrlicher, als Interesse zu heucheln, wo ihn nur gähnende Langeweile quälte.

Etwa vierzig Leute warteten auf der vordersten Brücke. Niedereinbeck erlebte das ganze Jahr über Saison. Von Bonn aus war es ein Abstecher, organisiert mit dem Autobus oder privat, nicht länger als dreißig Minuten Fahrt. Niedereinbeck stand in jedem Reiseführer wegen seiner Gobelins, Porträts, Vasen, Uhren und zweier besonders eindrucksvoller Deckengemälde von italienischer Hand.

Corall mischte sich beobachtend unter die Menge. Gilda konnte er nicht entdecken. Was sollte die Geheimnistuerei? Ein Gefühl von Sorge und leichter Ungeduld beschlich ihn. Die Menge formierte sich zur Schlange, rückte langsam vor, die Freitreppe hinauf zur Kasse. Corall zahlte. Der Führer, ein junger Kunststudent, gab erste Baudaten und Besitzverhältnisse in der Vorhalle preis. Und plötzlich stand sie neben ihm: Gilda! Und doch nicht Gilda. Die Haare noch immer blond, aber kurzgeschnitten. Eine Nickelbrille mit kreisrunden Gläsern auf der Nase. Apart, aber typverändernd. Sie trug Jeans, die die herrlichen Beine versteckten und die Hüften betonten. Darüber ein schlampiger Hängepullover, der ihren Busen leugnete. Magerer war sie geworden, auch im Gesicht zarter, alles war anders, wirkte ... er suchte das Wort, hatte es auch gleich gefunden, fand es nicht ganz passend, weil es ihn störte und setzte es dann doch ein: intellektueller. Durchgeistigt, lag ihm auf der Zunge. Abgesehen davon, daß diese Beschreibung ins Kitschige segelte, stimmte sie auch nicht, zuviel Härte war in den schönen Zügen. Ja, sie wirkte intelligenter, selbstbewußter, nicht mehr verspielt, auch nicht kokett. Zwei schmale Falten zeigten sich zwischen Nase und Mundwinkel. Alles war anders, aber es stand ihr. Sie wirkte, und jetzt formulierte er es auch für seinen Geschmack richtig: erwachsen. Seine Verblüffung ging in seine erste Frage ein:

»Was ist los mit dir?« Das kam hölzern, uncharmant, aber recht. Sie schenkte ihm ihr unverwechselbares Gilda-Lächeln.

»Du mußt keine Angst haben, sie suchen die Gruppe, aber nicht direkt mich, ich hoffe es jedenfalls. Da ich davon ausgehe, daß man Telefone hoher Beamter in Bonn noch nicht daraufhin abhört, ob ich anrufe, denke ich, niemand wird dir gefolgt sein. Ein etwas merkwürdiger Treffpunkt, aber sicher. Denn wo fällt man am wenigsten auf? Unter vielen Leuten. Oder?« Jetzt lachte sie sogar, und sie lachte für ihn. Seine Frage hatte sich auf ihr neues Aussehen bezogen, sie hatte sofort die Situation gemeint. Was lag näher als dieser Irrtum? Seinen unerklärten Gedankensprung konnte sie wirklich nicht nachvollziehen, und er ließ es dabei. Jetzt hängte sie sich auch noch bei ihm ein, er konnte es nicht glauben. Wirklich, wie ein elektrischer Schlag, keine Phrase!

»Wer ist die Gruppe? Seid ihr Terroristen?«

»Und wenn es so wäre, würdest du mich auf der Stelle stehenlassen?« fragte sie neckend mit besorgtem Unterton.

»Quatsch!« sagte er aus tiefster Überzeugung. Und noch etwas bemerkte er mit großer Zufriedenheit: Er fühlte sich ihr ebenbürtig. Nichts mehr von dem Minderwertigkeitskomplex der Münchner Tage, von der pubertären Empfindung impotenter Schwärmerei. Wie weggeblasen. Zu viel erlebt, zu viel gesehen und selbst getan.

Er hielt sie am Arm fest.

»Also, was ist mit euch?« fragte er barscher, als ihm ums Herz war, um seine neue Unabhängigkeit gleich zu beweisen.

»Ich bin Mitglied der Rainbow Warriors, der internationalen Regenbogen-Krieger. Man schimpft uns eine Terroristengruppe, weil wir hin und wieder etwas kräftiger zulangen im Interesse der Sache. Da laufen Anzeigen wegen Beschädigungen, Körperverletzung, Hausfriedensbruch, Klagen auf Schadenersatz und Widerruf. Ich gehöre so ein bißchen in die Spitze, und wenn sie mich fangen, wird es teuer, und Gefängnis könnte auch dabei rausschauen. Verstehst du?«

»Eigentlich nicht«, brummelte er irritiert. Er kannte die Aktivitäten der Rainbow Warriors nicht. Vielleicht entwickelten sie ihre Tätigkeiten erst, seit er im Ausland arbeitete, oder er hatte sich früher nicht darum gekümmert. Dieses Versäumnis erschien ihm wahrscheinlicher.

»Ich dachte, du bist längst mit Fred verheiratet.«

»War ich auch. Kannst du dich noch an unser Gespräch damals vor der Toilette in unserer Münchner Kneipe erinnern?«

Jetzt lachte er, es klang aber mehr wie ein trockner, bitterer Husten.

»Ja, damals habe ich wirklich geglaubt, es ginge nicht ohne Freds Geld. Später mußte ich immer wieder an deine Worte denken: Frei sein durch Finden der eigenen Identität. Nach einem halben Jahr habe ich genug gehabt, so richtig die Schnauze voll. Ich konnte nicht mehr. Es gab Riesenszenen. Fred soff, ich heulte und keifte abwechselnd. Inzwischen hatte ich ein paar Typen der Rainbow Warriors kennengelernt, und bei dem ganzen Mist, der hierzulande passiert, erschien es mir ganz vernünftig, was sie taten. Du hast nur dieses eine Leben, sagte ich mir immer. Nur dieses eine Leben, hämmerte die Angst mir ein. Ich wurde jeden Tag älter, und was hatte ich getan? Wofür hatte ich gelebt? Kannst du meine Panik verstehen?«

Er nickte, ohne sie anzublicken. Er wollte ihr zuhören, aber ihr Gesicht, ihre aparte Schönheit, ihr Körper, hätten ihn abgelenkt. So starrte er, ohne zu sehen auf die Gobelins, die Bilder, die Goldmustertapeten, lief stur mit der Menge durch die Räume und war eigentlich nur ›ganz Ohr‹.

»Ich wollte kein Paradiesvogel im goldenen Käfig sein. Da bin ich dann einfach untergetaucht. Abgehauen, habe Fred und die Familie verlassen. Wir wohnten in Stuttgart bei seinen Eltern. Ich lebe jetzt meistens in Bayern, besser, ich sage dir nicht genau wo. Häufig bin ich im Ausland bei irgendwelchen Einsätzen. Frag mich nicht, ob ich glücklich bin! Aber ich fühle mich frei, ich tue etwas, vielleicht nicht immer das Richtige, aber in der Summe bestimmt. Richtig oder falsch – wer kann das schon heute überblicken?

Dann habe ich deine Geschichte in der Zeitung gelesen. Wollte dir wirklich immer schon mal schreiben. Schließlich hast du mir Denkanstöße gegeben, die mein Leben veränderten. Aber du weißt, wie das ist, man nimmt sich so wahnsinnig viel vor und tut es dann doch nicht. Immer kommt etwas anderes dazwischen, schade eigentlich.

Bleib stehen!« sagte sie und hielt ihn am Arm zurück. »In diesem Boudoir können wir bleiben und ungestört reden, bis die nächste Führung kommt. Die alte Schachtel vor uns hat sich schon zweimal umgeguckt, und auch die jungen Leute drüben stört anscheinend mein dauerndes Gerede. Ich habe vorhin hier auf dich gewartet. Ich bin nämlich bereits um zwei Uhr mitgegangen. Vorsichtsmaßnahme, du verstehst, von hier aus kannst du durch das Fenster Eingang und Brücke beobachten. Es hätte dir ja jemand folgen können.«

Er schüttelte verständnislos den Kopf.

»Wieso sollte mich jemand verfolgen?« Jetzt mußte er sie einfach anschauen. »Du bist schön«, murmelte er, obwohl er es ums Verrecken nicht hatte sagen wollen. Es rutschte ihm heraus, er konnte sich gar nicht wehren. Und ähnlich wie damals, als Chien-Nu das Zelt verließ, beschlich ihn wieder dieses unbeschreiblich wehmütige Gefühl, und stieg ihm als Schwäche in Arme und Beine.

Sie stand vor ihm, nahm sein Gesicht zwischen die Handflächen. Er versuchte, ihren Augen auszuweichen, aber sie hielt ihn fest, zwang seinen Blick in ihren. Ernst schaute sie ihn an.

»Ist es so schlimm?« fragte sie leise.

Er entwand mäßig grob seinen Kopf ihren Händen, preßte die Zähne zusammen. Jetzt keinen Blödsinn, bloß nicht das alte Theater wieder anfangen! Er fühlte sich ihr doch gewachsen. Warum konnte er sich dann nicht verstellen? Sie las ja wie in einem Buch in ihm. Beschämend!

»Komm!« sagte sie leise und zog ihn zum Fenster zu zwei einfachen Stühlen, kein Louis-quinze oder Chippendale, eher spätes Woolworth, auf denen sonst das Aufsichtspersonal hockte. »Erzähl über dich! Die ganze Zeit rede ich nur von meinen Problemen, entschuldige! Wer hat dich entführt, was haben sie dir getan?« Ihre Stimme war ganz sanft.

»Es war nicht schlimm«, sagte er wegwerfend, blickte an ihr vorbei aus dem Fenster. »Sie hatten ein Recht, das zu tun.«

Welcher Wandel hatte sich in diesem Mädchen vollzogen. Hätte er ihr damals diese Tatkraft und Intelligenz zugebilligt? Ehrlich, Interesse hatten nur ihre erotische Ausstrahlung, ihr Körper erweckt. Ein begehrenswertes Objekt, ein Spielzeug – und jetzt? Eine völlig neue Gilda. In Wirklichkeit die alte, die nur nicht richtig erkannt worden war. Ihr schien gelungen, was er noch immer suchte: echtes Selbstbewußtsein zu haben. Das alles machte sie noch begehrenswerter.

»Da du mir vertraut hast, will ich dir auch vertrauen.« Er lenkte die Augen wieder auf sie, quälte sich bei ihrem Anblick, hätte alles gegeben, um sie in den Armen zu halten. Aber sie mußte es wollen, sie allein, er konnte nichts tun, sein Wille zählte nicht. Es lag wie ein geheimer Bann auf ihm.

»Ich arbeite für sie ... für meine Entführer.«

Unbeherrscht stieß sie einen leisen Ruf aus, hielt aber sofort die Finger vor dem Mund.

»Du arbeitest für sie? Du auch für ...« Sie zögerte. »... Terroristen?«

»Es sind keine Terroristen! Es sind arme Menschen, denen man zur Zeit ganz übel mitspielt.« Er schilderte in kurzen Sätzen die Weizenkatastrophe. Sie unterbrach ihn nicht. Am Ende strich sie sich mit den schlanken Fingern nachdenklich über die Stirn. Die Falten zwischen Nase und Augenbrauen kerbten sich tiefer.

»Dann ziehen wir am selben Strick, kämpfen für dieselben Ziele«, sagte sie langsam, ihre Augen zeigten einen abwesenden Ausdruck.

Er warf ein: »Aber ich wende keine Gewalt an, ich will nur erkunden, erfahren, was los ist. Ich handle nicht selbst, ich bin nur Kundschafter.« Der Schleier vor ihren Augen verschwand. Sie ließ die Hand sinken, tat, als hätte sie seinen Widerspruch nicht gehört, fragte nur: »Was willst du unternehmen?«

Er überlegte. Wieviel durfte er wirklich sagen, ohne seinen Auftrag zu gefährden? Schließlich siegte der Wunsch, endlich sprechen zu können. Vertrauen gegen Vertrauen, auch sie hatte nicht taktiert. Seit Marjam in Frankfurt ausgestiegen war, mußte er sich verstellen, jetzt wollte er nicht mehr.

»Ich gehe nach Amerika, zu McGill, mein Vater besorgt mir dort ein Volontariat.«

Sie nickte zustimmend. »Das ist der richtige Ansatz. Du weißt wirklich nicht, was mit dem Reis, was mit dem Weizen geschehen ist?«

»Nein, keine Ahnung, das will ich ja herausfinden.«

»Dafür mußt du nicht nach Amerika«, sagte sie spöttisch, »das erzähle ich dir gleich hier. Du mußt nach Amerika, damit etwas getan wird, mein Lieber. Du lehnst Gewalt zwar ab, aber wir müssen etwas tun. Ich weiß noch nicht was, doch deine Beziehungen über die deutsche Regierung zu McGill erscheinen mir ungeheuer wertvoll.«

Die letzten Worte des Satzes dehnte sie immer länger, ihre Stimme wurde dabei leiser, und in ihre Augen trat wieder dieser versonnene Ausdruck. Sie schien entrückt, fremd und beinahe abstoßend geschäftsmäßig. Seine Leidenschaft für sie schwächte sich plötzlich erheblich ab. Eine Kälte, eine

Härte strahlten von ihr aus, wie sie da völlig abwesend saß. Sie erschreckte ihn direkt.

Sekunden später kehrten Charme und Vertrautheit zurück, doch seine Zuneigung erwärmte sich so schnell nicht wieder. Er war jetzt in der Lage, sie distanzierter zu betrachten, ihr ohne Ablenkung durch Hüften, Busen und Gesicht, zuzuhören.

»Es ist eine Katastrophe, die da nicht nur über Nepal hereingebrochen ist. Die Schuld liegt bei den Getreidekonzernen. Der größte, der schuldigste unter ihnen ist McGill. Wir, die Rainbow Warriors, beobachten ihn längst. Genaueres später, vielleicht morgen, vielleicht überhaupt nicht, das liegt nicht allein in meiner Entscheidung. Ist auch unwesentlich im Moment. Wichtig finde ich nur: Du willst zu McGill, du kannst zu McGill, und du willst nichts tun, willst dir die Finger nicht schmutzig machen. O Christian, Christian!« Das spöttische Funkeln in ihren Augen rückte ihn nicht nur weiter auf Distanz, es machte ihn beinahe wütend. Er wußte auch warum. Ton und Gesichtsausdruck versetzten ihn wieder auf seinen Platz als alberner Mitläufer in der Münchner Kneipe, er fühlte sich degradiert von ihr. Das kränkte sein anfangs so hochfliegendes Selbstgefühl ungemein. Trotzdem zögerte er mit einer schnellen Antwort zu seiner Verteidigung. Einiges lag ihm auf der Zunge, wie: ›Ich bin doch kein Terrorist!‹ Oder: ›Hinter mir steht eine Nation, keine Verschwörung!‹ Aber alle diese hochtrabenden Bollwerke gegen sein schlechtes Gewissen, das spürte er, hätten in ihrer Einstufung sein Niveau nur weiter gesenkt. Sie hatte ja recht. Stand er nicht draußen vor dem Zelt im Morgengrauen, bereit, Ketjak eine Zusage zu geben, damit er endlich etwas tun, etwas bewegen konnte? Was hieß denn tun? Tun, das war schon teilnahmsloses Hinschauen. Handeln, das war das richtige Bekenntnis! Er sollte handeln, meinte sie, und er wollte auch handeln, aber nicht blind, nicht auf Blankobefehl, nicht wie sie, die in der Summe glaubte, alles sei in Ordnung, an manchen Aktionen jedoch Zweifel zu haben schien, auch wenn sie eben nicht deutlich Kritik übte.

»Leg das nicht so auf die Goldwaage, was ich sage!« Er freute sich über die Ruhe, mit der er das vorbrachte, obwohl ihn doch ihr Verhalten fast wütend gemacht hätte. »Warum verplempern wir die Zeit mit Streit? Das sind doch Entscheidungen, die man je nach Lage der Dinge treffen muß. Außerdem«, diesmal unterlegte er seiner Stimme einen spöttischen Unterton, »weißt du doch schon alles, was mich in Amerika erwarten könnte. Laß hören!«

Sie sah ihn prüfend an, lächelte dann ihr verteufeltes Gilda-Lächeln, dem niemand widerstehen konnte.

»Okay, lassen wir es dabei! Schau her, kennst du das?« Sie zog aus der hinteren Tasche ihrer Jeans ein zerknittertes Buch. Billig gebunden, billig gedruckt, die typische Ausgabe aktuell geschriebener und auf den Markt gebrachter Information im Taschenformat. Er las den Titel, als sie das Bändchen hochhielt: ›Getreide-Multis und Verbrechen‹.

»Da steht es ausführlich mit Daten, Fakten, Kommentaren der Hintergründe drin: Chemie und Profitgier machen uns das Getreide kaputt. Du kannst hier nicht hundertzweiundsiebzig Seiten lesen, ist mir klar, solltest du dir aber kaufen. Das wichtigste kann ich allerdings in Kurzfassung erklären, damit du eine Ahnung von den Ursachen der bereits eingetretenen und noch kommenden Katastrophen erhältst.« Sie wartete seine Zustimmung nicht ab, sondern sprach ohne Pause weiter.

»Wir lernen so viele Geschichtsdaten in der Schule, das Ende des Dreißigjährigen Kriegs 1648 oder die Schlachten Napoleons, die Russische Revolution und die Jahreszahlen von Hitlers Werdegang, aber wirklich wichtige, für die Menschheit entscheidende Eckdaten werden verschwiegen, meistens aus Unkenntnis – oder sagt dir im Zusammehang mit der Welternährungsorganisation der Januar 1961 etwas?«

Corall schüttelte den Kopf.

»Siehst du, so geht es neunundneunzig Prozent der Weltbevölkerung, und doch ist dieses Datum von eminenter Wichtigkeit. Im Januar 1961 wurde die internationale Konvention zum Schutz von Pflanzenzüchtungen in der UNO unterschrieben. Wer weiß schon, was das bedeutete? Weißt du es?«

Wieder schüttelte Corall den Kopf. Jetzt schon eine Spur automatischer, das Thema fesselte ihn noch nicht sonderlich.

»Mit ihrer Unterschrift erkannten achtundzwanzig Länder an, daß Züchter künftig neue Getreidesorten zum Patent anmelden konnten und von den Bauern dafür Lizenzgebühren kassieren durften. Das muß man sich mal vorstellen! Bis dahin gab es ein ungeschriebenes Menschenrecht, nämlich die natürlichen Nahrungsquellen von jedermann anzapfen zu lassen, damit der Hunger einer möglichst großen Zahl von Menschen gestillt werden konnte. Jetzt gab es plötzlich Patente auf Getreide, die den Zugriff auf Weizen einschränkten und nur dem erlaubten, der zahlungskräftig genug war. Um das in seinem ganzen Umfang zu begreifen, muß man den Hintergrund kennen. Drei Jahre zuvor nämlich, auch ein wichtiges Datum, das als Jahreszahl nie in den Schulen erwähnt werden wird, waren die Chemie-Giganten, immer auf der Suche nach neuen Märkten, ins Brotgeschäft eingestiegen. Sie züchteten mit Hilfe ihrer Retorten eine völlig neue Getreideart: Die Hybridpflanze! Kastriertes Korn, das zwar fette Ernten bringt, sich aber nicht fortpflanzen läßt, nicht als Saatgetreide zu gebrauchen ist. Das heißt, dieser Weizeneunuche zum Beispiel garantiert hohe Hektarerträge, muß aber jedes Jahr neu zur Aussaat beim Getreidehändler gekauft werden. Du kannst nicht mehr wie früher aus deiner eigenen Ernte das Feld bestellen, du bist jetzt vom Händler abhängig. Gute Ernten gegen finanzielle Abhängigkeit von chemischen Getreidemultis, das ist die moderne Gleichung, die das persönliche Kalkül des Bauern nach Jahrtausenden ablöst. Jetzt verstehst du die Grundlage, auf der alle wirtschaften, die nach einer internationalen Getreidekonvention schrien. Sie wollten aus ihrer ach so menschenfreundlichen Tat, nämlich ertragreiches Getreide zu züchten, auch den höchsten Gewinn in barer Münze ziehen. Niemand sollte sich so mir nichts, dir nichts die neuen Sorten aneignen, ohne dafür kräftig zu zahlen.«

Corall war jetzt voll konzentriert, der Bericht interessierte ihn plötzlich brennend. Zuerst hatte er einen ideologisch eingefärbten Rechtfertigungsvortrag erwartet, jetzt merkte er, wie dicht sie am Thema sprach.

»An sich ist das Prinzip stinkordinär: Schneide Schweinen und anderen Viechern die Genitalien ab – wer in der Natur seine Geschlechtlichkeit verliert, wird immer fett. Warum nicht auch Getreide? So war's. In den Laboratorien baut man eine Hochertragssorte nach der anderen, denn dank der Patentrechte ließ sich viel Geld damit verdienen. Nun begann, was heute unter dem Namen ›Grüne Revolution‹ so ruhmreich gefeiert wird. Doch was tatsächlich dahinter steckt, wirst du gleich hören, Christian.«

Sie drehte dem Fenster den Rücken, lehnte ihren reizenden Po gegen den Sims und kreuzte die Arme vor der Brust. Während sie weiterredete, betrachtete sie ihre Fußspitzen. Corall verstand: Nichts sollte sie vom Thema ablenken. Die verständliche Darstellung verriet ihm, daß sie schon oft über diesen Komplex gesprochen hatte, aber der Inhalt erregte sie noch immer.

»Als das alles anfing, gab es Erdöl noch im Überfluß. Denn wenn du einen Kastraten fett machen willst, mußt du ihn kräftig füttern. Das nichtabsetzbare Öl auf dem Energiemarkt ließ sich prächtig zu Kunstdünger verarbeiten. Beschnittener Weizen plus Dünger und einem saftigen Schuß an Pestiziden darüber, als heilige Dreieinigkeit in den Retorten der Chemielabors geboren, führten zwangläufig zu dikken Bilanzen mit schwarzen Zahlen. Um das Ganze auch noch von der propagandistischen Seite abzusichern, entdeckte man die sicherlich nicht völlig unbegründete Sorge einer Bevölkerungsexplosion in der Dritten Welt, stilisierte sie zur politischen Aktion hoch. Eindringliches Trommeln von interessierter Seite und auch aus wohlmeinenden Kreisen, die als nützliche Idioten willkommen waren, setzten große Hilfsprogramme der reichen Nationen in Szene. Das Geschäft mit der Humanität kam ins Rollen.«

»Siehst du das nicht ein bißchen kraß?« warf Corall ein.

»Vielleicht bin ich zu polemisch in meiner Darstellung, in der Aussage nehme ich aber kein I-Tüpfelchen zurück.

Wirklich nicht! Wart ab, mein Lieber! Es kommt noch viel dicker, das war erst der Anfang. Es ist ja nicht so, daß die Natur beliebig an sich herummanipulieren ließe, auch wenn uns das die Wissenschaft glaubhaft machen möchte. Diese fetten Kastraten sind nämlich nicht ungefährlich. Patente, auf internationale Konvention gestützt, sind ja nicht einfach juristische Rahmengebilde, da kennst du die Bürokratie schlecht, die will dabei auch ein Wörtchen mitreden. So verlangt sie für eine Patentschrift von der neuen Pflanze absolute Homogenität der Erbmasse, und die muß in jeder Generation erhalten bleiben. Sommer für Sommer bringt so eine Sorte immer die gleichen Körner in die Ähren. Das hat zwar den Vorteil, daß der Landwirt ziemlich genau ausrechnen kann, wieviel und in welcher Qualität er Getreide auf den Markt bringt. Dafür sitzt er aber auf einer Zeitbombe, die seine Existenz sprengen kann, sie tickt nicht nur, sie scheint gerade hochzugehen, wie du in Nepal erlebt hast. Schau her!« Sie schlug das Buch auf, das sie die ganze Zeit mit übereinandergeschlagenen Armen in der linken Achselhöhle fast verborgen gehalten hatte. Wie einen Zeugen für ihre Glaubwürdigkeit hielt sie die mit einem Knick gekennzeichnete Seite Corall unter die Augen. »Da hat der Autor ein ganzes Kapitel dieser Gefahr gewidmet. Richard Lewontin, ein Genetiker an der Harvard-Universität, hat schon Anfang der achtziger Jahre gewarnt. Hybridzüchtungen würden auf lange Sicht die genetische Vielfalt vernichten. Vor einem guten Jahrzehnt also haben die Propheten ihre Stimme erhoben. Kassandrarufe, niemand hat auf sie gehört!« Sie ließ das Buch sinken. Während sie es wieder in der hinteren Tasche verstaute und sich ihre Brust dabei aufreizend unter dem lockeren Pullover abzeichnete, redete sie weiter.

»Das bedeutet: Im Erbgut dieser impotenten Körner findet keine Entwicklung mehr statt, kann ja auch nicht. Wie sollen Eunuchen ihre Erbeigenschaften kreuzen, wenn fehlende Befruchtung keine Kombination in den Samen mehr ermöglicht? Der Erbcode ist in der DNS festgeschrieben. DNS ist klar?«

»Halt mich nicht für ganz dämlich!« sagte er brüsk, auch verärgert über die Unterbrechung. »Ich könnte dir sogar den vollen Namen für die drei Buchstaben herbeten, Desoxyrubi ...«

»Laß das lieber!« winkte sie ab. »Es genügt, wenn du weißt, daß die DNS der Träger aller Erbeigenschaften im Zellkern ist. Normalerweise ist er bei geschlechtlicher Vermehrung eine riesige Spielwiese immer neuer Fähigkeiten, Eigenschaften und anderer Veränderungen im Erscheinungsbild von Flora und Fauna. Und immer war eine Kombination darunter, die gegen jedes Gift, gegen jede Krankheit immun war, um mindestens als letzte bei Seuchen und andern Katastrophen zu überleben, eine Kombination zumindest, die den Erhalt der Art garantierte, das Aussterben verhinderte. Wie sieht das jetzt aus? Die gleichgeschalteten Gene, im Patent als Homogenität gefordert, sind nicht mehr widerstandsfähig, wenn ein tödlicher Erreger sie befällt. Nicht eine dieser künstlichen Pflanzen ist mehr immun, sie sterben alle. So etwas ist schon durch menschliche Eingriffe passiert. Den dramatischsten Fall erlebte Irland im vorigen Jahrhundert. Als Hauptnahrungsmittel wurde damals nur eine einzige Kartoffelsorte angebaut, die aus der Karibik stammte. Die Kartoffelseuche ließ die Knollen auf den Feldern verfaulen, zwei Millionen Hungertote in einem Winter und die größte Auswanderungswelle in die Vereinigten Staaten waren die Folge. Aber wir müssen gar nicht so weit zurückgreifen. Vor knapp zwanzig Jahren befiel Mehltau in den USA und Indien die Perlhirse. Beide Länder kauften beim gleichen Erzeuger. Das Sterilität hervorrufende und darum für den Züchter so gewinnträchtige Zytoplasma dieser Hybridsorte war dem Erreger wehrlos ausgesetzt. In den Vereinigten Staaten bedeutete die Tragödie nur eine Heraufsetzung der Futtermittelkosten, im Fernen Osten aber eine Hungersnot. Es ist wahrlich schwer, die Gefahren aus dieser Pflanzenpatentierung zu übertreiben. Und das ist nur die kleine Aufzählung in einem großen Sündenregister, das dieses Buch hier auflistet.« Sie klopfte auf ihr Hinterteil, wo das Bändchen steckte. »So sieht das aus mit der glänzenden

Tat, die wir reichen Länder ›Grüne Revolution‹ tauften und für die wir uns fortlaufend selbst loben. Nebenbei müssen die Armen der Dritten Welt nicht nur dicke Lizenzgebühren für unser taubes Getreide zahlen, sondern werden noch anderweitig kräftig beschissen. Das meiste an genetischem Material, das für die Kreuzung und Entwicklung neuer Sorten benutzt wird, stammt nämlich aus dem Pflanzenbestand gerade dieser Nationen und wird dort kostenlos und klammheimlich eingesammelt. Besser sollte man wohl sagen: gestohlen. Ein skrupelloses Geschäft! Wenn du denkst, ich wäre jetzt am Ende meiner Schelte, irrst du dich gewaltig, mein Lieber. Der größte Hammer kommt erst jetzt. Wir, das heißt, wir von den Rainbow Warriors, vermuten, daß die Getreidemultis erst noch zum ganz großen Schlag ausholen. Auf dem Amboß ihrer ehernen Kapitalreserven schmieden sie das Werkzeug zur totalen Unterwerfung der Dritten Welt und all jener, die ernährungsmäßig von ihnen abhängen.« Sie holte Luft, völlig außer Atem von ihrem gerechten Zorn. Corall nutzte die Pause für eine Frage.

»Was du mir eben alles erzählt hast, diese entsetzlichen Dinge, und was du mir noch sagen wirst – stammt das wirklich nur aus diesem Büchlein?«

Prüfend ruhten ihre Augen plötzlich auf seinem Gesicht, die Augen eines Anglers, der entscheidet, ob der Fisch den Haken schon weit genug im Hals hat und er die Schnur anziehen kann oder ob die Beute noch von der Rute springt, wenn er es zu früh versucht. Corall, der noch wenig Umgang mit Anglern besaß, empfand diesen Blick lediglich als stumme Bitte um Verständnis. Aber es herrscht immer eine gemeinsame Verbindung zwischen Angler und Fisch: die Schnur. Einer allerdings zieht daran, der andere muß zappeln. Sie entschied zu ziehen.

»Du hast recht«, sagte sie langsam, sehr betont, so betont, daß der Partner sich unterschwellig gelobt fühlte für seine kluge Frage. Ein nahezu unfehlbares Mittel, ihn auf die eigene Seite zu ziehen. »Natürlich weiß ich nicht alles allein aus dieser Broschüre. Was ich vor allem jetzt sagen will, ist mir von ganz anderer Quelle zugeflossen.« Sie schwieg wieder einen Moment bedeutungsvoll. Ihre Taktik verfehlte bei Corall keineswegs die Wirkung. Vor Spannung nagte er unbewußt an der Unterlippe.

»Ach, pfeif drauf!« sagte sie, als kostete es sie eine gewisse Überwindung, und die kostete es sie tatsächlich. »Wir haben drüben bei McGill auch einen Mann angesetzt.« Als sie seine erstaunte Reaktion registrierte, fuhr sie hastig fort: »Aber das ist top-secret, verstehst du? Bitte, vergiß es sofort wieder! Vielleicht begegnest du dem Mann. Ich weiß wirklich nicht, ob es richtig war, dir das mitzuteilen. Wenn ihr euch trefft – ihr wärt bestimmt ein prima Team.«

»Reg dich nicht auf, Gilda!« Er kehrte gönnerhaft die Pose des starken Mannes hervor. »Natürlich halte ich die Klappe, meinst du, ich gehe mit diesem Wissen bei McGill spazieren? Was macht denn der Kamerad da drüben?«

»Vergiß das erst einmal!« sagte sie, wieder wesentlich kühler und zurückhaltender im Ton. »Ich habe schon zuviel geredet. Ich muß das mit den anderen noch besprechen. Jedenfalls kommt der Junge nicht in Etagen, die dir wahrscheinlich bei McGill offenstehen werden.«

Einen winzigen Moment traf es ihn, ein Nadelstich in die Herzgegend. Sie mußte das erst mit den ›anderen‹ besprechen. Eifersucht. Wie gern hätte er in diesem Moment zu den ›anderen‹ gehört, ihr Vertrauen besessen. Alles Quatsch! meckerte er sich innerlich an. Es gibt keine nähere Beziehung zwischen ihr und mir. ›... Das Wasser ist viel zu tief‹, spöttelte er mit einem weinenden geistigen Auge. Markig fuhr er fort, ohne auf seine Gefühle Rücksicht zu nehmen: »Von ihm hast du also dein Wissen über diese ungeheuren Schweinereien.« Sie nickte.

»Besonders den Verdacht einer geplanten oder schon betriebenen Manipulation schlimmsten Ausmaßes. Paß auf! Die Konzerne, allen voran wohl McGill, haben erkannt, wie prächtig Chemie und Landwirtschaft in einer Ehe zu verkuppeln sind. Für eine noch breitere Verkaufspalette pfuschen sie anscheinend jetzt noch intensiver am Erbgut der Pflanzen herum, ein perverses Spielchen – man möchte es kaum glauben, so irrsinnig klingt es. Die Methode dieses Wahnsinns züchtet nämlich Anfälligkeit für bestimmte Krankheiten in die Halme, um für deren Bekämpfung neue Pharmaka, also Herbizide, Pflanzenschutzmittel zu entwikkeln. Kann man sich so was vorstellen, was menschliche Gehirne da ausbrüten?« Sie schien ehrlich erregt. Er schluckte. Wahnsinn!

»Begreifst du? Folgendermaßen baut sich deren Überlegung, deren eiskaltes kaufmännisches Kalkül auf; die Entwicklungskosten für ein modernes Pflanzenschutzmittel verschlingen um die fünfzehn Millionen Mark und zusätzlich Zeit. Zeit und Geld, die verloren sind, wenn die Gesundheitsbehörden keinen echten Nutzen für dieses Präparat erkennen können, denn immerhin ist es ein Gift. Oft sogar ein sehr gefährliches Gift. Wie kann man diesem Risiko abhelfen? Mit einer verbrecherischen Idee!

Die Schöpfung einer neuen impotenten Getreidesorte aus den Retorten der Labors verlangt höchstens um die zwei Millionen Mark. Die ist im Gegensatz zur Giftmischung rasch gezüchtet. Welches Glück – bitte in Anführungszeichen zu verstehen –, wenn dieses frische Getreidemodell außer vermehrter Körnermenge oder besserer Dürreverträgnis ausgerechnet für jene Krankheit anfällig ist, gegen die man gerade das neue Herbizid entwickelt hat. Die Büchse der Pandora ist über das Getreide ausgeschüttet worden, um den natürlichen Beelzebub in Form von Rost- und Mosaik-Viren oder Mehltau mit dem Satan Chemie auszutreiben. Verzeih mir, wenn ich lyrisch werde. Aber da fehlen mir glatt die einfachen Worte.«

»Und das Geschäft wird so gemacht?« fragte Corall flüsternd, atemlos in seiner Fassungslosigkeit.

»Wir wissen es nicht genau, wir vermuten es. Unser Mann versucht es aufzudecken, Beweise zu sammeln. Das wäre es, woran du drüben arbeiten müßtest: dieses Verbrechen der Weltöffentlichkeit mitzuteilen. Kommst du hinter dieses Geheimnis, hast du auch den Schlüssel für die Lösung deines Auftrags, glaub es mir!«

»Diese fluchwürdige Manipulation aufzudecken, würde

auch Gewalt rechtfertigen«, sagte er versonnen, mehr zu sich selbst.

»Das würde sie bestimmt«, bestätigte Gilda, die Zufriedenheit im Ton war nicht zu überhören.

Coralls Backenmuskeln zuckten unter der Haut, so biß er die Zähne zusammen. »Wahnsinn, alles Wahnsinn!« kommentierte er schließlich.

»Das ist es wohl wirklich«, meinte sie, sichtlich angestrengt von dem in seelischem Stakkato vorgetragenen halbwissenschaftlichen Exkurs. Ihre Hände strichen ziellos durch das kurze Haar, als verbrauchten sich damit mobilisierte Energien, die ihre Erregung nicht mehr in Worte umsetzen konnte.

Sie blickte aus dem Fenster.

»Die nächste Führung beginnt, laß uns ihnen entgegengehen, damit es keinen Ärger gibt. Du hörst von mir.«

»Gilda!« sagte er bittend, hielt sie an der Schulter zurück. »Gilda!« er haßte sich selbst, daß er die Sehnsucht nach ihr nicht unter Kontrolle bringen konnte. Wie kühl hatte er eben ihrer schrecklichen Schilderung zugehört, erregt nur vom Thema, aber distanziert von der Erzählerin, ganz konzentriert auf die unglaublichen Enthüllungen. Doch dann war es wieder über ihn gekommen: dieser rasende Wunsch, sie zu besitzen, wenigstens einmal mit ihr zu schlafen.

Sie wandte ihm das Gesicht zu, legte ihm die Hände auf die Schultern, ähnlich wie sie vorhin seinen Kopf tröstend zwischen die Hände genommen hatte. »Christian«, sagte sie dabei leise und eindringlich, »ich weiß, es ist schlimm, aber es hat keinen Zweck. Ich mache mir nichts mehr aus Männern, seit ich von Fred weg bin. Ich könnte mit dir schlafen, aber wir hätten beide nichts davon.«

Ihre Worte trafen ihn wie Hammerschläge. Das konnte doch nicht wahr sein – dieses herrliche Geschöpf! Er mußte wohl bleich und wieder rot geworden sein, die Farbe auf den Wangen wie ein Chamäleon gewechselt haben. Er las seinen eigenen Schock in ihren Augen und kam sich plötzlich wieder klein und dumm vor. Das ›München-Syndrom‹, da war es wieder.

»Bitte versteh mich, wenn es auch schwer fällt. Es wäre auch nicht gut für unsere vielleicht gemeinsame Aufgabe. Man macht Fehler, wenn der Verstand mit persönlichen Gefühlen überfrachtet wird«, sagte sie beschwichtigend, wie man zu einem Kind spricht, um es zu beruhigen. Mühsam hielt er die Tränen zurück, die ihm das Selbstmitleid in die Augen treiben wollte, sah die Katastrophe voraus, sollte er jetzt anfangen zu heulen. Statt dessen verzog er verzweifelt die Lippen zu einem Lächeln. »Scheiße!« sagte er. »Scheiße!« Und diese Vokabel beschrieb exakt seinen Seelenzustand.

»Komm!« mahnte sie, nahm die Hände von seinen Schultern, legte ihm steuernd einen Arm um die Hüften, zog ihn der neuen Gruppe entgegen. Diese Berührung war schlimmer als die hoffnungslose Absage. Gedankenlos von ihr, sie schien es nicht zu merken, und er brachte nicht die Kraft auf, seinen Körper aus dieser halben Umschlingung zu lösen.

Corall besuchte seinen Onkel. Sein Gemütszustand war nicht der beste. Er fühlte sich bedrückt, schwankte lange, bevor er den Entschluß faßte, vorbeizuschauen. Er würde nicht offen reden können, das störte ihn.

Marjam hatte am Vortag Bonn verlassen, sie würden erst wieder in Amerika zusammentreffen. Sein eigenes Stipendium war schneller genehmigt als gehofft. Es lag an ihm, wann er abfuhr. Mit Gilda sprach er vor fünf Tagen noch einmal eine gute Stunde im Kölner Hauptbahnhof zwischen vielen Menschen: ihre übliche Tarnung. Beim Auf- und Abgehen immer den Dom vor Augen. Aber nicht die Kirche erinnerte ihn an seinen Onkel.

Herbert Corall bot ihm schon früher Seelentrost. Wo er mit seinem Vater nur streiten konnte oder auf Unverständnis stieß, da setzte die Gesprächsbereitschaft von Onkel Herbert erst ein. Oberflächlich betrachtet, konnte man sagen: Natürlich, der Mann übte das Priesteramt aus, war evangelischer Pfarrer in einer stockkatholischen Gegend, vom Trösten mußte er einfach was verstehen. Aber das traf nicht ihr Verhältnis. Sie sprachen zwar manchmal vom ›lieben Gott‹, doch von gegensätzlichen Positionen aus. Sie feilschten nicht um den Glauben, sie diskutierten ohne den verbissenen Entschluß, unbedingt den anderen auf die eigene Meinung einzuschwören. Öfter jedoch sprachen sie über reale Probleme, da galt dasselbe. Onkel Herbert behandelte ihn gleichberechtigt, hörte zu, dozierte nicht aus der Erfahrung des Älteren, kein Besserwisser, sondern auch als Mitfünfziger ein Suchender, der andere Meinungen gelten ließ.

Onkel Herbert, der sich von Corall nur Herbert nennen ließ, zum Ärger seines Schwagers, der es einfach unkorrekt fand, auf eine durch Konvention erworbene Titulatur zu verzichten, öffnete selbst die Tür. Dienstleistungen dieser Art nahm er seiner Haushälterin ab. Vor zwanzig Jahren war er einmal kurz verheiratet gewesen. Die Frau hatte ihn noch im ersten Ehejahr verlassen. Weder er noch sonst jemand in der Familie sprach jemals darüber.

»Hallo, Christian!« sagte er nur. Es lag kein Vorwurf in den Worten oder im Ton. Immerhin lebte der Neffe schon gut zwei Wochen wieder in Bonn, hatte aber außer einem kurzen Telefongespräch, wo er vage ›irgendwann mal‹ seinen Besuch ankündigte, nichts von sich hören lassen. Onkel Herbert war niemand, der Besitzansprüche auf andere Menschen anmeldete, wenn sie ihm auch noch so nahe standen. Onkel Herbert liebte seine Freiheit und gestand denselben Wunsch seinen Mitmenschen zu.

»Hallo, Herbert!« sagte Corall und schämte sich, nicht doch eher gekommen zu sein, und auch jetzt mehr aus Egoismus als aus Freundschaft. Er mußte ein paar Gedanken klären, und die konnte er, zumindest solange er hier war, nur mit Herbert klären. Onkel Herbert ging voraus. Er ließ die Tür offen, die Corall schloß.

»Es ist mein Neffe Christian!« rief er Frau Gaebler in der Küche zu. Die wußte dann, was zusätzlich für den Abend getan werden mußte.

Das Haus hatte nur vier Räume; eigentlich fünf, aber im Untergeschoß hatte Onkel Herbert die Zwischenwand herausbrechen lassen. Das so verlängerte Zimmer mit großer Glasfront zum Garten, diente der Arbeit und als Bibliothek, was bei ihm zusammengehörte; Bücher, Denken, Schreiben und natürlich mehrmals in der Woche eine Predigt entwerfen. Er sprach auch dienstlich sehr vernünftig, fand Corall immer. Zurückhaltend, nicht meinungsmachend, vorsichtig Denkanstöße gebend und häufig voller versteckter Zweifel zu einem Thema, was aber wohl nur merkte, wer über genügendes Wissen beim Zuhören und Mitdenken verfügte. Er predigte anspruchsvoll, und trotzdem wurden seine Gottesdienste gut besucht, trotzdem heiratete die evangelische Prominenz bei ihm und ließ ihre Kinder taufen.

Onkel Herbert trug Bart. Viel Bart, irgendwo über den Ohren wuchs er mit dem Kopfhaar zusammen, aber die Grenze zeigte sich nicht bestimmbar. Beides, Haar und Bart, waren von gleicher Farbe, Dichte und Geschmeidigkeit, gut gestutzt, gut gepflegt, gaben mehr imposantes Aussehen als Würde.

Die zweite Dominante in diesem Gesicht: die Augen hinter der randlosen Brille, spöttisch, vielleicht sogar ironisch blickend. Aber wer länger hineinsah, entdeckte dahinter Güte, viel Ruhe und keinerlei Aggression. Corall erklärte seinen Onkel zum Weisen, was sicher nicht stimmte. Corall wußte das auch, kannte schon einige Schwächen, mochte ihn aber, liebte ihn vielleicht sogar.

Sie setzten sich einander gegenüber auf die braune Sofagarnitur, der eine das Fenster, der andere die Bücher im Rücken. Wer wollte, konnte darin Symbolik erblicken: Corall die Ferne, dem Onkel das Wissen.

»Du planst also große Dinge«, eröffnete der Onkel die Partie, etwas Spott in der Stimme, aber mindestens ebensoviel Interesse. Umständlich begann er, seine Pfeife zu stopfen.

»Was verstehst du unter großen Dingen?« fragte Corall angriffslustig zurück. »Ich gehe nach Amerika, was ist daran Besonderes?«

»Du bist gut!« lachte Onkel Herbert trocken. »Es sind zwar nur sechs Flugstunden nach New York, aber trotzdem sehe ich Bonn nicht gerade als Vorort von Amerika. Du kommst nach wilden Erlebnissen aus Nepal zurück, und schon schwirrst du wieder ab. Mach deinem alten Onkel nichts vor!

Du planst Großes und gibst mir die Ehre, wie damals vor der Entscheidung für Nepal, dir darüber klarzuwerden.«

Corall hielt die Luft an. Das war er, Herbert, unverändert geistig rege, das Verständnis direkt am Punkt. Dafür hätte er ihn küssen mögen. Was sollte er jetzt sagen? Die Wahrheit auf keinen Fall, lügen wollte er aber auch nicht.

»Okay.« Er spielte den Durchschauten, leicht Erschrockenen, was ganz und gar nicht seiner Gemütslage entsprach. »Du hast mich voll erwischt. Glaub aber nicht, ich breche jetzt zusammen und gestehe! Von mir erfährst du nur den Inhalt, nicht die Form der Sache. Einverstanden?«

»Du weißt, ich dränge niemanden. Schieß los, ich bin gespannt!« Mit dem Daumen drückte Onkel Herbert den Tabak im Pfeifenkopf fest, entzündete dann langsam, fast feierlich das aromatische Kraut mit einem Streichholz.

»Darf ein Mensch etwas Verbotenes, vielleicht sogar Gewalttätiges tun, wenn es einer guten Sache dient?« Corall beugte sich im Sessel vor, knetete während der Frage nervös die Hände. An sich eine pubertäre Frage, gut für eine abstrakte Diskussion unter Teenagern, so lange aber nur, wie es nicht ernst wurde. Würde Herbert lachen oder ihn verstehen? Für seine Verhältnisse war er kopfüber ins Problem gesprungen. Kam jetzt die kalte Dusche, oder konnte er lauwarm in Zustimmung baden?

Onkel Herbert ließ sich Zeit, stopfte mehrmals die Glut nach, widmete, so schien es, seine ganze Aufmerksamkeit dem Tabakschieber. Wohlriechende Qualmwolken entwichen seinem Mund, angenehm selbst für einen Nichtraucher wie Corall. Die Lippen schmatzten beim Ansaugen des Rauchs. Schließlich war die Pfeife offensichtlich zu seiner Zufriedenheit in Betrieb. Er nahm sie aus den Zähnen, betrachtete das Mundstück mit Interesse, wobei er es hin und her wendete, und äußerte endlich seine Meinung:

»Erlaubt ist eigentlich alles. Wo Verbote ausgesprochen werden, sind immer Interessen im Spiel. Das mögen berechtigte Interessen sein, aber es sind Interessen. Mit der Gewalt ist das schon wieder anders. Über Verbote kann man reden, Gewalt ist leider nur sehr selten ein wieder umkehrbarer Prozeß. Gewalt zerstört. Gewalt für einen sogenannten guten Zweck einzusetzen, ist immer eine fragwürdige Sache. Wer weiß schon, was wirklich gut ist? Mir fällt da immer die Legende der sechsunddreißig Gerechten aus dem Talmud ein. Kennst du sie?«

Corall schüttelte den Kopf.

»Angeblich leben ständig sechsunddreißig Gerechte unter uns, um derentwillen Gott die Welt erhält. Keiner weiß, wer sie sind, am wenigsten sie selbst. Klar, sonst wären es ja die sechsunddreißig Selbstgerechten.« Er lächelte, was man nur in den Augen bemerkte, der Bart deckte die Lippenstellung zu.

»Du verstehst, was die Legende sagen will?«

Corall zog spöttisch die Augbrauen hoch. »Du meinst, niemand außer Gott weiß was wirklich ›gut‹ ist?«

»Genau das meine ich.«

»Aber weißt du dann wenigstens, was wirklich ›schlecht‹ ist?« fragte Corall leise aufbegehrend. »Ich möchte es dir sagen. Es passieren Dinge in der Welt, die ich nie für möglich hielt.«

»Und die willst du ändern? Oder willst du nur kräftig – sagen wir – mitmischen?« Das Lächeln kroch in die Augenwinkel und verschwand. »Suchst du dafür als Vorwand, was ›gut‹ ist? Das wäre allerdings nichts Neues.«

»Ich weiß es einfach nicht!« Corall breitete die Arme aus. »Die Frage habe ich mir auch immer wieder gestellt: Bin ich bloß abenteuerlustig?

Ich habe schreckliche Dinge erlebt, Onkel Herbert, aber schrecklich wohl nur nach unseren braven, satten Maßstäben, denn mich haben diese Dinge längst nicht so erschüttert, wie man glauben sollte, und in der Welt, wo sie passieren, gelten sie als normal. Bin ich also schon angepaßt, oder verroht? Habe ich falsch reagiert, oder sind unsere ethischen Vorstellungen einfach zu prüde? Trotzdem bin ich überzeugt, objektiv war schlecht, was dort geschah, wenn es aus den Umständen heraus auch in Ordnung ging. Doch die Frage bleibt: War ich nur sensationsgeil oder im Recht, das zu billigen?«

»Hing es mit deiner Entführung zusammen?«

»Ja, aber nicht unmittelbar, bei der Geschichte bin ich freiwillig dabei gewesen. Ich will meine Identität finden, Onkel Herbert, ich will wissen, wer ich bin, erwachsen werden, Verantwortung tragen.«

Daß er unbewußt die Anrede ›Onkel‹ benutzte, bewies Herbert, wie sehr der Junge mit sich rang, wie sehr er nach einer Autorität suchte, die ihm genau das abnahm, was er selbst entscheiden mußte – nämlich richtig oder falsch gehandelt zu haben und weiterhin zu handeln.

»Und du willst nicht sagen, worum es geht?«

Corall schüttelte den Kopf. »Ich darf nicht – besser kein Mitwisser.« ... bei einem Mord, den ich zugelassen habe, ergänzte er gedanklich. Onkel Herbert runzelte die Stirn. Worauf hat sich der Junge eingelassen? dachte er besorgt, sagte aber: »Dann will ich nicht weiter in dich dringen, dir nur allgemein antworten, was ich von dem Problem halte.

Ich könnte es mir leicht machen und jetzt sagen: Gott ist die gute Sache. Gottes Wege aber sind uns Menschen oft verborgen, und da er uns (Luther behauptet es) die persönliche Freiheit läßt, was soll man da raten?«

Wir sind nicht frei, protestierte Corall innerlich, wollte dem Onkel aber nicht widersprechen, wie er es bei Fred getan hatte. So erfuhr Herbert nichts von ihren unterschiedlichen Standpunkten zum Thema Freiheit und sprach getrost weiter:

»Das ist das Kreuz des Kampfes, man kommt leicht darin um und weiß am Ende noch nicht mal weswegen. Nur im Kampf aber kann jemand wirklich seine Kräfte messen, und nun kommt dein Dilemma und das der wenigen, die diesen Weg wählen. Kampf allein ist euch nicht genug, es muß auch noch die ›gute Sache‹ sein. Aber was ist die ›gute Sache‹? Ja, wenn das einer sicher wüßte! Die meisten machen es sich leicht. Wo ich kämpfe, sagen sie, ist immer die richtige Seite, weil man es ihnen so eingeredet hat. Ich freue mich, daß du da selbstkritischer bist. Aber sag mir, worum es bei dir geht, und ich kann dir auch *nicht* raten. Verstehst du denn nicht, mein kluger Junge. ›Gut‹ oder ›schlecht‹ sind jeweils gesellschaftliche Satzungen, oder wenn ich es doch fromm ausdrücken soll: Gott läßt uns den freien Willen zur Entscheidung. Ich will jetzt aber nicht mit frommen Sprüchen um mich werfen. Darum wiederhole ich: ›Verbote haben Interessen zum Vater‹. Danach ist ›gut‹ immer, was mir oder einer übergeordneten Macht nutzt. ›Schlecht‹ ist, was mir oder dieser Macht schadet. So einfach ist das. Man nennt es Macchiavellismus. Hast du keine eigenen Maßstäbe, an denen du dein Handeln wertest, mußt du nach den gerade gültigen immer wieder von Fall zu Fall entscheiden. Suchst du aber nach objektivem Urteil, dann mußt du dich selbst freisprechen. Das ist das Vorrecht der Erwachsenen. Wer sich freisprechen läßt, bleibt ewig Knecht!«

»Danke«, sagte Corall schlicht. Und nach kurzer Pause: »Ich beginne dich zu begreifen.«

»Was du bei McGill in Angriff nehmen willst, hat mit dem kaputten Weizen zu tun, nicht wahr?« bohrte Onkel Herbert nach, obwohl er versprochen hatte, nicht weiter in Corall zu dringen.

»Wie kommst du darauf?« fragte der Junge in leicht abweisendem Ton.

»Er ist nicht schwer zu erraten. Ich lese deine Interviews in den Zeitungen, höre Nachrichten, dein Lösegeld wurde in einen Fonds für ›Hungerhilfe‹ gezahlt. In Nepal stirbt der Weizen auf dem Halm, und du gehst nach Amerika zu McGill, kommst aber vorher zu mir und stellst solche Fragen. Da müssen doch Zusammenhänge bestehen. Aber ich will dich wirklich nicht zwingen, wenn du nicht reden möchtest«, beteuerte er noch einmal.

Sein Vater hätte sich niemals die Mühe gemacht, so über die Beweggründe seines Sohnes zu kombinieren. Guter alter Herbert, man konnte ihn wirklich nicht ohne jede Information lassen! »Okay, Herbert, die Schiene ist richtig. Die Dinge, von denen ich eben sprach, haben tatsächlich damit zu tun; ich kann darüber auch sprechen, solange du nicht fragst, was und wie ich es plane.«

Er schilderte in kurzen und überlegten Sätzen die sich in Fernost anbahnende ökologische und wirtschaftliche Krise.

Onkel Herbert kraulte sich unbewußt in den Barthaaren. Einziges Zeichen, wie sehr ihn der Bericht berührte.

»Mein Gott!« sagte er dann, beinahe ein Stöhnen, als Corall endete, ähnlich, wie Christian auf Gildas Enthüllungen reagiert hatte. »Es ist weiter, als ich dachte. Was haben wir Menschen nur aus dieser Erde gemacht?« Er gab sich gleich selbst die Antwort: »Der Gewinn ist schuld, das Geschäft! Der Mensch, das große Langweiletier muß verändern, seit es vom Baum heruntersteig. Ohne Sinn, nicht einmal mehr zu seinem Nutzen greift er in die Natur ein, ein bloßer Macher! Für seine Nahrung zu sorgen, reicht ihm nicht, er muß verändern, um seine Macht zu beweisen. Auf der Skala der Macht bewertet er seine Stellung nach Kapitalbesitz, Geld. Das ist die Prämie seiner Leistung geworden, wahrlich ein glanzvolles Ziel.« Während die freie linke Hand noch immer im Bart fingerte, legte Onkel Herbert die längst kalt gewordene Pfeife auf den Tisch. Der Monolog ging weiter. »Soll das wirklich alles sein?« fragte der Pfarrer in ihm. »Das kann und will ich nicht glauben.« Und ruhiger: »Ich kritisiere diese Gesellschaft scharf, habe es eben getan, sicher, wir haben die Schwelle überschritten, wo Technik und Wissen noch sinnvoll angewandt erscheinen. Aber es kann nicht nur das Kapital sein, das Geld, das den Menschen treibt. Es muß ein, ein . . .« Schämte er sich das Wort auszusprechen? Zweifelte er selbst? Schließlich im dritten Anlauf: ». . . ein Plan dahinter existieren, der vom Menschen mehr erwarten läßt. Und wenn du für die Ziele dieses Plans kämpfen willst, dann sind wohl die gewählten Mittel immer die richtigen.«

Corall überschwemmte ein Gefühl freundlich herablassenden Mitleids, ausgelöst durch die deutlich zur Schau gestellte Hilflosigkeit des Älteren. Jetzt spricht er mich doch los, während er sich vorher drücken wollte, spöttelte er schweigend. Gerade deshalb wollte er ihm jetzt nicht die Analyse seiner Ahnungslosigkeit ersparen. Jedenfalls der ›Ahnungslosigkeit‹, wie Corall sie verstand.

»Kann Gott Wesen schaffen, die sich gegen seine Schöpfung kehren? Wäre das die totale Freiheit, von der du sprichst, oder Irrsinn?« fragte er ganz leise. »Oder laß es mich weniger emotionsbeladen, naturwissenschaftlicher sagen: Gott kann sich nach deiner Lehre nicht irren, sonst wäre er nicht Gott, aber die Evolution kann es, hat es getan. Sie schuf eine Kreatur, die drauf und dran ist, sich selbst zu vernichten. Vielleicht sind Rüstungswahnsinn und Umweltvergiftung nur ein schlauer Trick von ihr, den Irrtum wieder ins Lot zu bringen. Für einen Gott wäre der Fehlschlag Adam allerdings jämmerlich. Wozu Menschen fähig sind, um aus Menschen und Natur Geld zu pressen, kann keinerlei göttlichem Funken entsprungen sein, ist aber herrschendes gesellschaftliches Prinzip. Und ich glaube nicht an die freie Entscheidung menschlichen Willens, mein Lieber. Wir sind nicht frei, wir folgen unseren natürlichen Trieben, auch wenn wir es noch so geschickt mit intellektuellen Phrasen verbergen.« Er schaute auf seinen Onkel, der hatte die Brille abgenommen und rieb müde die Augen mit zwei Fingern. Hörte er zu, oder spannen seine Gedanken seltsame Netze, in denen er seine eigenen Thesen später rettend auffangen wollte? Jedenfalls schwieg er.

»Wir sind nicht frei, Herbert, und erst recht läßt uns niemand die freie Wahl. Also kann nur eine einigermaßen sichere Orientierung für objektiv richtiges Handeln das ›Glück der vielen‹ sein: Sicherheit und genug zu essen. Okay? Das hast du mir eben selbst indirekt zugegeben. Ich will für dieses ›Essen‹ kämpfen, also für eine objektive gute Sache. Wenn ich weiter deinen Thesen folge, habe ich damit ein unabhängiges Urteil gefällt, bin also eben erwachsen geworden, aber ich fühle mich nicht so, Herbert, ich fühle mich ganz und gar nicht so. Ist das nicht alles nur Gerede, volltönendes, aber leeres Gerede? Ich weiß es noch immer nicht.«

Wieviel sich in den letzten Monaten verändert hat, dachte er und überlegte, ob diese Tatsache ihn wehmütig oder stolz stimmen sollte. Was ist allein mit mir geschehen? Ich sehe ruhig, vielleicht sogar neugierig zu, wie ein Mensch totgeschlagen wird. Gilda interessiert sich nicht mehr für Männer, und Herbert entpuppt sich als Träumer. Soll ich ausspucken, lachen oder weinen?

»Nein«, nahm er das Thema wieder auf, »dahinter steckt kein Plan, schon gar kein göttlicher, will man die Idee der Religion nicht völlig diffamieren. Dahinter stecken zuerst improvisierende Gier und am Ende menschliches Versagen. Und das Schlimme: Niemand wird dafür bestraft, höchstens die Menschheit kollektiv. Da fehlt selbst mir Atheisten die göttliche Gerechtigkeit.« Er verzog ironisch die Lippen.

»Du bist ein harter Richter«, trat Onkel Herbert wieder in das Gespräch ein, »aber laß es für heute genug sein!«

Als hätte sie gelauscht, trat wie auf ein Stichwort Frau Gaebler ein. Auf ihrem Tablett transportierte sie belegte Brötchen und Bier. Der Pfarrer dankte. Beide griffen zu. Kronkorken fielen von Flaschenhälsen. Die Stimmung stieg wieder auf Entspannungspegel normal.

»Vergessen wir mal die Theorie und alle Glaubensbekenntnisse für den Moment«, schlug Onkel Herbert vor, »und laß uns noch ein paar Worte über die praktische Seite deiner Pläne wechseln.« Kauend fragte Corall zurück, während er Bier in sein Glas goß: »Welche praktische Seite?«

»Ich überlegte, was einer ganz allgemein gegen den Getreideriesen McGill unternehmen kann? Ich frage wohlgemerkt nicht, was du unternehmen willst. Das bleibt tabu und dein Geheimnis, aber laß mich im Grundsätzlichen spekulieren.«

»Herbert, Herbert, führ mich nicht in Versuchung!« drohte Corall grinsend mit dem Finger.

»Nein, wirklich nicht!« wiegelte der Onkel ab, auch er wirkte wieder ganz gelöst. »Hör mir zu! Die Weltlage ist gespannt, da sage ich dir nichts Neues. Seit die Amerikaner Mexiko und die Anliegerstaaten annektiert haben, sind sie mächtiger denn je. Niemand kennt ihr Waffenarsenal im Weltraum genau, man munkelt etwas über Riesenlaser, mindestens aber atomare Bombensatelliten. Der russische Bär jedenfalls steht in der Ecke und überlegt wohl, ob er kampflos kapitulieren oder noch einmal um sich schlagen soll, bevor man ihm das Fell über die Ohren zieht.

Wir Europäer werden immer mehr zu kritiklosen Jasagern degradiert, das ›Neue Rom‹ pfeift auf Verbündete, bestenfalls räumt man uns noch den Status befreundeter Kolonien ein. Dazu bangen wir noch zwischen den ungleichen Blöcken, was man letztendlich über unsere Rohstoffversorgung beschließen wird. So sind wir gerade noch eine moralische Macht, dank Geistesgeschichte und bitterer Erfahrung im Umgang mit Gewalt, aber unser Wohlstand ist geborgt. Sicher, niemand wird ihn antasten, solange wir dafür mit Leistungen zahlen. Gibt es keinen Krieg, können wir wahrscheinlich noch eine Weile so weiterleben. Auch wenn mir manches daran nicht gefällt, in der Summe erscheint es das erträglichere Los statt Auflehnung.«

Corall verschluckte sich fast an seinem Bier. Wozu die ganze Predigt vorhin, wenn jetzt am Schluß doch wieder nur der konservative Pfarrer herausschaute? Armer, alter Herbert, sicher hatte er früher auch schon so argumentiert, und es war ihm nur nicht aufgefallen, konnte ihm nicht auffallen. Corall setzte das Glas nicht ab, zu unterbrechen schien ihm nicht lohnend genug, und so konnte Onkel Herbert seinen Ideen weiter ungestört nachhängen. »Was will man in einer solchen Situation gegen einen so übermächtigen Widerpart ausrichten? Denn mach dir nichts vor, Christian: McGill ist ein ungeheurer Machtfaktor in den USA, und wenn ich mich nicht irre, war Präsident Gershwin einmal in der Spitze des Konzerns tätig. Selbst Gewalt, vor der ich immer warnen würde, schafft da wenig oder nichts. Und reine Aufklärungsarbeit? Wo? In der amerikanischen Presse? Die ist durch Werbung doch von der Industrie gekauft. Und hier? Europa ist feige geworden. Was wir uns Positives als moralische Macht zugute halten, liegt alles längst in der Vergangenheit. Ich sehe keine Chance, ich hoffe, du siehst sie.«

»Laß uns abwarten! Ich will auch einmal glauben.«

Corall schluckte den Rest seines Wurstbrötchens hinunter, er war es müde.

»Ich drücke dir die Daumen. Das Streben nach Erfolg ist oft wertvoller als der Erfolg selbst, behauptet Lessing. Von mir leicht abgewandelt«, fügte er noch rasch hinzu. Dann machte er verlegen das Segenszeichen über dem Jungen.

Violette Wolkenstreifen zerrissen den Himmel über New York. Der Mann am Fenster warf einen Blick auf die japanische Digitaluhr am Handgelenk. Sieben, fünf und noch einmal sieben, zwei Stellen weiter pumpten die Sekunden. Kurz vor acht Uhr abends also. Hinter der jetzt schwarzen Skyline-Silhouette versank die Sonne, rastete wohl schon unter dem Horizont, doch ihr Restlicht schleuderte Spotlights in die Abgaskuppel über der Stadt, tauchte den dreckigen Staub der Luft in bizarre Farben, zauberte den streifigen Wolken eine Farbpalette des ganzen Spektrums von Rot über.

Obwohl in angenehm klimatisierter Atmosphäre und im 50. Stockwerk stehend, fühlte der Mann am Fenster förmlich die heiße, schwüle Feuchtigkeit, die trotz hereinbrechender Dunkelheit noch immer in den Straßenschluchten lagerte und die auch die Nacht nicht wesentlich abkühlen würde. Er genoß die Symphonie der Buntheit, verschwendete nicht einen Gedanken an die schmutzige Ursache dieses prächtigen Schauspiels: die millionenfache Brechung von Lichtstrahlen durch Staubpartikel.

Mit einem Griff in den Nacken wehrte er die Vorstellung dumpfer Schwüle ab. Keinen Schweißtropfen spürte er im Genick, trocken zog er die Hand zurück. Das Hemd klebte nicht am Körper, keine schwitzfeuchte Trikothose scheuerte zwischen den Schenkeln. Der Mann nickte zufrieden seinem langsam sichtbar werdenden Spiegelbild in der Scheibe zu.

Es gab Momente, da lohnte es sich, privilegiert zu sein. Dies war so ein Augenblick. Aber daß die Zufriedenheit an diesem Abend von Dauer war, das bezweifelte er stark. Wichtige Entscheidungen – nein, verbesserte er seinen Gedankenfluß: *Die* wichtige Entscheidung stand an. In den letzten sechzehn Stunden hatte er achtmal in immer kürzeren Abständen das jeweils letzte Material noch einmal überarbeitet, um in wenigen Minuten den Extrakt der Untersuchung, verständlich und präzise, der ausgewählten Konzernspitze vorzutragen.

McGill würde kommen. Diese Aussicht trieb ihm nun

doch leichten Schweiß unter die Achselhöhlen. Shmul Aiger trug zwar den Titel eines Vizepräsidenten, aber davon zählte der Konzern insgesamt siebzehn. Wenn auch mit abgesteckten Kompetenzen, so waren alle doch im Rang gleich. ›Teile und herrsche‹ – das alte Lied, aber keiner spielte die Partitur besser als der alte Fuchs.

Shmul prüfte zum x-ten Mal in den zwölf Jahren, die er McGill diente, seine Einstellung zum ›Alten‹. Bewunderung? Ehrfurcht sogar? Vater-Sohn-Gefühle? Alles richtig, aber dahinter hockte immer noch etwas, versteckt, zurückgedrängt und trotzdem stets ärgerlich bewußt: die Angst vor der Ungnade! Wer bei McGill aussteigen mußte, von dem nahm kein Hund mehr einen Knochen. Es gab Momente, da war es schön, privilegiert zu sein. ›McGills Mann‹ – das war etwas, das war wirklich etwas und nicht nur Fassade. Macht stand dahinter, Ansehen! Erkauft wurde dieser Status eines Wirtschaftsfürsten mit ungeheuerlicher Kreativität, die nicht nur das Undenkbare dachte, sondern es auch tat, wenn die Zeitläufe es verlangten. Was hieß da das Wort ›Skrupel‹? Eine kleinbürgerliche Formel, weniger: eine Vokabel – und das war es auch wirklich nur, nicht mehr.

Der Himmel leuchtete nur noch schwach. Ein sattes, dunkles Violett, Kontrast zu einem dünnen hellen Streifen direkt über dem Häuserhorizont, der schnell schrumpfte. Im Saal gingen die Lichter an, eine matte, warme indirekte Beleuchtung.

Es gab da im Deutschen die Vokabel ›Gewissen‹, erinnerte sich Shmul. ›Gewissen‹ gleich ›Skrupel‹, wenn man schon von Vokabel sprach. Oder nicht? Shmuls Kenntnisse der deutschen Sprache waren hervorragend. Gelernt von seinen Eltern, die mit ihren Eltern vor dem großen Krieg als Kinder aus diesem Land in die Vereinigten Staaten kamen. ›Gewissen‹: welch neblig verschwommener Begriff. ›Conscience‹ gab das Wörterbuch als vergleichbare englische Benennung an. Doch ›Conscience‹ gab eine klare Aussage in Richtung Gewissenhaftigkeit, Anständigkeit, Ehrlichkeit – alles gesellschaftliche Tugenden. ›Gewissen‹ auf deutsch, was hieß das schon? Da schwangen selbstzerfleischende Schuldgefühle mit, gefühlsbestimmte Verhaltensnormen. Er lächelte, eine richtig altmodische Sprachwendung aus der Klamottenkiste einer typischen Spitzweg-Welt. Selbst ›Skrupel‹ war da aussagekräftiger.

Shmul Aiger kannte die deutsche Romantik. Freizeitgenuß, oder ›Kreativität tanken‹, so nannte er diese sporadischen Ausflüge in Malerei und Literatur, denn nur wenig Zeit blieb ihm dafür übrig, Sündenfall gestohlener Arbeitsstunden zum Beispiel auf Langstreckenflügen, denn wer kann unter Streß den schönen Künsten huldigen? Und Streß war der Preis der Macht. Streß in all seinen Variationen. Angst vor dem Nachlassen der Leistungsfähigkeit, immerwährender Zeitdruck, Angst vor Konkurrenz, Angst vor dem Alter ... und noch mehr Ängste.

Er wandte dem Fenster den Rücken und schlenderte langsam an der aus tropischen Hölzern geschnitzten Wandverkleidung entlang zu seinem Platz, ziemlich an der Spitze des langen Mahagonitisches. Die anwesenden Herren standen, auf die Rückenlehnen gestützt, stumm hinter ihren Stühlen, nickten ihm ernst und ohne Vertraulichkeit zu. Auf der Tischplatte lag auf jedem Platz ein schmaler blauer Ordner, der außer dem jeweiligen Namen keine Aufschrift trug. Die höchste Stufe der Geheimhaltung. Einsicht durch Dritte wurde in diesem Fall unbarmherzig bestraft. Aiger wagte nicht, die ganze Skala der Vergeltungsmöglichkeiten bis zu Ende zu denken. Eisige Atmosphäre, registrierte er befriedigt, seelisch genauso klimatisiert, wie das Thema es erforderte. Hier ging es nicht um Gefühle. ›Gewissen‹! Hier und heute ging es um eine klare, zielgerichtete Entscheidung. Handlungsrichtlinie künftiger Aktionen.

Die beiden letzten Herren im grauen Flanellanzug und korrekter Krawatte betraten den Raum. Vollzählig hinter ihren Stühlen aufgereiht, dieselbe Entschlossenheit im Gesicht, dieselbe Angst in der Seele, harrten sie sprachlos des Präsidenten.

Die hohe, breite Flügeltür am anderen Ende des Saals schwang, von unsichtbaren Händen geöffnet, zur Seite. Dahinter verbarg sich sein Arbeitszimmer. Die ebenfalls indirekte Beleuchtung dort machte ihn auf der Schwelle zuerst als Schatten sichtbar: den großen McGill.

Wenige der Versammelten sahen ihn öfter als einmal im Jahr. Entweder zur Jahresversammlung in Brüssel, als Vertreter der westlichen Sektion, oder zur selben Veranstaltung auf der östlichen Halbkugel in Tokio. Je seltener man ihm begegnete, desto besser hatte man seinen Job gemacht. Wer außer der Reihe in die Zentrale gerufen wurde, erlebte meist Ärger. Galt es wie jetzt, weitreichende Beschlüsse zu fassen, reiste das Kollektiv an. So hielt es der alte McGill mit seinen von ihm selbst ausgesuchten Spitzenmanagern. Weisungen kamen sonst schriftlich aus dem 50. Stockwerk, wo der Präsident mit seinem phänomenalen Beraterstab residierte. Um seine siebzehn Topleute aber fit und eingeweiht zu halten, arbeiteten je zwei von ihnen völlig austauschbar ein Jahr in der New Yorker Zentrale, bevor sie dann wieder in einem der fünfzehn weltweiten Geschäftsbezirke verschwanden.

Shmul Aiger hatte seine Auffrischungsperiode hinter sich. Das hier war seine letzte Aufgabe in der Zentrale. Morgen ging er nach Mexiko, Amerikas neuestem Bundesstaat. Vier Jahre später noch ein Wechsel, anschließend die Pensionierung. Er durfte gar nicht daran denken. Vor zwölf Jahren hatte ihn der Konzern geholt. Damals war er der vielversprechende jüngste Senator in Washington am Ende seiner ersten Amtszeit gewesen. Trotzdem brauchte er drei Jahre, um in die Spitzenposition zu klettern, für die man ihn angeworben hatte. Manche schafften es nie. Dann vier Jahre weiterer Bewährung in der Sektion Nairobi und im Anschluß daran Europa. Nach Brüssel dann New York.

Der große McGill auf der Schwelle. Gebannt schauten sie ihm entgegen, die er seine siebzehn eifersüchtigen Söhne nannte, allerdings nur bei guter Laune. Die Hände auf dem Rücken gefaltet, den Oberkörper vorgebeugt, den kahlen Schädel leicht gesenkt, schritt er, die Augen zu Boden gerichtet, wort- und grußlos zur Spitze des Tisches, wo ihn ein schmuckloser Holzstuhl ohne Polsterung erwartete.

Die Augen der siebzehn Figuren folgten der hageren langen Gestalt in dem viel zu großen braunen Jackett, das eher einer Hausjacke oder einem zerknitterten Kittel glich. Bei jedem Schritt wippte der Oberkörper nach, was seinem Gang etwas Schwerfälliges verlieh, weil gleichzeitig der Hals den Kopf wie bei einer Schildkröte nach vorn schob. Eine lächerlich wirkende Gangart, aber niemand auf der Welt hätte es gewagt, über McGill zu lachen, nicht einmal ein hochgestellter Russe.

Auf der Höhe seines Häuptlingsstuhls (so bespöttelten Insider den schlichten Holzsessel) trat Aiger neben ihn, zog das Möbelstück zurück und schob es McGill bequem zurecht.

Der Chef des mächtigsten Konzerns der Erde schlug seine schäbigen Rockschöße nach vorn, hielt sie vorsichtig fest und setzte sich. Seine erstaunlich zart wirkenden Hände legte er gefaltet vor sich auf den Tisch. Dann schweiften seine halb unter den Lidern versteckten Augen von Gesicht zu Gesicht. Shmul Aiger überwanderte sein Blick, der Mann kam seit dreihundertzweiundsechzig Tagen jeden Morgen zum Vortrag an seinen Schreibtisch. Auch auf Ken Strong, dem zweiten Rückkehrer in die Zentrale, verweilte er nicht; auf jedem anderen aber hafteten sekundenlang die Augen wie eine Sonde. Dann ruckte der Kopf kurz nach vorn, einziges Zeichen einer Begrüßung. Der so Geehrte neigte den Kopf zur Erwiderung erheblich tiefer.

Gegen alle Legenden, die sich um seinen Aufstieg rankten: Ernest C. McGill war bereits ein außerordentlich erfolgreicher Direktor in der Chemiebranche, als er von Angie Fergusson das Getreidegeschäft übernahm. Wie diese Transaktion ablief, blieb allerdings geheim, denn die Beteiligten schwiegen jetzt schon seit achtundzwanzig Jahren oder waren tot.

Es stimmte auch nicht, McGill, Sohn schottischer Einwanderer in der dritten Generation, sei vom Laufburschen der Firma zum Generaldirektor aufgestiegen. Er hatte ein solides Chemiestudium hinter sich, als ihn die Firma CONvax zum Abteilungsleiter machte. Sein echtes Verdienst war es, innerhalb von sechs Jahren nicht nur ins Direktionsbüro aufzusteigen, sondern ein Konsortium von Geldgebern zusammenzutreiben, die ihm das Geld vorschossen, CONvax zu kaufen. Damit offenbarte er der Welt sein wahres Talent: McGill besaß mehr kaufmännische als naturwissenschaftliche Qualitäten. Keine chemische Entdeckung verzeichnet die Fachliteratur unter seinem Namen. Aber die Nase für profitträchtige Projekte und gute Leute brachte ihn in der Branche rasch nach vorn. Den wirklichen Aufschwung erlebte CONvax, als McGill ins Getreidegeschäft einstieg und Angie Fergusson aufkaufte.

Ein Untersuchungsausschuß im Senat summierte das Ergebnis seiner Recherchen und Verhöre über den Getreidehändler McGill acht Jahre nach dem Kauf von Fergusson Comp. folgendermaßen: ›Die Machtpyramide, an deren Spitze unangefochten der McGill-Konzern steht, baut unseres Erachtens nach auf zweieinhalb Millionen amerikanischer Farmer. Diese lagern ihre Ernten in etwa fünftausend Silos. Die Silos gehören einundzwanzig Firmen, denen keine unmittelbare Verbindung zu McGill nachzuweisen ist; eine diskrete Fernsteuerung kann jedoch keineswegs ausgeschlossen werden, zumal die Händler ihre Ware nur über drei Börsenplätze in den Vereinigten Staaten an den Markt bringen. Sichere Beweise existieren dagegen, daß die fünf wesentlichen Aufkäufer neben McGill zu einem Kartell unter seiner Leitung zusammengefaßt sind.

Eine derartige Konzentration muß einfach zur Preismanipulation herausfordern, erst recht da das gesamte Risiko bei den Farmern liegt. Wir empfehlen darum der Kartellbehörde, das einschlägige Verfahren nach Paragraph 4 Ziffer 1 und Artikel 17 der Verfassung in Gang zu setzen.‹

Weder Paragraph 4 des Kartellgesetzes noch Artikel 17, der das Recht auf Chancengleichheit am Markt garantiert, wurden bemüht. Das Weiße Haus zog den Fall an sich und legte ihn zu den Akten, noch bevor der Präsident John Gershwin ins ›Oval Office‹ einzog, der heute direkt McGills Mann auf dem Präsidentenstuhl war.

Der Mächtige mit den schweren Lidern und den dicken Tränensäcken unter den Augen lenkte den Blick von der

Runde auf seine wohlgeformten Hände. Ein kantiger Zakken, so ragte seine nach unten verdickte Nase aus dem Gesicht, was besonders auffiel, wenn er den Kopf wie jetzt leicht nach vorn neigte. Was an Energie und Kraft in den schlaff werdenden Zügen nicht mehr erkennbar war, demonstrierte sich in dieser Nase, im Schwung der eingekerbten derben Nasenflügel, dem breiten, nach oben dünner werdenden Nasensattel und der kräftigen Kerbe an der Spitze, die selbst die Nasenscheidewand bis hinunter zur Oberlippe teilte.

McGill betrachtete seine Hände, und alle am Tisch wußten, jetzt würden sie eine seiner wenigen Reden hören. Das Ritual, entweder aus Höflichkeit oder zur besseren Konzentration während des Sprechens starr die Finger zu mustern, war ihnen allen bekannt.

McGill begann, für Nichteingeweihte mit überraschend tief und wohlklingender Stimme: »Erstmals in der Geschichte der Menschheit verfügen Männer über genügend Organisation, Technologie, Kapital und Ideen, um erfolgversprechend den Versuch zu wagen, die Erde als Einheit in ihren Griff zu zwingen. Diese Männer sind Sie, meine Herren, mit mir an der Spitze.«

Er ließ den Satz wirken, bevor er weitersprach.

»Der Globalvisionär früherer Zeiten war entweder ein Selbstbetrüger, weil er sich über die Schwierigkeiten dieser Aufgabe hinwegtäuschte, oder unwissend.

Als Alexander der Große am Flußufer weinte, weil es keine Welten mehr zu erobern gab, stützten sich seine globalen Ansprüche lediglich auf die Unwissenheit seiner Kartographen. Als sich die Grenzen der bekannten Welt im Lauf der Zeiten weiter hinausschoben, versuchten andere Herrscher immer kolossalere Reiche zu errichten. Doch keinem gelang es bis heute, seine globalen Phantasien in dauerhafte politische Wirklichkeit umzuwandeln. Es fehlten die Werkzeuge solcher Machtausübung. Die Welt, so scheint es, ist nicht durch Militärbesetzung zu regieren, wenn dieser Traum auch immer noch geträumt wird. Das einzige und mächtigste Instrument seit Entstehen der menschlichen Gesellschaft, diese Gesellschaft endlich länderübergreifend zu regieren, ist der Weltkonzern. Zum ersten Mal erlauben Kommunikation, Transportwesen und Kapital, die Weltressourcen mit Effizienz zu nutzen und daraus Herrschaft abzuleiten, die nicht von irgendwelchen verworrenen Heilsideen diktiert wird, sondern von der objektiven Logik des Profits. Diese Macht wird nicht durch Waffen gesichert, ihre Basis ruht auf Getreide.

Denn es geht längst nicht mehr um Landgewinn. Wäre die Welt ein globales Dorf mit hundert Menschen, dann könnten noch heute siebzig nicht lesen oder schreiben. Fünfzig litten an Unterernährung. Aber sechs von ihnen wären Amerikaner, die über das halbe Gesamteinkommen des Dorfes verfügten, während die restlichen vierundneunzig von der anderen Hälfte lebten.

Wie sollten diese sechs Reichen in Frieden mit ihren Nachbarn wohnen? Sie würden sich bewaffnen, sie haben sich bewaffnet! Eine waffenstarrende Welt, die doch nicht in der Lage ist, ihre Probleme zu lösen. Dazu das traumatische Begreifen: Unsere Generation mußte entdecken, daß die Quellen des Reichtums und der Ernährung nicht unerschöpflich sind. Wir haben als erste die Bedrohung einer globalen ökologischen Krise verspürt, und es ist hohe Zeit, auch daraus die Konsequenzen zu ziehen.

So steht diese Welt eingeklemmt zwischen zwei möglichen Katastrophen: dem Hunger der vielen und der Endlichkeit unserer Hilfsmittel dagegen. Da Waffengewalt diesen schicksalhaft geschürzten Knoten nicht durchschlagen kann, ohne die Welt im atomaren Feuer zu verbrennen, glaube ich, sind wir nun aufgerufen. Nur der Weltkonzern kann künftig weltweit mit seinem Maximum an Know-how und einem Minimum an Rohstoffverschwendung produzieren, verteilen und erhalten. Wir erzeugen Nahrung, wir verteilen sie. Ist es da nicht nur gerecht, sondern geradezu ein Gebot politischer Logik, die daraus automatisch erwachsene Vormachtstellung auch zu nutzen?

Heute abend, meine Herren, werden wir ein Konzept beschließen, das den Gang der Geschichte in diesem Sinne grundlegend wandeln wird. Wir stoßen das Tor auf zu einer neuen Gesellschaft, zu einer neuen Welt!«

Shmul Aiger konnte den Schauer nicht unterdrücken, der ihm den Nacken hinunterlief. Gewissen, welch alberne Formel in einer Welt, deren Bestehen nur noch die Logik einer gefühlsfreien Entscheidung sichern konnte! Da galt es, Mitleid auszutrocknen.

Wie mächtig der Mann am Kopfende des langen Mahagonitisches war, verdeutlichte schon eine Zahl: Die Vereinigten Staaten erzeugten 20% der Weltweizenernte, diese Ernte kontrollierte McGill.

Und eine zweite Zahl: Der Getreidekonzern McGill exportierte zwei Drittel allen Saatguts, das in der übrigen Welt auf die Felder gestreut wurde, um zu wachsen und den Hunger zu stillen, vor allem dort, wo heimische Reissorten inzwischen ausstarben.

Mit diesen zwei Zahlen begann Shmul Aiger seinen Vortrag. Eine kurze, schroffe Handbewegung McGills erteilte ihm das Wort. »Vielleicht unterstreichen statistische Größen unseren Einfluß in der heutigen Welt nur einseitig«, fuhr er fort. Die übrigen siebzehn am Tisch kannten diese Erfolge, und sie wußten auch, was Aiger verschwieg: daß nämlich gegen Ende der siebziger Jahre Amerika sogar ein Viertel der Weltweizenernte eingebracht und der Export zehn Prozent höher gelegen hatte.

Doch keiner hätte eine kritische Anmerkung zu machen gewagt. In Stichworten eingeweiht, welches Thema weniger zur Diskussion als zur mittragenden Entscheidung anstand, blieb ihnen der Kern noch verborgen. Zu aller Überraschung gestand Aiger mit den nächsten Sätzen den geschäftlichen Rückgang ein.

»Natürlich sind das noch immer stolze Zahlen, aber Sie werden sich erinnern, daß wir schon höhere Quoten in der Konzerngeschichte kannten. Den meisten von Ihnen, an den Brennpunkten der Welt stationiert, brauche ich kaum den Grund zu nennen. Für die anderen kurz zusammengefaßt: Es hat in der Dritten Welt durch Schädlingsbefall und Krankheit Ertragseinbrüche gegeben. Das trifft uns in der

Saatgutbranche, wäre aber durch direkte Weizenexporte wieder wettzumachen gewesen, wenn nicht unvorhersehbare Ereignisse im Mittelwesten, im ›Korngürtel‹, unsere Planung über den Haufen geworfen hätten.«

Ken Dodge, Vierter von hinten auf der linken Seite, Sektionschef in Minneapolis, gluckste in sich hinein. Wo blieb die vielgerühmte Aufrichtigkeit dieser Runde? Oder war Shmul Aiger tatsächlich ahnungslos? Vielleicht vertrug der alte McGill nun auch keine Tatsachen mehr? Wer Augen hatte zu sehen, ging doch seit Jahren in dieser Gegend wissenden Blicks spazieren, aber das hatte bisher niemanden interessiert. Seit einem guten Jahrzehnt laugten die Farmer zwischen Nord-Dakota an der kanadischen Grenze bis nach Oklahoma im Süden den Mutterboden immer skrupelloser aus. Schon in den siebziger Jahren ebnete man die Feldterrassen ein, rodete die Baumreihen, um größere Felder zu schaffen, beging man alle jene Fehler wieder, die in den dreißiger Jahren zur großen Staubkatastrophe geführt hatten, als man – statt mit Weizen wie jetzt – mit Baumwolle den Humus aussaugte. Bisher galt das als okay, schaute man zur Seite, wenn einer warnte. ›Unvorhersehbares Ereignis!‹ Da konnte man wirklich nur lachen. Trugen die Narren in der Zentrale Scheuklappen, oder wurde der alte McGill langsam wirklich alt? So wie er jetzt dasaß und seinem Paladin zuhörte, konnte man ehrlich nur raten, ob er noch kapierte, worum es ging. Ihn, Ken Dodge, hatte jedenfalls keiner gefragt, seine Memoranden waren ohne Antwort geblieben, in denen er schon vor Jahren warnte, daß die Great Plains zwischen den Rockies und dem Mississippi in jedem Sommer pro Hektar vierundzwanzig Tonnen Akkerkrume verloren, wichtige Nährstoffe, unersetzbare Erddecke. Und alles, weil sich die Erträge auf den profitorientierten ausgebeuteten Böden rasant verringerten und auch der ständig gesteigerte Einsatz von teurem Kunstdünger nicht mehr half. Künstliche Bewässerung versalzte zusehends die Felder, die ausgedehnten Flächen waren zwar praktisch für maschinelle Bearbeitung, boten dem Wind aber verheerende Angriffsmöglichkeiten. Weizen, das eßbare Gold der letzten zehn Jahre – jetzt begann sich der Reichtum in Wind aufzulösen. Was die Farmer an der Basis schon lange fürchteten, die Spitze mußte es nun auch zur Kenntnis nehmen. Er hörte mit Interesse, was Aiger jetzt sagte:

»Wir haben uns darum entschlossen, das gesamte Programm grundlegend zu ändern, zugeschnitten vor allem auf unsere neuen Aktivitäten. Ausschlaggebend für ein radikales Umdenken ist die Fortschreibung der Analysen des ›Club of Rome‹ aus den sechziger Jahren. Der ›Club of Rome‹, informeller Zusammenschluß von siebzig Männern aus Wissenschaft, Industrie, Wirtschaft und Bürokratie, analysierte 1968 die Ursachen und inneren Zusammenhänge der immer kritischer werdenden Menschheitsprobleme. McGill und gleichgesinnte Konzerne mußten später erhebliche Werbemittel aufwenden, diesem gegen jedes weitere Wirtschaftswachstum gerichteten gezielten Pessimismus entgegenzutreten. Tatsache ist leider, daß diese theoretischen Erkenntnisse inzwischen erheblichen Wahrheitsgehalt erhielten. Bevor ich Sie bitte, sich mit den Konsequenzen der neuen Linie vertraut zu machen, die kurz aufgelistet in den blauen Ordnern vor Ihnen liegen, möchte ich Sie noch mit einigen grundlegenden Fakten bekannt machen, die Entscheidungshilfe bieten und den Hintergrund der Problematik aufhellen.«

Eine gewisse Unruhe entstand. Die Herren wechselten ihre Körperstellung am Tisch. Einige räusperten sich diskret die Kehle frei. Alle aber strafften die Haltung. Nach solcher Einleitung dokumentierte der Spitzenmanager Spannkraft und Aufmerksamkeit. Schon vorher hätte keiner gewagt, auch nur ein Quentchen Desinteresse an den Worten McGills und seines gegenwärtigen Statthalters Shmul Aiger zu zeigen.

Gewissen, Schmul Aiger schüttelte unmerklich den Kopf, war nur ein Wort, ein Wort aus einer anderen Sprache, die ihn nicht betraf, also schon gar nicht beeindrucken sollte. Er fühlte sich wohl, doch, doch – er fühlte sich wohl, er, McGills Mann! Schließlich: Was getan werden mußte,

mußte getan werden. Einiges davon war immer unangenehm, und es war auch nicht das erste Mal, daß solche bitteren Entscheidungen anstanden. Nur der Maßstab war diesmal überdimensional. Und als hätte er seine Gedanken nicht unter Kontrolle, schoß ihm das Wort ›ungeheuerlich‹ durch den Kopf. Erschrocken blickte er auf McGill. Schalt sich sofort idiotisch, Gedanken lesen konnte er nicht – oder? Wer wußte schon, was der allmächtige McGill alles konnte? Jedenfalls war es fahrlässig und völlig falsch, den Begriff ›überdimensional‹ durch ›ungeheuerlich‹ zu ersetzen. Diesmal fühlte er sich tatsächlich schuldbewußt, allerdings im Sinne seiner eigenen Sprache, im Sinne von ›Conscience‹. Er hatte nicht ›wahrhaftig‹ gedacht. Die Rebellion unzulässiger – nein, unzuverlässiger Gedanken mußte sofort unterbunden werden. Also konzentrierte er seine Aufmerksamkeit auf den Vortrag. Am Tisch war wieder Ruhe eingekehrt, McGill machte eine auffordernde Kopfbewegung.

»Meine Herren«, fuhr Aiger fort, innerlich noch irritiert, was er durch Routine überspielte, »die wichtigste Grundlage für die Nahrungsmittelproduktion ist bebaubares Land. Nach den von uns überprüften Zahlen des ›Club of Rome‹ gibt es davon auf der Erde zweiunddreißig Millionen Quadratkilometer. Das entspricht einer Ackerfläche von der Größe der Sowjetunion, zusammengelegt mit Rotchina. Aber die Zahl ist theoretisch. Tatsächlich wird nur knapp die Hälfte genutzt, weil der andere Teil größere Investitionen für Bewässerung, Rodung, Düngung und weitere Maßnahmen der Urbarmachung fordern würde. Maßnahmen, die pro Hektar heute über achtzehnhundert Dollar kosten: nach dem Eingeständnis der FAO, der Welternährungsorganisation, selbst beim gegenwärtigen Nahrungsbedarf eine unwirtschaftliche Ausgabe. Wir geraten dadurch in eine schwierige Situation. Ich sprach eben von ›unvorhersehbaren Ereignissen‹ im Mittelwesten der USA. Dort hat eine beunruhigende Bodenerosion begonnen, der es mit allen Mitteln Einhalt zu gebieten gilt. Wenn ich ›mit allen Mitteln‹ sage, schließt das auch Produktionsausfälle ein. Es müssen wieder kleinere Areale, Feldterrassen und Buschhecken geschaffen werden. Das dauert, ich weiß. Eine solche Um-strukturierung kostet nicht nur Zeit, sondern auch Geld. Wir haben bereits in Washington vorgearbeitet, man wird den Farmern einen Teil ihrer Verluste aus Steuermitteln ersetzen. Schließlich ist das Ganze eine nationale Aufgabe, wenn wir auf lange Sicht unsere Anbauflächen schonen, damit nicht eines Tages über uns hereinbricht, was gegenwärtig in Asien und Afrika geschieht. Dort erodiert der Boden nicht nur, dort sind nach dem Reis auch die Weizenhochertragssorten gegen Biogifte immunisiert und werden von Rost-Viren zerstört. Die Verluste, vor allem in Indien, Nepal und Indonesien, sind enorm. Wir können dank unserer Reserven die Ausfälle in diesem Herbst decken. Steigende Preise versprechen noch einmal Profitraten, wie wir sie das letzte Mal Mitte der siebziger Jahre erlebten, als die Sowjetunion ihren Bedarf bei uns deckte und die Exporterlöse um das Dreizehnfache auf zuletzt sechsundzwanzig Milliarden Dollar kletterten. Aber das ist diesmal nur ein Scheinboom. Eine Fata Morgana von Wachstum. Der Absturz dahinter droht um so tiefer zu sein, es sei denn, wir entschließen uns, zu einem radikalen Wandel der Weltbevölkerungsverhältnisse beizutragen.

Wir dürfen nicht die Augen verschließen. Mindestens null Komma vier Hektar sind für die Ernährung eines Menschen notwendig, für die eines Amerikaners sogar null Komma neun. Rechnen Sie diesen Lebensraum um auf die gegenwärtige Prokopfzahl der Weltbevölkerung und den noch immer steigenden Geburtentrend. Sie werden erkennen: Schon heute herrscht eine fatale Bodenknappheit.

In Anbetracht dieser Ergebnisse hat sich die Führung entschlossen«, er machte eine leichte Verbeugung in die Richtung auf McGill, »diesmal das Problem durchgreifend zu lösen. Die Vorschläge dazu finden Sie in der blauen Mappe. Das Papier ist namentlich gekennzeichnet und wird von mir am Ende der Sitzung bei jedem persönlich wieder eingesammelt. Wir sind zwar zu neunundneunzig Prozent überzeugt, daß dieser Raum nicht abgehört werden kann, trotzdem wollen wir kein Risiko eingehen und haben den we-

sentlichen, streng geheimen Teil schriftlich für Sie niederge-
legt. Die siebzehn Exemplare sind von mir selbst getippt
und vervielfältigt worden und werden später auch von mir
vernichtet. Unnötig, darauf hinzuweisen, daß weder hier
noch außerhalb dieses Saales der Inhalt diskutiert werden
soll. Wir achtzehn, den Präsidenten eingeschlossen, sind
vorläufig die einzigen« (Mitwisser, hätte er beinahe gesagt,
doch noch auf der Zunge gelang ihm die Korrektur in)
»Wissenden. Ich gebe Ihnen jetzt zehn Minuten Zeit zum
Lesen.«

Die Tür zur ›Konklave‹ öffnete sich. Aiger war die Be-
zeichnung ›Konklave‹ eingefallen, während er die Geheim-
haltungsmaßnahmen um ihre längst vorweggenommene
Entscheidung derartig dramatisch schilderte. Gottvater am
Kopfende des Tisches hatte längst sein Urteil gefällt, und
alle sechzehn würden, ebenso wie er selbst, weißen Rauch
signalisieren.

Nur der Nichteingeweihte glaubte an gute Regie der Zeit-
einteilung oder an Telepathie, daß jetzt ohne sichtbare Aufforderung eine junge Dame mit großem Tablett voller Kaf-
feetassen und zwei Kannen erschien. Aber Aiger kannte
den Knopf unter der Tischplatte vor McGills Häuptlings-
stuhl. Kaffee und Macht und das Dritte, Geheime, jetzt nur
Aufgeschriebene, waren die letzten großen Leidenschaften
des Konzernherrn.

Das Mädchen servierte klappernd und flink. Herrliches
Kaffeearoma stieg aus den Tassen. Die Männer saßen wie
die Schulbuben vor ihren Heften, hielten sie brav geschlossen, solange die junge Frau im Raum hantierte.

Dann lasen sie. Shmul Aiger starrte in einen dunklen Kaf-
feeteich auf seiner Untertasse. Das Mädchen hatte beim Ein-
schenken geschwappt. Vorsichtig hob er die Tasse und
setzte sie auf die Tischplatte. Aus der silbernen Zuckerdose
angelte er bedächtig zwei Zuckerstücke, stellte sie Kante an
Kante in die dunkle Brühe. Wieder wollte sich dieses merkwürdige, klangvolle Wort in sein Bewußtsein drängen:
›Gewissen‹. Befrachtet mit Gefühl und Mystik, kein Wort
der Geschäftswelt, kein Wort der Wirklichkeit. Er blickte auf

die Zuckerstücke, die den Kaffee aufsogen, wie ihre Kristalle sich dunkel färbten und die Struktur bröckelte. Gletscher waren das plötzlich, die in einem Meer von Notwendigkeit dahinschmolzen, ihre Form, ihren Sinn verloren, zusammenbrachen und unter sich dieses quälende Wort ertränkten. Was blieb davon?

Genug, es reicht! Schon viel zu lange hatte er Gedanken an seine Gefühlsduseleien verschwendet! Vielleicht ein Erbe der deutschen Großeltern? Auch das mußte nicht erforscht werden. Sein Teil war getan. Peer Doodle, sein Nachfolger ab morgen, mußte für die Ausführung sorgen. Der saß neben ihm, hatte vorhin als letzter den Saal betreten. Ein kurzes Vorgespräch mit McGill hatte ihn aufgehalten. Über seine künftigen Aufgaben konnte er noch nichts erfahren haben, denn die Information der schmalen blauen Mappe schien ihm, so unvorbereitet, stark zuzusetzen. Mehrmals schon tupfte er eine leichte Schweißbildung von der Stirn. Aiger beneidete ihn nicht um das kommende Jahr.

Die meisten saßen in leicht verkrampfter Haltung vor dem Papier, trauten sich wohl nicht aufzublicken, lasen es darum ein zweites und drittes Mal. Scham in den Augen der anderen die eigene Schwäche kritisiert zu sehen?

McGill studierte ebenfalls seine Herren, schürzte dabei leicht die Lippen. Shmul Aiger beobachtete ihn jetzt seit einem Jahr aus engster Distanz, kannte jeden Gesichtsausdruck und deutete diesen sofort als Verachtung. McGill amüsierte sich nicht über Schwäche, er benutzte sie, aber sie verursachte ihm Ekelgefühle. Sooft er sie auch dankbar bei anderen als Möglichkeit zur Beeinflussung entdeckte, als Gemützustand fand sie kein Verständnis bei ihm, nur Verachtung.

Obwohl nicht abgesprochen, nahm wieder er das Wort, um seine Vizepräsidenten in die ›Pflicht zu zwingen‹. Ein Lieblingsausdruck, der besser ›die Zügel wieder straff ziehen‹ übersetzt wurde.

»Ich weiß, es ist hart, was die Pflicht da von uns verlangt, doch bei genauerer Betrachtung ist es weniger hart als logisch notwendig. Schon heute mehren sich die Krisensymptome kommender Hungersnöte. Sicher, es gibt Sozialpropheten, die das alles nur als Verteilungsproblem und nicht als Nahrungsmittelknappheit darstellen. Um das zu entkräften, habe ich ja die Zahlen des ›Club of Rome‹ nachrechnen lassen, haben wir die Computer mit Daten gefüttert, um einen Ausweg zu entdecken. Einen Ausweg der konventionellen Art. Wir unterstellten extrem günstige Ernten, um das Vierfache gesteigerte Hektarerträge durch neue Sorten, mehr Einsatz von Dünger und Pestiziden. Auch diese völlig im Bereich der Utopie angesiedelten Prozente schoben bei gleichbleibendem Bevölkerungswachstum den totalen Zusammenbruch nur um dreißig Jahre auf. Genauso wie es der ›Club of Rome‹ vorhergesagt hat. Nur würden nach dem wirtschaftlichen Gesetz ›der wachsenden Kosten‹ die dreißig Jahre einen horrenden Preis fordern, unbezahlbar für ein Wirtschaftssystem, das auf Gewinn und nicht auf Bedarfsdeckung ausgerichtet ist.

Doch auch dieser Aufschub, diese Gnadenfrist, bleibt Phantasieprodukt, wenn wir die tatsächliche Lage betrachten: Bodenerosion bei uns, schlechte oder gar keine Ernteerträge in Asien und Afrika durch kaputtes Pflanzengut. Meine Herren, die Entscheidung darf also nur heißen: Mais und Genetik!

Mais, eine Getreidepflanze, die von Kanada bis Tansania angebaut werden kann. Und in dieser Richtung werden wir künftig denken, um das Monopol zu sichern. Billigen Sie den vorliegenden Plan, beginnt sofort die erste Phase. Ich betone noch einmal: Ich weiß, wie schwer es Ihnen fällt, diese Entscheidung mitzutragen, aber im Sinne einer künftig besseren Welt muß ich Ihnen die Zustimmung abfordern. Wer glaubt, die Maßnahmen nicht verantworten zu können, muß die Konsequenzen ziehen und seinen Posten zur Verfügung stellen. Ich bitte um Ihr Handzeichen.«

Siebzehn Hände reckten sich in die Luft.

Am nächsten Morgen starteten die Flugzeuge.

Chien Nu stieg vorsichtig über die Steine am Bachbett. Sie war an diesem Vormittag sehr weit am Wasserlauf talwärts gelaufen. Seit Corall das Dorf verlassen hatte, ging sie häufig einsame Wege. Nicht daß man sie ausgeschlossen hätte. Ketjak hatte sie mit Bedacht als Gespielin seines weißen Verbündeten gewählt. Nach den Gesetzen der Sherpa war sie eine Waise. Obwohl sie im Haus ihrer Tante lebte, galt sie als familienlos. Ein Mädchen ohne Mitgift. Über ihr Verhältnis zu Corall wußte jeder Bescheid, aber man sah darüber hinweg, denn die Liebe gehörte zu den normalen Bedürfnissen in einem Land, das das ›Kamasutra‹ nicht auf den Index setzte, sondern befolgte und unbefangen über die Sexualität urteilte.

Chien Nu war ein Mädchen ohne echte Heiratschancen: keine Familie, keine Mitgift. Niemand verstieß sie, denn strenggenommen war sie bereits eine Ausgestoßene. Trotzdem suchte sie in den letzten Wochen noch stärker die Einsamkeit, und die Gemeinschaft akzeptierte diesen Wunsch zufrieden. Jeden Morgen reinigte sie wie gewohnt die Wäsche, holte Wasser, und den Rest des Tages hielt sie sich vom Dorf fern. Lediglich Ketjak beauftragte sie hin und wieder mit kleinen Aufgaben, die sie schweigend entgegennahm und erledigte. Chien Nu litt, aber niemand hätte das in ihrem Gesicht erkannt, und in ihrem Herzen wollte keiner lesen.

Heute vormittag lief sie den Bach entlang, balancierte auf kantigen Steinen. Die schmalen Knöchel knickten manchmal um, dann rutschte sie ab, und die Kiesel ritzten ihr blutige Schrammen in die Haut. Nach einer Weile hockte sie sich auf die Fersen, schlang die Arme um die Knie. Bewegungslos starrte sie in das rasch fließende klare Wasser, lenkte im Geist den Strom durch ihren Körper, damit er den Schmerz kühle und sie reinwasche von allem Kummer, von aller Not.

Corall sei in Amerika, hatte ihr Ketjak ungefragt erzählt. Ein fernes Land, so fern, daß jemand, der zu Fuß hinwolle, einen Ozean durchschwimmen müsse; und wenn es eine Brücke gäbe, bedürfe es einer monatelangen Wanderung, um diesen Kontinent zu erreichen. Corall aber sei geflogen, mit einem dieser blechernen Vögel, die hin und wieder als dunkle Punkte über sie hinwegzogen und breite weiße Streifen an den blauen Himmel malten.

Sie hatte ihm zugehört, schweigend genickt zum Zeichen, daß sie verstanden hatte, wie es ihre Art war. Vielleicht brachte ihn eines Tages einer dieser Vögel zurück, zurück zu ihr. In ihren Träumen sah sie ihn kommen, auf den Schwingen des Adlers. ›Shivalita‹, ihren ›göttlichen Mann‹, wie sie ihn sehnsuchtsvoll in ihrer Seele taufte. Flog wieder ein Flugzeug hoch über ihr, richtete sie stets fragend den Blick nach oben. Saß er dort auf dem Weg zu ihr? Oder hatte er sie längst vergessen, sie, die nichtswürdige Waise?

Eine Träne tropfte ihr aus den mandelförmigen dunklen Augen, rollte über die seidige braune Haut an der kleinen Stupsnase entlang bis zum Kinn, löste sich dort und fiel in das Wasser zu ihren Füßen. So verloren wie diese Träne in den unzähligen Wellen fühlte sie sich.

Die sechs Propellermaschinen rollten in Reihe zum Start auf der kurzen Betonpiste Katmandus. Seit achtundvierzig Stunden parkten sie im Flughafengelände. Grau gestrichene Rümpfe vom Typ C-123. Bemalung zeigte nur das Heckruder, zwei Lilastreifen, senkrecht von Kante zu Kante verlaufend. An die linke Seite gepinselt, trugen alle sechs Maschinen die nichtssagende Aufschrift: Trans-Airways. Die Papiere wiesen die Vögel als Eigentum einer philippinischen Chartergesellschaft aus. Angeblich lieferten sie Kunstdünger.

Ket Njyk, nepalesischer Zollbeamter, warf einen Blick in den Transportraum, entdeckte dort nur raumfüllende Stahltanks. Spritzdüsen unter den Tragflächen machten ihn stutzig. Ein Besatzungsmitglied erklärte es ihm: Die Maschinen würden auch als Löschflugzeuge gegen Buschbrände auf den Philippinen eingesetzt, jetzt befände sich flüssiges Nitrat in den Behältern. Die Leute hatten ihre Gebühren bezahlt, Njyk ging der Fall nichts weiter an. Aber kein Fahrzeug kam in diesen zwei Tagen, um die Ladung abzuholen. Auch blieb ständig eine Wache bei den Maschinen. Dann hatte man es sich wohl anders überlegt, denn vor einer hal-

179

ben Stunde baten die Piloten um Starterlaubnis. Als Flugroute gaben sie Kalkutta an. Die Zollgebühren wurden nicht zurückverlangt. Njyk und seine Kollegen grinsten, teilten und schwiegen, solche Kunden hatte man gern.

Einer nach dem anderen hoben die grauen Vögel schulmäßig von der Rollbahn ab, flogen beängstigend dicht an die steilen Berghänge rings um das Flugfeld heran, drehten dann eine enge Kurve und schraubten sich in die Höhe. Kurs Himalaja, obwohl die angegebene Richtung viel weiter südöstlich lag.

Noch immer blickte Chien Nu in das Wasser und beobachtete, wie es, von der Sonne beschienen, glitzerte, zwischen die Steine sprang, abglitt und zurückfloß in ornamentalem Wellenmuster. Immer neu und immer anders. Plötzlich fesselte ein Geräusch ihre versunkene Aufmerksamkeit, holte ihr Interesse zurück in den Alltag. Sie schaute hoch; direkt aus der Sonne flog ihr als dunkle Silhouttte der blecherne Vogel entgegen.

»Shivalita!« Sie sprang auf die Füße. Er kam zurück.

Mit sausendem Rattern zerschnitt Propeller neben Propeller die Luft. Tief sprang die Maschine über den letzten Bergkamm, und wie die kleinen fernen Vögel hoch über ihr am Firmament zog auch dieser Vogel einen breiten weißen Streifen hinter sich her.

»Shivalita!« rief sie, winkte, lief jetzt auf die singenden Motoren zu.

Roy Carwin, den Steuerknüppel fest umklammert, sah die kleine Gestalt dort unten. Er schüttelte den Kopf. Dumme Person! dachte er flüchtig. Sollte lieber Deckung suchen! Da verschwand die winzige Figur unter den Tragflächen, er hatte sie schon vergessen. Leicht zog er den Steuerknüppel an, seine ganze Konzentration galt der nächsten Bergkette.

»Shivalita!« Aber er stürmte über sie hinweg. Bruchteile von Sekunds danach hüllte sie ein ätzender, atemberaubender gelber Nebel ein. Hustend und nach Luft ringend brach sie in die Knie, versuchte das Gesicht hinter den vorgehaltenen Armen zu schützen. Sie spürte, wie ihr der Nebel in den Hals drang, in den Lungen brannte, unter die Lider kroch, in den Augen blendete. Taumelnd kam sie wieder hoch. Schwach drang das Licht einer jetzt roten Sonne durch die gelben Schwaden. Mehr ahnend als sehend suchte sie den Weg zum Bach, fiel über Steine, spürte in ihrem Entsetzen gar nicht den Schmerz, kam wieder hoch, halb blind, hastete würgend vorwärts durch die giftige Wolke. Rauschen und nässende Kühle verrieten ihrem verwirrten Bewußtsein, daß sie das Wasser gefunden hatte. Schluchzend ließ sie sich fallen. Schöpfte mit hohl geformten Händen die kühlende Flüssigkeit, wollte trinken, aber eine geheimnisvolle Kraft bannte ihr die Hände in das Wasser. Unfähig, die Arme zu heben, tauchte sie das jetzt völlig blinde Gesicht in das kalte, tröstende Element. Blitze zuckten hinter ihren toten Augen. Grelle Helligkeit zerriß ihr das Hirn. Sie schrie und schrie, hörte sich aber selbst nicht mehr. Die Wirklichkeit war jetzt nur noch ihr todkranker Geist. Staunend wanderte ihr schwindendes Bewußtsein durch eine Fülle bunter Lichter. Strahlen erloschen berstend, glühten sofort und andersfarbig wieder auf. Sie im Mittelpunkt einer schmerzenden Farbsymphonie; denn obwohl sie nur schaute, zerriß jedes Erlöschen ihr Gefühl, quälte ihre Empfindungen weit über jedes Maß des Erträglichen.

So starb sie in einem Spektrum des Regenbogens voller Qual, unwissend, warum und ohne einen letzten Gedanken an den Geliebten, dankbar nur für das hereinbrechende Dunkel, das die Blitze schwächer machte, an den Horizont drängte und sie endlich gänzlich zudeckte.


Roy Carwin flog eine leichte Linkskurve, damit der Giftnebel im Zentrum des Waldstreifens niederging. Wendete vor der nächsten Bergkette und wiederholte das Manöver, um auch den Rest des Geländes zu besprühen.

»Ein Teufelszeug, diese Brühe!« murmelte Ted Worker, sein Copilot, ein junger Mann Mitte der Zwanzig. Carwin schenkte ihm einen raschen, verächtlichen Seitenblick, zischte kurz durch die Zähne, es klang wie ein Ausspucken. »Sag mir lieber, wieviel von dem Mist noch im Kübel ist!« Worker mußte sich umdrehen, die Anzeigeskala war direkt am später eingebauten Behälter befestigt.

»Gut ein Drittel.«

»Hör zu, du Hosenscheißer! Glaubst du, mir macht das Spaß? Aber Job ist Job, und der hier ist wirklich gut bezahlt. Ich hab das Zeug schon abgelassen, da hast du noch in die Windeln gepinkelt. Über zwanzig Jahre ist das her, in Vietnam damals. Das liegt hier praktisch um die Ecke. Für dich ist das nur Kino, aber für mich war's harte Wirklichkeit. Nicht so wie heute. Das hier ist doch ein Spaziergang, aber damals, da hockten die Congs unten, mit Raketen, Flak und Maschinengewehren. Da wußtest du nicht, ob es hinterher noch 'nen Schnaps gibt, 'ne Frau, 'n saftiges Steak. Und bezahlt wurde der Einsatz nach Besoldungsgruppe 8b der Army, kaum ein Zehntel vom Geld, das du für dieses Unternehmen hier einsackst.«

Er zog die Maschine höher, lauschte kurz auf das gleichmäßige Rattern der Kolben prüfte routinemäßig die zwölf Skalen in den Armaturen, schob dann die Gashebel zwei Strich nach vorn. Die Propeller jaulten auf, ein kurzer Ruck ließ die Maschine schwanken, mit mehr Tempo durchflog er in Schräglage eine gezackte Schneise, gerade ein gutes Dutzend Meter von einer steilen Bergwand entfernt. Für das Tal unter ihm hatte er keinen Blick mehr. Ein graugelber Nebel waberte dort zwischen den Felsketten und sank langsam auf Tiere und Pflanzen herab.

»Keine Felder, keine Dörfer!« sagte Worker warnend, als jetzt einige Weizenterrassen auftauchten, mit einem kleinen Hochplateau voller Zelte und Hütten darüber.

»Ach Scheiße!« murmelte Carwin. »Wen kümmert das hier oben? Sollen in ihren Häusern bleiben, dann passiert schon nichts.« Und ohne Worker anzusehen, schob er raunzend nach: »Laß bloß die Finger vom Hebel, die Ventile bleiben offen, verstanden? Ich will hier fertig werden, solange der Sprit reicht. Oder steht dir der Sinn danach, hier auszusteigen und nach Hause zu laufen?«

Worker, der tatsächlich überlegt hatte, die Düsen zu schließen, zuckte zurück. Roy hatte ja recht, es war schon alles egal, bloß fertig werden! Er dachte an daheim, wo er den Park schräg gegenüber ihrem Haus in Minnesota so liebte. Das Grün der Wiesen, die Blumenbeete und die alten Bäume, und er mit Inga abends dazwischen. Der Duft, die feuchte Kühle und Inga.

»Was ist das für ein Zeug?« wiederholte er nörgelnd seine Frage. »Du mußt es doch wissen, wenn du es schon in Vietnam gespritzt hast!«

»Ich bin Pilot und kein Chemiker«, sagte Carwin nach vorn durch die Scheibe. »Wir nannten es Agent Orange. Es ist ein Entlaubungsmittel und verdammt giftig. Der Stoff heißt Dioxin, ist 'ne Säure. Jedenfalls hat's in Vietnam dafür gereicht, ihren Dschungel zur Wüste zu machen. Hundert Jahre oder länger wächst da nichts mehr, hab ich mal in der Zeitung gelesen. Reife Leistung, bloß unsere Männer haben davon dicke Eier bekommen. Krebs, verstehst du?«

»Scheiße!« murmelte Worker durch die Zähne und spähte verkniffen nach unten. Carwin zog robotermäßig seine Wende, vom Fliegen verstand er was. Vor ihm lag jetzt die eine Hälfte des Tals, noch unberührt und grün, während auf der anderen, bereits über den Hütten, der Todesnebel herabsank.

»Guck nicht runter!« sagte Carwin wie nebenbei. »Hat keinen Sinn, ist auch wurscht. Wenn wir's nicht tun, tun's die Kollegen.«

»Und warum tun wir's?«


Ketjak saß hinter seinem grob zusammengetischlerten Schreibtisch, als er die ersten Schreie hörte. Als er aufblickte, klatschten schon klebrige gelbe Tropfen an die kleine Fensterscheibe. Kurz danach wurde es dämmrig.

Giftgas, war sein erster Gedanke. Die räuchern uns aus. Aber er wußte nicht, wer ›die‹ sein sollten. Unmöglich Jell Raj Singh, warum auch? Der hatte gar kein Flugzeug für diesen Zweck, kein Gift. Und sonst wußte niemand von diesem Versteck.

Er sprang auf, lief zur Tür, riß sie auf und wußte schon, wie sinnlos sein Ruf war, bevor er ihn ausstieß.

»Alles in die Häuser!« schrie er in den Dunstschleier. Der Befehl gab ihm in seiner Ohnmacht wenigstens das Gefühl, etwas zu tun, nicht tatenlos dem Elend gegenüberzustehen. Sofort warf er die Tür wieder zu. Ätzendes Gas drang ihm in die Lungen. Mit zwei Schritten stand er am Bett, hob das Kopfkissen hoch, drückte es sich gegen das Gesicht. Vorsichtig atmete er durch die primitive Maske. Jetzt hieß es die nächsten Minuten stillhalten und überleben. Der Wind würde den giftigen Nebel verteilen, hier oben wehte immer Wind. Der Rest würde zu Boden sinken. Draußen hörte er weitere Schreie. Es mußten mehrere Personen sein, aber im Augenblick war er hilflos.

»Stillhalten und überleben«, murmelte er mit zusammengebissenen Zähnen in das Kissen, ganz mechanisch und voller Haß. »Stillhalten, überleben, stillhalten ...«

Einige besonders grelle Schreie draußen verstummten, die anderen verloren nichts von ihrer Intensität. Ketjak ließ das Kissen kurz sinken, hielt den Atem an. Noch immer waberte der Nebel, wenn auch lichter, vor dem Fenster. Er preßte die Nase wieder in die nur wenig schützende Federmaske.

»Mörder!« sagte er jetzt leise, sein Luftvorrat war begrenzt. »Mörder!« Aber wußte nicht, wen er damit meinte. Eine Zeitspanne verstrich. Sekunden, Minuten? Betäubt oder von vagen Vorstellungen heimgesucht, verwirrten sich Ketjaks Sinne. So als erwache er mit schmerzendem Kopf aus schwerem Rausch, fand Ketjak nach einer Weile langsam wieder in die Wirklichkeit. Verständnislos starrte er auf das Kissen in den halb herabgesunkenen Händen, lauschte den Schreien, die ihm dumpf durch ein Polster von Schwäche ans Ohr drangen. Dahinter lauerte das Bewußtsein von etwas Schrecklichem, einer nicht wiedergutzumachenden Katastrophe. Er mußte heraus aus dieser Lähmung. Der Selbstbefehl zwang ihn, kraftlos das Kissen aufs Bett zurückzuwerfen. Knieweich wandte er sich dem Ausgang zu. Ihn kümmerte nicht mehr, wie dicht der Todesnebel draußen vor der Tür wogen mochte, er hatte ihn vergessen. Schwer drückte seine Hand auf den einfachen Holzriegel. Er stützte den Körper auf den Verschluß. Knarrend drehten die Scharniere nach innen. Eine fahle Sonne blendete die Augen durch den breiter werdenden Spalt. Schützend winkelte Ketjak den Arm vor das Gesicht, aber er schritt ins Freie. Unsicher, schwankend, so stand er endlich einige Meter vor der Hütte, drehte dem Licht den Rücken und ließ den Arm sinken. Da enthüllte sich ihm das Schrecknis, das lange Sterben, der elende Tod. Was eben noch grün gewesen war, kraftstrotzend lebendig, war immer noch grün, doch todesmatt rollten sich die Blätter an den Zweigen zusammen, lagen die Gräser im Koma, tropfte das Teufelszeug von den Bäumen, glitzerte als gelblicher Naßkristall auf dem Holz der Hütten. Schon trocknete der Wind die Giftträne der Hölle, die der Himmel über sie geweint hatte.

Ein Käfer lag rücklings vor seinen Stiefelspitzen. In motorischem Rhythmus zappelten die Beinchen. Fühlte das Insekt auch den Schmerz, den grauenhaften Schmerz jener zuckenden Körper nur Meter von ihm entfernt im Sand? Tückische, winzige Tropfen hatten sie dort hingestreckt, würden sie alle noch dort hinstrecken.

›Es ist die Konzentration‹, hörte er wieder den Arzt sagen, der gar nicht dort stand. ›Es ist die Konzentration. Diese gottverdammten Hurensöhne können die Gebrauchsanweisung nicht lesen. Wie sollen auch armselige Analphabeten eine englisch gedruckte Gebrauchsanweisung lesen? Ketjak, ich frage Sie, wie sollen sie die lesen können? Hat denn niemand daran gedacht, als man ihnen das Gift in die Hand gab, daß armselige, gottverdammte nepalesische Hurensöhne weder Englisch noch überhaupt lesen können?‹ Und er war weinend neben dem erbrechenden, stöhnenden, sterbenden Landarbeiter in die Knie gegangen, der noch immer die Pestizidspritze umklammerte.

Ja, Ketjak erinnerte sich, wie durch einen Filter quollen die Bilder. Alles was von damals in den Raster der gegenwärtigen Katastrophe paßte, stand klar in seinem noch immer dumpf gelähmten Gehirn. Bilder, Worte, Begriffe. Der vergaste Körper des eifrigen Ungeziefervertilgers zwischen den Obstbäumen. Sein Schmerz, sein Stöhnen, alles identisch mit den Opfern des tödlichen Regens, und er hörte den Arzt mit klangloser Stimme dozieren: ›Es sind die Synapsen. Dioxin blockiert eine Substanz in den Hirnzellen, Acetylcholin-Esterase.‹ Ja, genau das hatte er gesagt: ›Acetylcholin-Esterase‹. War das nicht lächerlich? Ein kompliziertes unnötiges Wort für einen komplizierten unnötigen Vorgang: das lange schmerzhafte Sterben eines Freundes! Der chemische Überträger im Synapsenspalt war unwirksam geworden, und darum mußten die hier sterben, geschah etwas so Großes wie der Tod, weil etwas so unsäglich Kleines nicht mehr geschah, die Überträgersubstanz war gehemmt. Der Arzt, der nicht mehr helfen konnte, hatte es damals ihm erklärt. Eingeständnis seiner Hilflosigkeit war die genaue Analyse eines Zustands, den er beschreiben, aber nicht ändern konnte. Das Wissen als Krücke um nicht völlig an der eigenen Unfähigkeit, Leiden zu lindern, verzweifeln zu müssen.

Da lagen sie zuckend im Sand, und ihr armes von Farben und Vorstellungen gefoltertes Gehirn quälte sie zu Tode. Da lagen sie in einer sterbenden Natur, Vishnus große Schöpfung vereint im Tod. Vollkommen geworden, weil es keine weitere Entwicklung mehr gäbe. Was jetzt noch kam, blieb, war die steinerne Wüste.

Ketjak taumelte zur Hüttenwand, schlug mit erhobenen Armen die Fäuste gegen das Holz, verharrte bald erschöpft, die brennenden Augen geschlossen, und schrie! Schrie und schrie, schrie noch, als er schon längst keine Luft mehr in den Lungen hatte und nur Gott ihn hören konnte, der kein Trommelfell braucht, um einen stummen Schrei zu verstehen. Aber Vishnu stellte sich taub. Dies war die Stunde des Widersachers – des Zerstörers Shiva, der dunklen Seite des dreieinigen Gottes.

Seit Stunden fuhren Christian Corall und Marjam Singh über eine schmale Betonpiste. Schnurgrade lagerte das künstliche Steinband in der Landschaft, trennte die Halbinsel Yukatan wie eine Narbe vom übrigen mittelamerikanischen Festland. Gespenstischer aber als dieser künstliche Riß war der sie flankierende drei Meter hohe Stacheldrahtzaun, alle zehn Kilometer unterbrochen von einem Wachtturm, den drei Männer in Khakiuniform besetzt hielten. Seit sie vor zwei Stunden Ciudad Pemex (wohin sie von Mexico City aus in einer zweimotorigen Chessna geflogen waren) im Jeep verlassen hatten, zeigte sich in dieser Chinesischen Mauer aus Draht nicht ein einziges Tor.

Vierzehn Tage erlebten beide nun schon das McGill-Imperium in New York. Freundliche Menschen erklärten ihnen die positiven Aktivitäten des Konzerns in aller Welt, soweit sie von öffentlichem Interesse waren: Gastbetreuung, die es eindeutig darauf anlegte, den Behandelten staunend einzuschüchtern. Wenig von dem, was da gesagt wurde, war nachprüfbar, das meiste aber glaubhaft.

Corall erhielt Einblick in die Bilanzen verschiedener Exportabteilungen. Über Umsatz, Preise, Kundenstamm lautete sein Urteil: gigantisch! Noch größer sollte der Getreidehandel sein, noch verblüffender in seinen Umsatzzahlen als der chemische Zweig des Unternehmens. Bisher hatte man Corall und Marjam von dieser Sparte ferngehalten. Firmenpolitik, die erst zum Schluß, sozusagen als Höhepunkt, den Käufer in das eigentliche Geschäft einweihte. Marjam trat hier als Chef des Projekts ›Saatmais für Nepal‹ auf. Corall spielte mehr eine Assistentenrolle, beobachtender Vertreter der deutschen Entwicklungshilfe, die spätere Lieferungen wahrscheinlich bezahlen würde. Zusätzlich hatte ihn das Bonner Ministerium als Informanten gemeldet, der weitere Möglichkeiten der Zusammenarbeit mit McGill prüfen sollte. So jedenfalls interpretierte Corall sein ziemlich vage gehaltenes Empfehlungsschreiben, sorgte damit für eine aufmerksame Betreuung.

Trotz scheinbar sehr offener Information waren sie bisher keinen Schritt weitergekommen; sie hatten sich allerdings auch gehütet, brennend interessierende Probleme anzuschneiden. Geduld! Nur keinen Verdacht erregen, bevor man sie überhaupt an die wirklichen Quellen der Erkenntnis ließ, an den Getreidehandel! predigten sie sich gegenseitig. Aber das war leichter abgesprochen als abzuwarten. Heimlich hatte sich Corall bemüht, in den Laborabteilungen Beweise für Gildas Beschuldigung zu finden: An den Genen der Getreidesorten werde durch chemische Eingriffe herumgepfuscht. Wenn es Indizien für diese Behauptung gab, wurden sie jedenfalls gut unter Verschluß gehalten. Logisch. Außerdem fehlte ihm das nötige chemische Wissen, um gezeigte Experimente zu durchschauen, und auf seine harmlos getrimmten Fragen erhielt er keine Antworten. Panzerschränke knacken wie ein echter Agent konnte er schließlich nicht. So vertröstete er Marjam und sich auf die Zeit, wenn man sie endlich an das Kernstück ihres Auftrags, den Mais, heranführen würde. Diese Zeit war jetzt gekommen.

Vor achtundvierzig Stunden erhielten sie die ersehnte Nachricht. Beginnen sollte ihre Aufklärungstour in den neuen Zuchtlabors auf Yucatan. So flogen sie gestern nach Mexico City.

Bevor Corall mit seinem Begleiter die Maschine der American Airlines in New York auf dem J. F. Kennedy Airport bestieg, kaufte er noch eine Nummer des ›Herald‹, neugierig geworden durch die Überschrift: ›Hunderte von Todesopfern bei geheimnisvollem Giftgasangriff‹. Durch diese Schlagzeile erfuhr er zuerst von der schrecklichen Katastrophe. Das Fernsehen hatte in den Abendnachrichten noch nichts berichtet, Rundfunk war während des Frühstücks im Hotel nicht eingeschaltet worden, so erhielt er aus der Zeitung die erste Meldung über ein Ereignis, das in Nepal und am Horn von Afrika praktisch gleichzeitig stattgefunden hatte, phasenverschoben nur durch den Zeitunterschied. Bisher nicht identifizierte Flugzeuge verspritzten vor einigen Tagen ein noch unbekanntes Giftgas über Grünzonen im Himalaja und am Horn von Afrika. Da es sich bei den betroffenen Flächen überwiegend um abgelegene Gebiete handelte, war der unfaßbare Vorfall erst jetzt bekanntgeworden. Die genaue Zahl der Opfer bei diesem scheinbar sinnlosen Massaker ließ sich bisher nur schätzen. Zeugenaussagen gab es so gut wie keine. Zöllner auf dem Flughafen von Katmandu berichteten von sechs Maschinen einer phillippinischen Chartergesellschaft. Sie hätten aufgetankt, zwei Tage gewartet und seien dann mit Zielort Kalkutta wieder gestartet. Dort waren sie aber nie angekommen. Eine philippinische Chartergesellschaft namens Trans-Airways existierte nicht. Statt dessen fand man die noch schwelenden Wracks ausgebrannt auf einem verlassenen Feldflughafen in indischem Hoheitsgebiet, nahe der Grenze zu Bangladesh. Die Rollbahn stammte noch vom letzten indisch-pakistanischen Krieg. Ein Provisorium für Nachschubflüge und seit Jahrzehnten vergessen. Von den sechs Piloten fehlte jede Spur. Dorfbewohner einer zehn Kilometer entfernten Ortschaft, die auch die Wracks gefunden hatten, erinnerten sich an einen graugestrichenen Hubschrauber, der vorgestern in Richtung Flugfeld unterwegs war, auch er blieb verschollen.

Ähnliches hörte man aus Afrika. Dort passierten zehn Flugzeuge vom Typ C-123 in der Nähe von Berbera die Küste, steuerten in Formation auf das arabische Meer hinaus und waren seitdem nicht wieder aufgetaucht. Der Korrespondent vermutete, die Insassen seien mit dem Fallschirm abgesprungen, von einem wartenden Boot aufgefischt worden, und die Maschinen seien ins Meer gestürzt. Perfekte Spurenvernichtung.

Das Ausmaß der Schäden wurde von Experten als katastrophal geschildert. Hunderte von Quadratkilometer Dschungel und wertvoller Wildwuchslandschaft waren vermutlich für Jahrzehnte, wenn nicht länger vernichtet. Die betroffenen Landesregierungen standen, wie sie in ersten Stellungnahmen zugaben, vor einem Rätsel. Da sich weder eine der Großmächte noch sonst ein Staat zu diesem Giftattentat bekannte, tappte man über den Anschlag und seine Absichten völlig im dunkeln. Doch die Empörung der Welt hielt sich in Grenzen. Die geheimnisvollen Umstände der Tat weckten Sensationslust nur kurzzeitig. Einmal fand das Verbrechen fernab der Zivilisation statt, Pflanzen in zwei exotischen Regionen waren zerstört worden, braune und schwarze Menschen starben. Schlimm, aber den Wäldertod durch industriellen Säureregen kannte man im eigenen Land, und mehr Menschen kamen jede Woche im wieder aufgeflammten Wüstenkrieg zwischen Ägypten und Libyen um.

Zweitens lenkte eine weit gefährlichere Nachricht – ebenfalls auf Seite eins – die Aufmerksamkeit des Publikums Menschheit ab. Fast, als wäre es mit dem grauenhaften Ereignis koordiniert, meldete sich mit einer scharfen Attacke der amerikanische Präsident Gershwin zu Wort. Ohne die Sowjetunion direkt zu nennen, warnte er noch einmal dringlich und, wie er sagte, zum letzten Mal vor jeder Einmischung in inneramerikanische Angelegenheiten. Süd- und Mittelamerika wären an keinem Punkt Interessensphären einer fremden Macht. Mexiko und seine angrenzenden ehemaligen drei Zwergnachbarn hätten sich in freier Wahl für die Vereinigten Staaten entschieden, und länger würde man weder Propaganda noch umstürzlerische Wühlarbeit ausländischer Unruhestifter dort dulden.

Er beließ es nicht nur bei der verbalen Drohung. Die Nachrichtenagenturen meldeten einen Flottenaufmarsch vor der kubanischen Zwölfmeilenzone.

Moskau erwiderte mit einer ebenfalls allgemein gehaltenen Note, die allerdings drohend versicherte, Rußland werde an keinem Punkt der Welt, durch welchen Aggressor auch immer, seine Verbündeten ungeschützt lassen.

Die Welt stand wieder einmal am Abgrund eines atomaren Krieges. Doch dieser Gedanke beschäftigte Corall kaum auf dem offenen Jeep während der Fahrt entlang der schier endlosen Stacheldrahtgrenze. Der Fahrer und sein Begleiter trugen die selben Khakiuniformen von McGills Privatarmee wie jene Männer auf den Wachttürmen. Mit mürrischen Mienen empfingen die beiden ihn und Marjam auf dem kleinen Flughafen in Ciudad Pemex. Ein kurzer Gruß, seitdem kein Wort mehr.

Die bedrückende Atmosphäre, der Stacheldraht, die schweigenden Männer hatten Marjam und Corall nicht einmal flüsternd erste Eindrücke austauschen lassen. Die Szene gewann irreale Dimensionen. Was war innen, was außen, was dieser Draht trennte? Corall quälte der Alpdruck, selbst eingesperrt zu sein, unter Bewachung in ein Straflager transportiert zu werden. Schließlich hielt er dem Druck nicht mehr stand und sprengte das Schweigen.

»Wozu der Stacheldraht?«

Der Fahrer zuckte die Achseln, drehte nicht einmal den Kopf. »Gedulden Sie sich bitte bis zum Camp! Wir geben keine Auskünfte, dürfen wir nicht, wir wissen auch nichts.«

Corall schaute auf den neben ihm sitzenden Marjam. Mit stoischer Ruhe blickte der Asiate geradeaus, anscheinend völlig in sich selbst versunken.

»Würden Sie bitte anhalten?« bat Corall in barschem Ton. Irgendwie trieb ihn nach dieser kühlen Absage das Gefühl, seiner Person bei diesen zwei Robotern Respekt zu verschaffen. Die ganze Situation erschien ihm immer traumhafter, drängte sein Selbstbewußtsein in die Defensive.

»Ich möchte mir die Füße vertreten«, fügte er erklärend hinzu, allerdings im gleichen gebieterischen Tonfall. Der Fahrer bremste sofort, das Fahrzeug hielt. Corall sprang ab.

»Taek Wo Dan taui!« schrie er Marjam zu und rannte einige Schritte vom Wagen weg. Sofort erwachte der Schatten aus seinem Dämmerdasein. Mit einer Flanke setzte er über die Seitenwand, folgte dem Freund. Mit einer Beinschere, noch aus dem Lauf entwickelt, sprang er den Gegner an. Corall parierte mit gestrecktem Arm und einer Körperdrehung, dann lagen beide im Sand.

»Alles sehr merkwürdig«, murmelte der Deutsche, während er wieder auf die Füße sprang. Sein Lebensgefühl kehrte bei diesem Schaukampf zurück. Sie tauschten vier, fünf Handkantenschläge, Abwehr und Angriff. Mit Genugtuung sah Corall aus den Augenwinkeln, daß die beiden Männer im Jeep voller Interesse ihrem Training zusahen. Die sollten merken, mit wem sie es zu tun hatten.

»Du hast recht«, antwortete Marjam und versuchte einen Heber bei seinem Partner anzubringen. »Warum sperren sie ein derart riesiges Stück Land ab und bewachen es so streng?«

»Ich glaube, wir kommen der Lösung unserer Probleme

entschieden näher«, konnte Corall noch gerade sagen, bevor ihn ein Sattelgriff zu Boden warf. So rangen und fighteten sie eine Weile, bis ihnen die Luft ausging. Wieder im Wagen, fühlte sich Corall erfrischt. Er war fit, im Vollbesitz seiner Kräfte und voller Spannung auf die kommenden Tage. Der niederdrückende Alp der letzten Stunden verflog. Sie fuhren rasch, der Steppencharakter der Landschaft wurde bald abgelöst durch meilenweite Maisfelder. Die Betonspur verbreiterte sich, lief jetzt auch nach links und rechts und parallel, wie er an Kreuzungen erkannte, schachbrettförmig in die Felder. Hin und wieder begegneten ihnen nun weitere Jeeps, besetzt mit Wachmannschaften, die offensichtlich Patrouille fuhren. Grußlos rollte man aneinander vorbei. Der Stacheldrahtzaun war längst in der Ferne hinter der grünen Pflanzenwand verschwunden. Als die rote Sonne nur noch knapp über dem Horizont Balance hielt, bogen sie plötzlich scharf nach links. Die Fahrt näherte sich dem Ende, hoffte Corall. Er war hungrig und müde. Die Richtung mußte sie direkt auf den Zaun zuführen. So war es. Nach einer Viertelstunde tauchten Gebäude auf. Die Felder endeten, und hinter den sechs oder sieben unterschiedlich hohen und stabilen Häusern sah Corall ein breites, aber verschlossenes Gittertor im Stacheldraht. Es gab also doch einen Weg in diese verbotene Welt.

Im Näherkommen erkannte er reges Treiben zwischen den Baracken. Als mehr konnte man die meisten Häuser der Siedlung nicht bezeichnen. Der Jeep hielt nach elegantem Bogen vor der Treppe des größten Gebäudes. Aus Steinen errichtet und doppelgeschossig, verriet ein Schild, daß hier Laboratorien und die Verwaltung untergebracht waren. Drei Männer warteten auf der untersten Stufe. Das Empfangskomitee, benachrichtigt über Sprechfunk von dem so schweigsamen Fahrer, kurz nach dem Abbiegen von der Hauptroute.

»Willkommen, herzlich willkommen!« sagte die mittlere Figur. Mit ausgebreiteten Armen, die er dezent nur bis in Hüfthöhe hob, eilte ein knapper Mittvierziger auf sie zu. Schlank, mit energischen Zügen, schmaler langer Nase und flachem langgezogenen Mund. Managertyp, hundertprozentiger Managertyp. Gepflegtes, gutgeschnittenes Haar, glatt und lang, linksgescheitelt und glänzend von Frisierwasser oder Creme. In dieser wilden Landschaft eine paradoxe Erscheinung. Nadelstreifenanzug mit gestreifter Krawatte rundete das Bild ab. Corall, ins Jeans und Sporthemd, kam sich direkt schlecht gekleidet vor.

Mit schnellem Urteil (wobei er häufig feststellte, daß sein erster Eindruck richtig war, auch wenn er bei näherem Kennenlernen geringe Korrekturen vornahm) ordnete Corall den Mann unter ›smarten Karrierestreber‹ ein: äußerlich entgegenkommend, charmant, scheinbar überzeugend ganz Persönlichkeit, innerlich aber verlogen, herzlos und zu jedem Verrat bereit, der sein Vorwärtskommen auf der Karriereleiter begünstigte.

»Dann sind wir ja komplett«, sagte der Bursche im Ton falscher Herzlichkeit, der Corall wie das Quietschen von Kreide auf einer Tafel quälte. »Mein Name ist Col Hammerstein, nennen Sie mich Col, wie alle meine Freunde!« Der abgenutzte Charme, mit dem er diese Aufforderung als Begrüßungsstandard vortrug, machte Hammerstein bei Corall nicht gerade sympathischer. »Willkommen in McGills Garten!« fügte er hinzu, bevor er Coralls Hand mit beiden Händen umklammerte und sie zwar dezent, aber mannhaft schüttelte.

Der überraschte Corall ließ es verdutzt geschehen. Erst nach dieser Zeremonie menschlicher Verbundenheitsbekundung und nachdem Hammerstein dasselbe unechte Ritual auch an Marjam vollzogen hatte, gelang es beiden, vom Jeep herunterzusteigen. Hammerstein packte sie links und rechts am Arm, schob sich so in die Mitte zwischen beide und zog sie zur Treppe. Wie alte Freunde stellte er sie seinen beiden auf der Treppe zurückgebliebenen Begleitern vor, und zu Corall gewandt sagte er dann: »Der da mit dem Schnauzbart ist Ben Veren, ein ganz hervorragender Mitarbeiter, und der da«, er deutete mit dem Kopf auf den zweiten Mann, »ist ein genauso hervorragender Mitarbeiter und heißt Doktor Mathew Keith.«

Ohne die beiden Gäste loszulassen, drehte er sich zum Wagen um. Das charmante Lächeln fiel dabei aus Stimme und Gesicht wie Putz von der Wand. Mit scharfer Stimme rief er dem roboterhaften Fahrer zu: »Verschwindet endlich, und bringt das Gepäck in Haus fünf, Tempo!«

Dann war er sofort wieder der kumpelhaft gute Mensch aus den USA, verständnisvoll, zupackend und voller Dynamik.

»Außer Ihnen sind noch drei Herren aus Pakistan, je zwei aus Burma und Indien gekommen. Verzeihen Sie die Tortur der Anreise, aber Sie wissen ja, vor jedem Schlaraffenland muß man sich erst durch einen Berg von Grießbrei arbeiten.« Er lachte mechanisch über diesen Dauerwitz, den er bei jedem Besucher anbrachte. Wahrscheinlich hörte er sich dabei schon selbst nicht mehr zu. Formulierung und Lachen waren als Einheit unter ›Begrüßung‹ fest im Hirn programmiert, doch auf den versteckten, aber deutlichen Hinweis, auf dieser Station werde das Schlaraffenland einer künftigen Welt gebaut, war er immer wieder stolz.

Corall überlegte kritisch, ob er dem Mann unrecht tat, bloß weil er ihn für sich als ›Widerling‹ einstufte. Zur Buße zeigte er ebenfalls ein kurzes Lächeln, während Marjam nur verständnislos aufblickte, in Nepal kannte man kein Märchen vom Schlaraffenland.

So traten sie ins Haus, die beiden anderen Herren als Gefolge dahinter. Erst jetzt, in einem großen, durch mehrere Deckenfenster erhellten Raum, zog Hammerstein seine Hände von den beiden ab. »Sie haben aber harte Muskeln!« stellte er anerkennend fest. Zum ersten Mal gewann Corall den Eindruck, der Mann meinte ehrlich, was er sagte. Einen Moment fragte er sich, ob Hammerstein vielleicht schwul war, entschied dann aber, nur sportliche Bewunderung habe ihn zu dieser Aussage veranlaßt.

Der Raum, in dem sie jetzt standen, nahm die ganze Höhe des Hauses ein. Im ersten und zweiten Stockwerk gab es breite Galerien, die ebenfalls nicht nur von der Seite, sondern auch durch das fast total verglaste Dach ihr Licht erhielten, wenn es im Augenblick auch nur noch knappes

Dämmerlicht war. Die Sonne sank mit großem Farbenspiel unter den Horizont und warf als Abglanz rötlichen Schein über die breiten Arbeitstische, Kühlschränke und sonstigen Laborgeräte entlang der Seitenwände.

Schon auf den ersten Blick erkannte man, daß dieses Gebäude ein einziges überdimensionales Gewächshaus war. Kästen mit Maispflanzen in jedem Reifeprozeß standen sowohl am Boden als auch auf den Tischen. In der Mitte des Saals war eine lange Tafel aus Labortischplatten zusammengeschoben, gedeckt und teilweise schon von weiteren Gästen besetzt.

Wieder stellte Hammerstein mit launigen Worten die Leute einander vor. Man schüttelte einander die Hände, murmelte Belangloses, stand auf, rückte Stühle, setzte sich wieder – der Höflichkeit wurde Genüge getan. Dann entschied Hammerstein: »Ben, Sie setzen sich bitte neben Mister Christian Corall! Und Sie, Mister Singh, bitte an meine linke Seite!«

Schon in der kurzen Begrüßungsszene spürte Corall unterschwellig die Sorge, aber auch das Konkurrenzdenken der hier Versammelten. Kein noch so fröhlich-unbeschwert auftretender Col Hammerstein konnte über die Angst der Vertreter hungernder oder künftig hungernder Nationen hinwegtäuschen. Verbitterung, aber auch Haß zeigten die Augen, waren in den Gesten, in der Haltung zu lesen. Was würde man ihnen hier anbieten? Und was man auch anböte – waren sie nicht auf jeden Fall gezwungen zu kaufen? Und wenn sie kauften – würde das neue Saatgut für alle am Tisch reichen, für alle am großen Tisch der Armen in der Dritten Welt?

Hammerstein rief, und aus dem Hintergrund kamen zwei weißgekleidete mexikanische Boys und servierten. Maissuppe. Dazu grobgeschrotetes Maisbrot. Ein derbes, aber gut gewürztes, wohlschmeckendes Mahl. Corall tauchte hastig den Löffel immer wieder in die große Suppentasse, brach dazu das krümelnde Brot auseinander. Er war ausgehungert. Die Boys stellten neben jeden Essenden einen Tonkrug und einen Becher aus demselben Material.

»Prost, meine Herren!« rief Hammerstein. Er füllte seinen Becher mit dem schäumenden Getränk. »Das ist Maisbier.«

Alle folgten seinem Beispiel, auch die pakistanischen Moslems. Bier war im Koran nicht verboten, Mohammed hatte den edlen Saft nicht gekannt. Corall fand den Geschmack wenig bierähnlich. Sein Gaumen war Besseres aus Gerste gewöhnt, aber der Trank erfrischte und löschte den Durst.

»Prost, und auf gute Geschäfte!« ließ sich Hammerstein beim Absetzen des Tongeschirrs wieder hören. Keiner erwiderte seinen Toast. Man schwenkte ihm höflich die Becher kurz entgegen, aber das allgemeine Schweigen hielt an.

Nach der Suppe gab es Steak mit Maisgemüse und Maisfladen, den aus Maismehl gebackenen Tortillas.

»Ich möchte Ihre Aufmerksamkeit darauf lenken, daß diese Steaks mit Gärfutter aus Maisstauden so zart gemästet wurden«, meldete sich Hammerstein erneut zu Wort. Während Corall saftige Stücke von seinem Fleisch herunterschnitt, hörte er neben sich Veren halblaut fragen: »Sind Sie tatsächlich Christian Corall aus Deutschland?« Und noch präziser nachfassend: »Aus Bonn?«

Erstaunt blickte Corall seinen Nachbarn an. Erst jetzt nahm er sich Zeit, den Mann genauer zu betrachten, an dem ihm vorhin nur das dichte, glänzende, glatte schwarze Haar und ein ebensolcher Schnauzbart aufgefallen waren, der fast den ganzen Mund bedeckte. Er nickte kauend. Eigentlich hatte er den Mann für einen Mexikaner gehalten. Selbst die Augen besaßen Indioschnitt, aber die Hautfarbe war zu weiß für einen Eingeborenen. Was mochte er dann sein? Ein Gesicht aus dem Osten des alten Kontinents? Russe? Nein, die Züge waren zu fein. Pole oder Balte konnte der gut vierzig Jahre alte Mann sein. Und jetzt erst begriff Corall: Der Fremde hatte Deutsch mit ihm gesprochen. Ruckartig schwenkte er den Oberkörper herum.

»Machen Sie doch kein Aufsehen!« warnte der andere tadelnd, jetzt wieder in Englisch und noch leiser.

»Natürlich, ich bitte um Entschuldigung.«

»Sie kommen also aus Deutschland«, fuhr Ben Veren in

normalen Gesprächston fort, »ein interessantes Land, ich möchte es gern einmal besuchen.«

Hammerstein blickte flüchtig zu ihnen herüber, widmete sich aber gleich wieder einem Gespräch mit dem indischen Vertreter an seiner rechten Seite, in das er auch den schweigsamen Marjam einzubeziehen versuchte. Langsam kam Konversation in Gang, aber nur halblaut, fast flüsternd, als fühlten sich die Gäste in dieser Umgebung bedrückt.

»Tun Sie das, besuchen Sie uns!« ermutigte Corall seinen Gesprächspartner, in Wirklichkeit ungeduldig, den tarnenden Smalltalk zu beenden, endlich die Botschaft des anderen zu entschlüsseln, der doch wohl mehr von ihm wollte. Wozu sonst die konspirative Annäherung? Er mußte nicht lange warten. Nach einem versteckten Rundblick, ob sie auch keiner belauschte, sagte Veren erneut in Deutsch: »Ich soll Sie grüßen – von Gilda!«

Corall schoß das Blut in den Kopf. Er bückte sich rasch über den Teller, stocherte im Maisgemüse herum. Ein Gruß von Gilda – *der* Gruß von Gilda. Dann war Veren der Mann der Warriors im Lager von McGill. Warum erschreckte ihn diese Mitteilung so sehr? Sie kam wohl zu unvorbereitet. Je länger er sich aber mit dieser neuen Tatsache vertraut machte, desto besser gefiel sie ihm, ja, sie eröffnete ihm ganz hervorragende Perspektiven.

»Das ist ja unglaublich«, murmelte er schließlich. »Wir müssen uns sehen, möglichst rasch und unbeobachtet.«

Er blickte wieder auf. Der andere betrachtete ihn mit einem spöttischen Lächeln, oder schien ihm das nur so?

»Natürlich«, wiederholte Veren und nickte dabei. »Wir müssen uns sehen, ohne Zeugen und möglichst bald.«

Corall fühlte sich verkohlt, es war tatsächlich eine etwas alberne, weil selbstverständliche Forderung gewesen, aber sein so plötzlich, praktisch aus dem Nichts aufgetauchter neuer Partner fand die eigene Erwiderung wohl auch nicht ganz richtig. Jedenfalls streifte er die Ironie aus dem Gesicht, schaute wieder ernster und bestätigte, auch im Tonfall verändert: »Wir sollten uns nachher ein stilles Fleckchen suchen. Sie schlafen in Haus fünf, im Parterre. Das Zimmer finde ich noch heraus. Alle sind von außen durch das Fenster gut zugänglich. Die Station – Sie haben es sicher bemerkt – wird streng bewacht. Wir sollten also nicht verdächtig draußen herumlaufen. Lassen Sie Ihr Fenster angelehnt und erschrecken Sie nicht – wenn die Luft rein ist, komme ich später auf diesem Weg zu Ihnen.«

Von hinten langte eine Hand zwischen ihnen hindurch und entfernte die leeren Teller. Statt dessen wurden kleine Schüsseln serviert, voll bis zum Rand mit Maispudding, süß und wohlschmeckend, wie Corall schon nach dem ersten Bissen lobte.

Während sie ihre Puddingschalen auslöffelten, erklärte ihm Veren die Raumfunktion. Eine Kombination aus Labor und Gewächshaus, Mittelpunkt der Versuchsstation; Lage: 92 Grad Länge, 24 Grad Breite auf der Halbinsel Yukatan. Einziges Forschungsobjekt: Mais! Veren arbeitete hier als biotechnischer Assistent, wollte aber seine Aufgaben nicht näher erklären. Corall fragte nach dem Zaun: Was man dahinter verberge oder gefangenhalte. Veren schüttelte den Kopf. »Später«, sagte er und lenkte durch eine Handbewegung Coralls Aufmerksamkeit auf Col Hammerstein, der sich erhoben hatte. Den Becher aus Ton schwingend, das geschäftsmäßige Lächeln um den Mund, blickte er in die Runde und rief in der optimistischen Tonlage, die sein Berufsethos wohl permanent von ihm verlangte: »Lassen Sie mich zum Schluß des Essens noch einen Toast auf einen Gast in unserer Mitte ausbringen, der, wie ich hoffe, bald nicht mehr nur Gast, sondern beliebtes Familienmitglied in jedem Haushalt sein wird: Ich meine den Mais! Wir haben Sie eingeladen, um Ihnen hier an Ort und Stelle Fortschritte und Erfolge auf dem Gebiet der Maiszucht zu zeigen. Einen Vorgeschmack über die Vielseitigkeit dieser Pflanze haben Sie eben während des Abendessens erhalten. Von Bier über Brot und Gemüse sowie als Mastgrundlage für ein gutes Steak bis hin zur Zuckergewinnung und Süßspeise bietet das Spektrum dieses Getreides einfach alles.

Aber wem erkläre ich das? Ganze Kulturen in Südamerika, die Mayas, die Azteken, die Inkas, um nur einige zu nennen, haben sich auf dieses Geschenk der Natur gestützt. Sie selbst, meine Herren, kennen die gelben Körner seit langem, die ein längst verstorbener russischer Politiker einmal die ›Wurst am Stil‹ nannte. Schließlich ist Mais nach Weizen bisher schon das Nahrungsmittel Nummer zwei gewesen, und wir schicken uns jetzt an, ihn auf den ersten Platz zu hieven. Trinken wir darauf, meine lieben Gäste, trinken wir auf den neuen alten Verbündeten der Menschheit im Kampf gegen den Hunger!«

Er hob sein Glas an den Mund, und die anderen folgten seinem Beispiel. Wer hätte die Provokation gewagt, dieser Aufforderung nicht zu folgen? Selbst wenn jemand, wie Corall, erschüttert war, mit welcher Leichtfertigkeit und mit welchem Zynismus hier ein Menschheitsproblem zu einem sportlichen Wettkampf zwischen zwei Getreidesorten umgewertet wurde. Konnte man ein derart schreckliches Problem wie den biologischen Verfall von Reis und Weizen durch menschliche Schuld so oberflächlich überspielen? Zwei wesentliche Nahrungsquellen für mehr als fünf Milliarden Menschen gingen da zum Teufel, und dieses ›Nichts in Nadelstreifen‹ wagte über eine solche Katastrophe im Stil des Smalltalk zu plaudern!

Im Geist vollführte Corall einen My-Dan, die Kombination aus Tritt in den Unterleib und anschließendem Handkantenschlag ins Genick, wenn der getroffene Gegner durch die Automatik seiner Reflexe den Oberkörper nach vorn wirft. Er sah diesen smarten Zyniker wie einen Sack auf die Bodenkacheln fallen, ein Bild voller Genugtuung.

Tatsächlich aber hob auch er seinen Becher und trank diesem Geschäftsmann in der Maske eines Wissenschaftlers zu. Er hoffte, die Kälte in seinen Augen würde zumindest ein wenig von seinen wahren Gedanken zeigen. Wenn es so war, dann nahm Hammerstein über die Entfernung des Tisches nichts von Widerwillen oder Haß zur Kenntnis. »Ab morgen werden wir Sie in unsere Fortschritte einweihen«, nahm er die Rede nach verschlucktem Drink wieder auf, »und ich glaube nicht zuviel zu versprechen, wenn ich Sensationen ankündige. Wir haben Stengel mit fünf bis acht

Kolben entwickelt. Pflegeleicht, unverwüstlich, nahezu witterungsunabhängig, falls Sie nicht gerade am Südpol pflanzen möchten.«

Er war der einzige, der diesen Witz mit einem Lacher honorierte. Auf das allgemeine Schweigen eingehend, rettete er die Situation mit der Bemerkung: »Ich weiß, Sie sind müde, wir sollten den weiteren Ideenaustausch auf morgen verschieben. Schlafen Sie sich aus! Gute Nacht, meine Herren!«

Die Tafel war aufgehoben. Schweigend verließ die Mehrheit den Raum. »Ich werde Ihnen den Weg zum Haus fünf zeigen«, sagte Veren laut zu Corall. Der wartete auf Marjam. »Lassen Sie das Fenster offen!« fügte Veren leise hinzu.

Zu dritt legten sie das kurze Stück Weg zurück. Haus fünf ähnelte trotz seiner Zweistöckigkeit mehr einer Baracke als einem Haus. Ein Holzbau, der mit Kunststoffplatten als Schutz gegen den tropischen Regen benagelt worden war. Innen führte ein langer Gang sowohl links als auch rechts zu den Zimmertüren. Es roch bestialisch nach Holzschutzmitteln, ein Gestank, der Corall minutenlang im Hals würgte, bevor er sich an ihn gewöhnte.

»Warten Sie hier, ich schaue schnell mal nach, wo Sie wohnen. Der Name steht an Ihrer Zimmertür.«

Veren eilte nach links, vor jeder Tür kurz innehaltend. Inzwischen kamen die nächsten Gäste. Am Ende des Gangs rief der Biotechniker den beiden zu: »Es muß auf der anderen Seite sein!«

Corall fand seinen Namen an der letzten Tür, an einer davor den von Marjam. ›Singh‹ war ohne ›h‹ geschrieben.

»Okay!« rief er dem zum Eingang zurückgekehrten Veren zu. »Nummer zehn, ich habe es gefunden, Nummer zehn. Danke für die Begleitung! Bis morgen, angenehme Nachtruhe!«

Man drängelte in dem stinkenden Flur, bis alle ihre Räume gefunden hatten. So beschränkte sich Veren auf ein kurzes Winken über die Köpfe der anderen hinweg und ging.

Eine halbe Stunde später saß Corall mit Marjam auf dem

Bett seines einfach eingerichteten Zimmers. Eine Duschecke hinter einem Vorhang gleich neben der Tür. Ein Metallschrank, Tisch, zwei Stühle, das Bett, alles aus demselben Material. Termitensicher. Spartanisch. Corall hatte das Fenster angelehnt und den Insektenschutz, das feine Drahtgitter im Fensterrahmen entfernt. Es brannte kein Licht. Beide starrten schweigend auf das vom Mond schwach erleuchtete Viereck in der Wand, gut eineinhalb Meter über dem Erdboden an der Außenseite des Gebäudes.

Marjam war offenbar in Meditation versunken, wie immer, wenn er Wartezeiten überbrücken mußte. Die im Lotussitz gekreuzten Beine ruhten unter dem Körper. Die Hände streckte er mit nach oben gewendeten Handflächen in Buddha-Geste zwischen die Fußknöchel. Corall bemühte sich, diese Konzentration nicht durch Bewegung zu stören. Ihm fiel es immer noch schwer, Ruhe in der Spannung zu bewahren.

Was konnte ihm der Rainbow Warrior nutzen? Was wollte und tat diese Organisation überhaupt? Gilda hatte nur ihre Mitgliedschaft angedeutet, keine genauen Einzelheiten. Er wußte nichts über diese Leute, hatte jüngere ›Krieger‹ erwartet. Ben Veren war in seinen Augen kein junger Mann mehr.

Ein Schatten verdunkelte den hellen Ausschnitt. Kratzendes Geräusch von Füßen an den Platten der Außenwand, kurzer Kampf, um an der glatten Fläche Halt zu finden. Veren zog den Körper auf das Fensterbrett, schwang ein Bein, dann das zweite über die Wandkante und sprang mit einem leisen Geräusch auf die steinernen Dielen. Marjam streckte sich. Veren drehte das Gesicht ins Profil, und an diesem Schattenriß sahen sie ihn mehrmals einen Finger in den Bart tippen, dorthin, wo vermutlich der Mund saß. Ein Zeichen, weiterhin zu schweigen. Vorsichtig setzte Veren das Gazefenster wieder ein, schloß die Fensterflügel, zog die Vorhänge zu. Nun war es stockfinster.

»Wir wollen flüstern«, eröffnete er die Unterhaltung. »Nach links isoliert uns zwar das Zimmer Ihres Gefährten, und rechts ist die Außenwand, aber besser ist besser, und das heißt: leise sein. Ich sitze jetzt bequem auf dem Fußboden. Bleiben auch Sie, wo Sie sind, und kein Licht. Einverstanden?«

»Natürlich.«

»Okay, dann will ich mich erst mal vorstellen. Ich stamme, um das in Kurzform zu tun, aus dem Baltikum. Während des Weltkriegs flohen meine Eltern nach Deutschland, ich bin dort geboren. Ende der fünfziger Jahre wanderten wir in die USA aus. Ich bin studierter Chemobiologe, habe lange Jahre in der Pharmazie gearbeitet, bin dann auf ein völlig neues Gebiet übergewechselt, als in den achtziger Jahren die Gentechnik begann. Damals in Los Angeles entstanden erste Firmen dieses völlig neuen Forschungszweigs. Man entwickelte neue Lebewesen auf dem bakteriellen Sektor, aber das ist Ihnen ja bekannt. Darmbakterien, die Insulin produzieren und so weiter. Sie wissen schon, das alles gehört heute zur Schulmedizin. Als ich aber langsam merkte, wohin das alles führte, bekam ich es mit der Angst zu tun und schloß mich Greenpeace an, jener Organisation, die weltweit noch immer durch ungewöhnliche Aktionen gewaltlos für den Umweltschutz wirbt. Aber gewaltlos geht leider nichts mehr in dieser Ellbogengesellschaft, leider, so schmerzlich das ist, weil es verrohend auch auf all jene wirkt, die Gewalt für einen guten Zweck einsetzen und am Ende selbst Opfer ihrer Praktiken werden.«

Corall nickte im Dunkeln beifällig, machte seine Zustimmung aber nicht laut. Er dachte an sein eigenes Verhalten in Nepal.

»Für Greenpeace ging die Phase der Gewaltlosigkeit 1985 zu Ende. Drei Jahre zuvor hatte die internationale Walfangkommission für diesen Termin ein weltweites Fangverbot beschlossen. Es war dies ein Verdienst unserer jahrelangen, teilweise zermürbenden Kampagnen sowohl auf hoher See als auch vor den zuständigen Gremien. Greenpeace glaubte, seinen ersten großen Sieg für das Leben einer vom Aussterben bedrohten Tierart feiern zu können. Ich weiß nicht, ob Sie diesen Kampf in der Presse verfolgt haben. Vielleicht erzähle ich gar nichts Neues: Die Japaner trugen dieses Tötungsmoratorium nicht mit. Erst verschmutzten und verseuchten sie ihre Küstengewässer mit Quecksilber und anderen Schwermetallabfällen, wunderten sich, daß ihre Hauptnahrungsquelle, der Fisch, versiegte, dann wollten sie sich draußen auf allen Meeren schadlos halten. Ist Ihnen diese Geschichte bekannt?«

»No«, sagte Marjam, und Corall sagte auf deutsch: »Nein.«

»Okay, dann weiter. Die Japaner fuhren also mit ihren riesigen Fabrikschiffen nach wie vor in die Fanggründe am Nordpol und in der Antarktis. Pfiffen auf die Konvention. Die Signatarmächte des Abkommens protestierten. Das klang schön und manchmal auch laut, blieb aber unwirksam, und mancher von denen überlegte wohl im stillen, er könnte es eigentlich auch so wie die Japaner halten, denn die zogen jetzt satte Gewinne aus ihrer unrechtmäßigen Beute, wenn sie die knapp gewordenen Walprodukte an die pharamazeutische Industrie in Europa und Nordamerika teuer verhökerten.

Es mußte also etwas unternommen werden. Bis dahin hielt sich Greenpeace eine Menge auf die Gewaltlosigkeit seiner Aktionen zugute. In diesem Fall offensichtlichen Vertragsbruchs, der Verhöhnung internationaler Abmachungen, mußte aber etwas unternommen werden. Brach hier der dünne Damm unserer Glaubwürdigkeit und Durchsetzungsfähigkeit, den wir gerade aufzuwerfen begannen, konnte sich die ganze Bewegung darunter begraben lassen. Also berieten wir. Der alte Taggart war noch dabei, der damals den Franzosen bei ihren Atomwaffenversuchen auf dem Mururoa-Atoll so herrlich übel mitgespielt hatte. Was konnten wir tun? Die Sache lautstark beklagen und ansonsten weiterlaufen lassen? Wieder von vorn anfangen mit der Ochsentour durch die Instanzen? Oder uns militant zeigen, was mit Sicherheit die mühsam errungene moralische Glaubwürdigkeit der Organisation vernichten würde? Bis zu diesem Tag hatten wir nach dem ›Jesus-Prinzip‹ gehandelt: immer brav die Wange hinhalten und draufschlagen lassen. Im vorliegenden Fall ließ sich damit aber bestenfalls ein Lacherfolg ernten, so meinten jedenfalls einige von uns, darunter auch ich. So beschlossen wir, in Zukunft zweigleisig zu fahren. Offiziell wurde Greenpeace gespalten. Der zahme Teil machte unter dem alten Namen und mit sauberen Händen weiter, wir anderen nannten uns Rainbow Warriors und sprengten im Hafen von Osaka drei der Super-Trawler. In einem vierten Schiff explodierte die Zeitbombe erst nach dem Auslaufen hundert Kilometer hinter der Küste. Achtzig Tote, eine böse Sache und tagelang eine schlechte Presse. Greenpeace distanzierte sich, wir beschimpften sie, und heute ist es eingespielt. Wo sie mit friedlicher Mahnung nicht vorankommen, treten wir kräftig nach. Die Japaner scheuten jedenfalls erneute Investitionen in eine verbotene Walfangflotte. Dieses Vorgehen hat uns zur internationalen Terrororganisation gestempelt und in den Untergrund getrieben, denn seit Osaka hat es noch öfter Tote und viele Sachbeschädigungen gegeben.

In Südamerika bin ich Sektionschef, für Nordeuropa ist es Ihre Freundin Gilda. Sie bürgt für sie, sonst hätte ich nicht so offen gesprochen. Das Mädchen hängt schwer drin. Erwischt man sie, würde es wohl für einige Jahre Sicherheitsverschluß oder mehr reichen. Sie bittet noch mal um Verständnis für ihr Verhalten und läßt Sie herzlich grüßen.

Jetzt zur Sache, Corall! Gilda sagt, Sie und Ihr asiatischer Freund hätten ein paar Fragen. Von seiner Anwesenheit hier im Zimmer habe ich übrigens erst durch sein energisches ›No‹ erfahren – ich hoffe, Sie garantieren für seine Schweigsamkeit. Ihre Fragen kann ich mir vorstellen – die habe ich auch an McGill und seinen Clan. Sie kommen in einem günstigen Augenblick, Corall. Vor zwei Tagen hat in Mexiko City der Sektionschef gewechselt. Ein gewisser Shmul Aiger aus der Zentrale in New York hat den Job übernommen. Er stattet der Station zur Amtseinführung übermorgen einen Besuch ab, schließlich ist sie das Kernstück seines neuen Reichs. Wir werden uns den Mann schnappen und gehörig ausquetschen.«

»Das ist ein hervorragender Zufall«, entfuhr es Corall. Die neue Platitüde seiner Reaktion, ähnlich wie vorhin im Speisesaal, machte ihn ganz schwach vor Ärger. Er glaubte sogar in der Dunkelheit das spöttische Lächeln Verens zu erkennen. Jedenfalls erfühlte er es geradezu. Warum benahm er sich dem Mann gegenüber nur dauernd wie ein Vollidiot? Er wurde schon ganz nervös. Minderwertigkeitsgefühle? Eigentlich spürte er bewußt nichts davon, aber der Kerl nahm ihn vielleicht nicht ernst. War es diese Befürchtung, die unterschwellig in ihm bohrte? Ab jetzt, so beschloß er, galt nur eins: Maul halten und handeln. Die Entführung des Direktors würde genug Gelegenheit dafür bieten. Was ihn bei dem Gedanken an eine solche Tat hätte beunruhigen können, verdrängte er mit der trotzigen Behauptung, für derartige Aktionen sei er ja gekommen.

Die Pause, von der Corall annahm, daß sie dem anderen zum ausgiebigen Grinsen diente, beendete Veren, indem er weitersprach. Seiner Stimme war keine Veränderung anzumerken.

»Ja, es ist ein hervorragender Zufall, ich habe lange auf eine solche Gelegenheit gewartet. Unter der Wachmannschaft sind ein paar Freunde von mir, die helfen uns. Der Plan liegt fest, Sie brauchen sich um nichts zu kümmern. Wenn alles klappt, hole ich Sie mit zum Verhör, geht etwas schief, stehen Sie außerhalb jeden Verdachts.« Unausgesprochen lag auch in dieser Abmachung Geringschätzung ihrer Fähigkeiten als Partner. Veren schonte sie nicht aus Rücksicht, sondern aus Mißtrauen. Egal, wenn er es so wünschte, Corall wollte sich nicht gewaltsam in seine Kreise drängen.

»Was liegt hinter diesem geheimnisvollen Zaun?« fragte er kühl, ohne noch einmal auf die Vorschläge des ›Warrior‹ einzugehen. Jetzt wollte er auch Persönlichkeit zeigen, sein wahrscheinlich angeschlagenes Erscheinungsbild bei Veren nicht noch mehr durch schwatzhafte Fragen oder Vorschläge zum kommenden Abenteuer belasten. Er hätte zwar liebend gern an der Entführung mitgewirkt, nachdem aber alles bereits festgelegt schien, wollte er sich nicht dem Vorwurf knabenhafter Wildwestspielerei aussetzen, nur um seine Zuverlässigkeit zu beweisen.

Also gab er sich zufrieden, machte zwar ein mürrisches Gesicht, aber das konnte Veren in der Dunkelheit nicht sehen.

»Der Zaun, ja, der Zaun!« wiederholte der Biotechniker, und es klang fast träumerisch. »Dahinter liegt ein Wawilow'sches Zentrum, wenn Sie wissen, was das ist.« Wieder diese leichte Herablassung. Corall, ganz in seinem Beschluß gefangen, entweder zu schweigen oder nur noch freundlichen Ernst zu schauspielern, auf jeden Fall keinen Ärger zu zeigen, reagierte – wie er hoffte – gelassen. »Muß man das wissen?«

»Normalerweise natürlich nicht«, konterte Veren, »aber für Ihre Ziele ist dieses Wissen Voraussetzung.«

Corall war der Finsternis dankbar, daß sie seine jetzt doch unbeherrscht wütenden Gesichtszüge verhüllte. Erst schlucken, dachte er, ruhig bleiben und vor der Antwort schlucken. Da fühlte er den leichten Druck von Marjams Hand auf der Schulter. Der stille Freund mußte also die ganze Zeit ebenfalls die Rivalität zwischen ihm und Veren verfolgt haben. Diese Berührung gab Corall Kraft. Sie richtete ihn innerlich auf. Er stand nicht allein, da war Hilfe. Warme Dankbarkeit für den nepalesischen Begleiter durchflutete ihn, gab ihm Ruhe und Überlegenheit zurück.

»Na gut, dann lassen Sie Schlaumeier es uns wissen!« gab er lässig zurück, achtete aber genau darauf, nicht arrogant oder verletzend zu klingen, sondern eher lustig, denn eine echte Verstimmung zwischen ihm und dem ›Warrior‹-Mann, konnte er sich nicht leisten, wollte er im Geschäft weiter mitmischen.

Die kurze Pause bis zur Antwort zeigte ihm voller Genugtuung, daß er Veren zumindest getroffen, vielleicht sogar beeindruckt hatte. Als der ›Warrior‹-Mann wieder sprach, merkte man keine Wirkung, aber er ließ auch alle Ironie beiseite. Auch er brauchte Verbündete. Wawilow war, wie der Name verrät, ein Russe, Botaniker. Er wirkte in den zwanziger Jahren an mehreren Expeditionen mit. Seine Erkenntnisse damals übertrafen fast die Entdeckungen eines Charles Darwin von der Selektion der Arten. Wawilow fand nämlich heraus, daß eine bestimmte Kombination von geographischen und klimatischen Bedingungen die Entwicklung fast aller wichtigen Nutzpflanzen auf ein Viertel der landwirtschaftlich verwertbaren Fläche der Erde zusammengedrängt haben. Zehn Zentren machte er aus, die im Mittelmeerraum, im Nahen Osten, am Horn von Afrika, im Himalaja, in China, hier in Mexiko und in den peruanischen Anden liegen. Besser muß man wohl sagen: ›lagen‹. Der Wert dieser Zonen ist für die Menschheit nicht hoch genug einzuschätzen. Während der letzten Eiszeit erfror fast die gesamte Vegetation in den gemäßigten Regionen. Daß unter dem Eis nichts wuchs, versteht sich von selbst. Nur in den wenigen tropischen Gebieten entlang des Äquators gedieh eine genetische Vielfalt, teilweise zehnmal reicher als auf den restlichen fünfundsiebzig Prozent anbaufähiger Flächen dieser Erde.

Schon seit Jahrzehnten ist die Landwirtschaft der Industrieländer, vor allem Amerikas, auf die Kreuzung ihres Saatguts mit diversen solcher Wildpflanzen angewiesen. Im Kanadischen ›Harmon‹-Hafer sind zum Beispiel Gene aus Ägypten und dem französischen Mittelmeerraum kombiniert. Die einen sorgen für kurze Stengel, was bei mechanischen Erntemaschinen nützlich ist, die anderen für eine extreme Kälteverträglichkeit, notwendige Überlebenseigenschaften in einem so weit nördlich gelegenen Land.

Eine US-Gerstensorte geht auf mandschurische und türkische Ahnen zurück. Die Erbanlagen der in Amerika am meisten angebauten Bohnensorte stammen aus Mexiko, Syrien, Chile und El Salvador. Derlei geschickt gemixtes Saatgut produziert hohe Erträge, aber es birgt auch Risiken. Zwölf Pflanzenarten liefern heute allein drei Viertel aller Nahrungsmittel. Für den Hunger von fast sechs Milliarden Menschen eine verflucht knappe Basis; und zwei der wichtigsten, Weizen und Reis, müssen wir fast schon streichen. Was bei genetischer Einförmigkeit entsteht und wie sie überhaupt zustande kam, das haben Sie selbst in Nepal erlebt, und das hat Ihnen Gilda erklärt.«

Corall lauschte atemlos, erst die Erwähnung von Gildas

Namen brachte ihn in die Realität des dunklen Zimmers zurück. Gilda! Hatte Verens Stimme bitter geklungen, als er den Namen aussprach, oder täuschte sich Corall? Doch es blieb ihm keine Zeit, darüber nachzusinnen; der Biotechniker setzte seine fesselnde Aufklärung fort.

»Krankheitserreger und Schädlinge überwinden allmählich die natürliche und die eingekreuzte Widerstandsfähigkeit der Pflanze. Selbst chemische Mittel bieten auf die Dauer keinen Schutz. Die Zahl der gegen Gifte resistenten Insekten- und Milbenarten hat sich in den letzten fünfzehn Jahren von dreihundertsiebzig auf vierhundertfünfzig erhöht. Unempfindlich gegen Pestizide sind mittlerweile hundertdreiundachtzig Überträger epidemischer Art. Aufgrund solcher Verweichlichung beträgt die mittlere Lebensdauer einer Getreidesorte heute nur noch fünf bis sechs Jahre. Ist die Frist verstrichen, müssen pflanzliche Abwehrkräfte durch den Einbau frischen Genmaterials erneuert werden, oder die Art erlischt. Eine Katastrophe, die wir gegenwärtig beim Weizen erleben. Was ist der Grund dafür?

Ich korrigierte vorhin meine Aufzählung Wawilowscher Zentren in die Vergangenheit, denn es sind längst keine zehn mehr vorhanden. Tatsächlich droht uns eine biologische Rohstoffkrise. Diese so überaus wichtigen Regionen schrumpften im letzten Jahrzehnt durch Raubbau und Umweltzerstörung rapide.

Im Mittelmeergebiet haben Tourismus und Baumaßnahmen sie nahezu erledigt, ähnliches besorgten im Nahen Osten zahlreiche Kriege und intensive Ölsuche. Den indonesischen Urwald holzten japanische Zellulosefabriken total ab, auf dem subindischen Kontinent taten das aus Energiemangel die Einwohner selbst. Übrig geblieben und beinahe in Takt waren bis vor wenigen Tagen – abgesehen von den amerikanischen Regionen – nur noch der Himalaja, China und das Horn von Afrika. Allen dreien hat ein verbrecherisches Giftattentat aus der Luft ein Ende bereitet – denn wie jetzt durchsickerte, ist ein ähnlicher Anschlag auch über dem Reich der Mitte verübt worden.

So liegt die Hoffnung der Welt auf den noch verbliebenen

zwei amerikanischen Zentren. Und auf jenen in den Anden sowieso hier in Mexiko, beide unter dem unmittelbaren oder mittelbaren Patronat der Vereinigten Staaten oder genauer: hier in Mexiko sogar direkt im Besitz des größten Saatgutproduzenten und Chemiegiganten McGill. Vor fünfzehn Jahren schon warnte der kanadische Saatzuchtexperte Pat Roy Mooney: ›Wenn der genetischen Vielfalt etwas passiert, bedeutet das ein tödliches Risiko für die Welternährung.‹

Gerade eben ist dieser Vielfalt etwas passiert, niemand weiß bisher, warum und durch wen, doch das will ich herausfinden. Wir drei ziehen am selben Strang. Ich hoffe, zumindest für einen von uns wird die Entführung dieses Shmul Aiger eine Spur bringen, den Strang, an dem wir ziehen, zum Ariadnefaden machen, der uns noch rechtzeitig aus dem Labyrinth der sich anbahnenden Katastrophe herausführt.«

»Wir sollten optimistisch sein, ich fürchte aber, es ist zu spät«, sagte Corall langsam. Dabei legte er keinen Wert darauf, bedeutsam zu klingen, seine Sorge fühlte er echt. Immer wieder seit der Meldung von diesem Giftanschlag schweiften seine Gedanken in das kleine Dorf zwischen den Felsen des Himalaja, sah er Chien-Nu in seinem Arm, Ketjak im Zelt und unterwegs, gewichtig zwischen den Häusern herumlaufend. Was mochte ihnen geschehen sein? Dazwischen die Hoffnung, es wäre ihnen gar nichts geschehen. Dann wieder die Vorstellung einer toten Chien-Nu, eines toten Ketjak. Es war schrecklich.

Jetzt, als er seinem eigenen Satz nachlauschte, die verdorrten Felder bis zum Horizont vor Augen, prüfte, wie überzeugt er seinen Pessimismus wirklich meinte, drang ihm plötzlich ins Bewußtsein, daß es wirklich zu spät war. Für das Korn, für Nepal und für seine Freunde. Dieser Satz war als Urteil über die eigenen zweiflerischen Hoffnungen gesprochen. Jetzt wußte er es, es war zu spät, nie würde er die beiden wiedersehen. Mit der trauernden Gewißheit packte ihn ein mächtiger Haß gegen jene Verbrecher, jene heimtückischen Mörder, die aus der Sicherheit ihrer Flugzeugkanzeln den Tod über das Land gestreut hatten. Seine

Hände fuhren in die Decken, auf denen er saß, krampften sich in die Wolle, drehten, würgten sie, und seine Schultern schüttelte die ohnmächtige Wut, die kein klares Ziel fand, gegen das sie sich zerstörerisch wenden konnte.

Nur Marjam merkte wohl etwas von dieser stummen, hilflosen Gewalt gegen Sachen, rührte sich aber nicht, sagte nichts. Plötzlich fiel ein Lichtschimmer in den Raum. Veren war aufgestanden, hatte den Vorhang zurückgezogen.

»Ich gehe jetzt, bitte schauen Sie aus dem Fenster, ob sich was rührt. Bei Ihnen wirkt das unverfänglich, Sie wohnen hier. Wenn ich fort bin, schlagen Sie die Moskitos tot, die jetzt durch das offene Insektengitter hereingeflogen sind. Mexiko gilt noch immer als malariafrei, aber ich traue dieser Auskunft nicht. Seien Sie vorsichtig, auch wenn Sie Ihre Malaria-Spritze in New York bekommen haben. Zwar braucht man heute keine Angst mehr zu haben, seine Fansidar-Tabletten zu vergessen, aber auch das neue Mefloquin-Serum garantiert bestimmt nicht ewig Immunität.«

Sie hörten es leise knacken. Verens Schatten arbeitete am Fenster, dann beugte er sich zur Seite und lehnte das Gaze-Gitter gegen die Wand.

Corall lockerte seinen Griff in die Decken, erhob sich, ging und beugte sich aus dem Fenster. In der Ferne hörte er einen Wagenmotor leise summen. Der feuchtwarme Hauch des Dschungels umwehte ihn. Der Geruch von Fäulnis und Feuchtigkeit, vermischt mit dem Duft unbekannter Blüten und Früchte, drang in ihn wie ein Stimulans. Er atmete tief und merkte, wie Ruhe in seine Seele einzog. Über dem schwarzen Block des Waldes unterschied sein Auge im fahlen Mondlicht die Kronen einzelner Palmen. Die Mücken hatten ihn ausgemacht, surrten ihm um den Kopf. Er wandte sich zurück ins Zimmer. Ohne ihn zu sehen, spürte er den neben ihm stehenden Veren.

»Alles frei, keine Gefahr!« flüsterte er in seine Richtung. »Aber Sie haben nicht erklärt, warum man den Zaun um dieses Wawilow'sche Zentrum zog.«

»Ich weiß es auch nicht genau. Da aber nur hin und wieder eine Expedition von drei bis fünf Botanikern, die meist von außen anreisen, hinein darf, nehme ich an, es ist eine reine Schutzmaßnahme gegen mögliche Umweltzerstörungen. Jedenfalls drohen schwere Strafen für unbefugtes Eindringen, die Wachen haben sogar Schießbefehl. Von Pemex aus wird das ganze Gebiet mit Radar überwacht. Ich weiß nicht, ob Sie die zwei modernen Abfangjäger, stets startbereit, neben der Rollbahn in Pemex gesehen haben. Die würden mit jedem Eindringling aus der Luft kurzen Prozeß machen. So etwas wie in Afrika oder Asien könnte hier nicht wiederholt werden. Ich vermute, seitdem herrscht größte Alarmbereitschaft. Also, gute Nacht!«

Er schob Corall zur Seite, schwang die Beine wieder über das Fensterbrett. Ein kurzes Klatschen, er war auf den asphaltierten Vorplatz gesprungen. Corall beugte wieder vorsichtig den Kopf hinaus und sah Veren geduckt im Schatten der Baracke nach links davonlaufen.

Am nächsten Tag volles Programm. Man machte sie mit der Pflanzung bekannt, zeigte ihnen Felder mit Super-Maiskolben, Stauden, die drei- und viermal mehr trugen als übliche Stengel. Sie sahen klimafeste Varietäten, erlebten im Labor die Körner im Test durch Krankheitserreger und dank modernster Pestizide, den Tod dieser Rost-, Mehltau- und sonstigen Viren. Es war die glanzvolle Premiere eines neuen Getreidemodells, einer Schöpfung aus den Werkstätten McGills. Und immer wieder ließen die wissenschaftlichen Konstrukteure die Vorzüge der Maispflanze gegenüber dem abgewirtschafteten Weizen durchblicken. Nicht aufdringlich, nur so nebenbei, fast verächtlich. Corall rannen Kälteschauer durch die Knochen. In einer stillen Minute fragte er seinen Begleiter, was denn wohl nach dem Mais käme. Und da die Frage in unverfänglichem Ton gestellt wurde, nicht polemisch, vielmehr sehr interessiert, schöpfte der Mann auch keinen Verdacht, sondern plauderte munter über Versuche mit Hirsesorten, die aber noch nicht sehr vielversprechend seien und daß man zur Zeit überlege, den Weizen zu sanieren. Das allerdings käme teuer, und die letzte Entscheidung darüber sei noch nicht gefallen.

Corall dachte an die Gebetsformel: Unser täglich Brot gib uns heute. Er dachte an die oft mythische Getreideverehrung der Alten, wieviel religiöses Beiwerk sich durch die Zeiten mit dem Wort ›Brot‹ verband. Und obwohl er kein gläubiger Mensch war und sich viel darauf zugute hielt, stellte er sich die Frage: Ist uns denn nichts mehr heilig? Ist uns denn alles nur noch Geschäft? Blödsinn! Schalt er seine Idee, wieder nüchtern geworden. Was soll die Gefühlsduselei um das Wort *Brot*? Wichtig ist nur das Herbeischaffen von Nahrung für die vielen und verwerflich nur riskante Experimente, denen man diesen Rohstoff unterwirft, nur um Profit zu maximieren.

Er marschierte weiter, wurde mit weiteren erstaunlichen Ergebnissen der biologischen Forschung vertraut gemacht, und am Abend schüttelte er dem neuen Vizepräsidenten für Mexiko, Shmul Aiger, die Hand. Zwölf Stunden vor dem angesetzten Termin schwebte der Sektionschef mit dem Hubschrauber ein. Corall fand ihn sympathisch unbedeutend, betrachtete die ausgeprägte Kinnpartie skeptisch und fragte sich, wie hart der Mann wohl wirklich wäre, wenn es für ihn selbst ›ans Eingemachte‹ ginge.

Als er aus seiner Ohnmacht erwachte, war es dunkel um ihn. Sein Kopf steckte in einer Tuchkapuze, die um den Hals zusammengebunden war. Für Augenblicke glaubte Shmul Aiger, ersticken zu müssen, nicht genügend Luft durch den Stoff zu atmen. Sein Verstand sagte ihm aber sofort, wie subjektiv und panikartig dieser Eindruck war, sonst wäre er in der Bewußlosigkeit längst an Sauerstoffmangel gestorben. Ruhe! befahl er also seinen flatternden Nerven. Bilanz machen, was eigentlich passiert ist.

Er lag auf der Erde, auf Sand, vermutlich in einem Maisfeld, denn wenn er den Körper bewegte, schabten die Schultern an Widerständen, Gitterstangen ähnlich, die Maisstengel sein mochten. Die Hände hatte man ihm auf den Rücken gefesselt, die Beine zusammengebunden. Eine äußerst unbequeme Haltung, in der er da, verpackt wie eine Ware, auf dem Boden lag.

Man hatte ihn also entführt. Mit einem solchen Anschlag mußte jeder Vizepräsident McGills rechnen, vor allem in Südamerika, wo derartige Verbrechen seit Jahrzehnten geradezu zum Nationalsport gehörten. Was konnte ihm geschehen? Er war nicht die erste gekidnappte Führungsperson der Mannschaft. Raitrage ereilte das auf einem Italien-Trip und Maiboom in Argentinien. Beide Male zahlte McGill anstandslos und rasch die geforderten hohen Summen. Keiner der beiden Betroffenen mußte länger als zehn Tage in der Gewalt seiner Peiniger ausharren. Also blieb Hoffnung.

Aber warum geschah ihm das gerade hier? In Mexiko City, klar, da war man auf solche Attentate vorbereitet, da würde er niemals ohne Begleitung einiger handfester Burschen aus dem Haus oder Büro gehen. Aber hier, sozusagen im eigenen Heim, umgeben von treuer Gefolgschaft und rund hundert gutbezahlten Wachleuten, was sollte das? Welche Chancen rechneten sich die Entführer aus, ihn hier unbemerkt auf Dauer zu verstecken? Die Sache mit dem Maisfeld war doch Nonsens! Wenn morgen früh sein Verschwinden bemerkt wurde und die große Suchaktion einsetzte, würde man auch die Felder durchkämmen, mußte man ihn finden, zwangsläufig!

Plötzlich wurde ihm die Geschichte unheimlich. Schweiß brach ihm trotz der relativ kühlen Nachtluft aus allen Poren. Was wollten die denn von ihm, wer sie auch immer waren? Nur ein schlechter Scherz, das Ganze? Das wäre wohl ein zu schlechter Scherz.

Er erinnerte sich, nach dem Abendessen in den Besuchspavillon gegangen zu sein. Ein hübsches, fast völlig verglastes Häuschen in Rundbauweise aus Holz. Domizil der höheren Chargen, wenn sie in der Station auf Inspektionsreisen übernachteten. Col Hammerstein hatte ihn begleitet; sie tranken noch ein Glas zusammen. Dann war er zu Bett gegangen und sofort eingeschlafen. Wie lange, wußte er nicht. Ein Geräusch weckte ihn wieder, er sah zu seinem Schrecken einen übergroßen Schatten an der Wand. Den Mann, der ihn warf, konnte er nicht erkennen. Dann der Schmerz, wohl ein Schlag auf den Kopf und das Wiedererwachen im Maisfeld.

Er konnte das Puzzle nicht zusammensetzen, er wußte nur eins: Er hatte seit wenigen Minuten entsetzliche Angst. Angst wegen der Sinnlosigkeit des Anschlags. Dahinter stand eine Logik, die er im Moment nicht zu durchschauen vermochte. Entweder gab es keine Gründe, und alles sollte nur ein demütigender, aber harmloser Denkzettel sein, oder eine unbekannte, fürchterliche Gefahr drohte ihm, über die er nicht weiter nachdenken wollte. An einen schlechten Witz konnte er nicht mehr glauben, das verbot ihm der Verstand. War es aber ein grober Unfug, dann ... jenes deutsche Wort spaltete wieder seine Überlegungen: ›Gewissen‹. Es traf ihn schmerzhaft und eigentlich zusammenhanglos, wie er fand.

Dumpfer als wohl in Wirklichkeit, weil die Kapuze seine Ohren bedeckte, hörte er plötzlich Schritte. Schritte mehrerer Personen. Sie kamen näher. Jetzt also würde sich das Rätsel lösen. Der Leidensdruck, der eben noch seine Nerven bis an die Grenze des Erträglichen strapaziert hatte, ließ sofort nach. Spekulationen über sein Schicksal, trübe Befürchtungen seiner Phantasie, das alles war jetzt vorbei. Nun würde gehandelt, auch von seiner Seite, jetzt galt es, kühl zu bleiben, auf den eigenen Vorteil zu sehen. So fühlte er sich auch, wenn große geschäftliche Transaktionen begannen. Handeln, das war mehr seine Sache als brütendes Sinnieren. Wurde er mit einer echten Situation konfrontiert, konnte er kämpfen, mußte nicht länger Schattenboxen ins Nichts üben und dabei seine Kräfte zermürben.

Die Männer – er ging davon aus, daß es Männer waren – blieben neben ihm stehen. Ihre Stimmen gaben seiner Vermutung recht.

»Er ist vielleicht noch ohnmächtig.« Das war die erste, immerhin noch relativ anteilnehmende Äußerung, die er verstand. Dann fühlte er seine Füße gepackt, sein Körper wurde mehrere Meter schmerzhaft über Maishalmstoppeln gezerrt und dann wieder fallen gelassen. »He, Aiger, sind Sie wach?« fragte die zweite Stimme. Aus der normalen

Lautstärke schloß der Gefangene, daß sein Aufenthaltsort ziemlich weit von der Station entfernt sein mußte; sein Sprecher fürchtete anscheinend nicht, die Wachen oder andere Personen auf sich aufmerksam zu machen. Als nächstes versuchte Aiger das Organ zu identifizieren, aber er hatte mit zu wenigen Leuten am Abend Kontakt bekommen; andererseits war beim Essen der Kreis zu groß gewesen, um alle Stimmenfärbungen und die dazu passenden Gesichter in Erinnerung zu behalten.

»Hören Sie, Aiger!« sagte die zweite Stimme wieder. »Ich weiß, Sie sind wach; die kleine Reise eben hat Sie sicher ermuntert. Außerdem haben Sie sich beim Nachdenken, wer wir sein könnten, zuviel bewegt. Stehlen Sie uns also nicht die Zeit, wir haben eine Menge Fragen.«

Der Vizepräsident überlegte sein Verhalten. Auf Zeit spielen brachte in dieser Situation wenig Vorteil; besser war es, die Gegner aus der Reserve zu locken und ihre Absichten zu ergründen. »Wer sind Sie?« fragte er dumpf durch die dunkle Stoffkapuze.

»Das werden Sie gleich sehen!« lachte die führende Stimme. Er merkte, wie Hände an der Schnur um seinen Hals werkelten. Eisiger Schreck fuhr ihm in die Glieder, machte ihn ganz kraftlos. Die einzige Hoffnung blieb, seine Entführer maskiert zu erblicken. Boten sie seinen Augen Gesichter ohne Vermummung, mußte er das Schlimmste befürchten.

»Machen Sie keine Zicken, wenn wir Ihnen den Sack vom Kopf nehmen!« warnte die Stimme dicht an seinem Ohr. Der Mann hatte den Knoten gelöst. Aiger spürte einen harten Griff auf der Schädeldecke, schmerzhaft wurden Haare mit ausgerissen, als man die Kapuze abzog. Sofort konnte der Amerikaner alles gut erkennen, die Augen hatten sich unter dem Tuch an Dunkelheit gewöhnt. Der Himmel spannte seine sternenübersäte Kuppel über ihn. Er lag wie vermutet auf einer künstlich gerodeten kleinen Lichtung mitten in einem Maisfeld. Die Stauden stachen als ebenso dunkle Schatten gegen den Nachthimmel ab wie die drei Gestalten seiner Entführer. Er erkannte alle drei sofort, sie trugen keine Masken. Sein Herz erstarrte. Der neben ihm stand, die Kappe noch in der Hand, war Biotechniker in der Station, die beiden anderen waren potentielle Maiskäufer für Nepal, der Braune und der Deutsche; ihre Namen hatte er vergessen.

»Was wollen Sie von mir, verdammt noch mal?« krächzte er mühsam aus angstverschnürter Kehle.

»Antworten, nur Antworten auf ein paar Fragen«, sagte der Biotechniker gelassen. Alle drei knieten langsam nieder, saßen auf den Fersen und betrachteten ihn mitleidlos wie ein Insekt. Und so fühlte er sich auch in diesem Augenblick: mies und klein. ›Gewissen‹, pochte es in seinem Kopf, ›Gewissen, das schmerzhafte Bekenntnis zu eigener Schuld‹. Aber was hatten diese drei Figuren damit zu tun? Denen war doch nichts bekannt, die wußten doch nichts! Das Ganze war eine Farce, er fühlte sich nicht schuldig, warum sollte er sich schuldig fühlen? Er trug nicht die Verantwortung. Er war der Planer, nicht der Macher! Schuld, was hieß das schon? Schuldig waren doch alle, jeder, der handelte!

»Hören Sie zu, Aiger!« sagte der Wortführer. »Wir stellen Ihnen jetzt also ein paar Fragen. Die Antwort holen wir uns auf jeden Fall; ob schmerzhaft oder freiwillig, liegt bei Ihnen. Verstehen wir uns?«

Die lässige Entschlossenheit in der Haltung des Wortführers machte ihm schnell klar, daß er nicht wie gehofft in diesem Drama wenigstens geringen Einfluß auf den Ausgang nehmen könnte. »Was geschieht mit mir?« Es gelang ihm, seinen Tonfall angstfreier zu artikulieren.

»Darüber reden wir später. Zuerst muß geklärt werden, in welcher Form Sie mit uns verhandeln wollen.«

»Das kommt auf Ihre Fragen an. Ich habe ja keine Ahnung, was Sie von mir hören wollen.«

Der Frager nickte. »Erzählen Sie uns zum Beispiel etwas über den Sinn dieser Station, über den Draht und den Wald dahinter.«

Das konnte es doch nicht sein, das konnten sie doch nicht wissen wollen! Ein Hoffnungsschimmer glomm auf, Aiger erstickte ihn sofort. Wenn sie auch nichts wußten, so ahnten sie doch etwas. Unmöglich! Wegen dieser schlichten Frage entführte man ihn doch nicht unter so gefährlichen Umständen für die Kidnapper! Woher aber sollten sie der Wahrheit auf die Spur gekommen sein? Er beschloß, jetzt doch auf Zeit zu spielen, ausführlich zu berichten und dabei selbst zu erkunden, wieviel von dem großen Geheimnis schon bekannt war.

Zeitgewinn, entschied er gegen seine ursprüngliche Absicht, konnte sogar seine Lage bessern.

Corall hockte zu Füßen dieses Bündels Mensch, ausgestreckt im Schmutz, wehrlos und ohne Chance, ein Mann, auf Null gebracht. So hatte er selbst am Feldrand gelegen, Meng Te in die mitleidlosen Augen geblickt und gehofft, obwohl Hoffnung gegen jede Vernunft war. Eine wachsende Wut gegen diesen leidenden Mann stieg in ihm auf, kletterte ihm aus den Händen, die den Kerl am liebsten gepackt und geschüttelt hätten, die Arme hinauf bis ins Herz. Aber die Wut würde das Herz übersteigen und in den Kopf dringen, der jetzt noch kühl nach der Ursache dieser ungerechtfertigten Erregung suchte. Nichts hatte ihm der Bursche persönlich getan, er lag nur da, gefesselt im Dreck, und litt. War es sein eigenes schlechtes Gewissen, das er durch Wutausbrüche betäuben wollte? Aber konnte ein Vizepräsident McGills überhaupt schuldlos sein? Niemals! Er war nicht unschuldig und hatte darum auch keinerlei Recht, wie ein Märtyrer zu wirken, wie eine armselige gequälte Kreatur, dem Bösen fälschlich ausgeliefert, eine Christusfigur. Ausgerechnet dieser Judas! Er, Corall, war bestimmt kein Hoherpriester, erst recht kein Pilatus, er würde seine Hände nicht in Unschuld waschen, verdammt noch mal, er würde hinlangen, und zwar gleich, denn die Wut staute sich jetzt schon hinter seiner Stirn. Er würde ihn packen und schütteln, bis dem Hund die Wahrheit gar nicht schnell genug von der Zunge fallen konnte. Der wußte es doch, der war bestimmt kein Unschuldslamm, der war ein Wolf in der Falle.

»Reden Sie endlich, Mann! Reden Sie, und hören Sie nicht eher auf, bis wir glauben, daß nichts Wissenswertes mehr in Ihnen steckt!« knurrte Corall und verschaffte seiner Wut ein Ventil, um nicht doch noch handgreiflich zu werden.

»Sie wollen mich töten«, flüsterte der Gefesselte. Wieder schnürte ihm Angst die Kehle zu. »Ich weiß es: Sie wollen mich töten.« Gleichmütig starrte Marjam auf den Gefangenen. Die beiden anderen aber erschraken, als Aiger diesen furchtbaren Verdacht der Nacht preisgab, so als hätte er laut ein obszönes Wort ausgesprochen, an das jeder dachte, worüber aber niemand redete.

»Erzählen Sie doch keinen Unsinn!« sagte Veren rauh.

»Ich weiß, Sie wollen mich töten!« schrie der Mann jetzt schrill und hysterisch, nicht mehr Herr seiner Nerven. Da schlug ihn Corall. Er war aufgesprungen, stand breitbeinig über dem Oberkörper des Opfers und hieb ihm die flache Hand mehrmals um den nach oben gereckten Kopf. Veren stieß ihn zur Seite, so daß er fast das Gleichgewicht verlor.

»Laß das!« zischte er dabei verächtlich.

Nur ein kurzes Zucken in Marjams Schultern verriet die Bereitschaft, dem Freund zu helfen. Doch Corall fing sich sofort, begriff, daß er ein weiteres Mal dem ›Warrior‹ gegenüber schlechten Stil gezeigt hatte, und das Dümmste wäre jetzt gewesen, aufeinander loszugehen.

»Schon gut!« Er unterstrich seine Entschuldigung mit einer abwehrenden Geste, aber etwas von seinem innerlich gestauten Haß kehrte sich endgültig gegen den Komplizen. Marjam blieb sitzen. Veren nahm die Entschuldigung stumm zur Kenntnis. Der Gefangene schluchzte, von Selbstmitleid übermannt.

Als hielte er Zwiesprache mit sich und sei zu einem negativen Ergebnis gekommen, schüttelte Veren den Kopf. Dann wandte er seine Aufmerksamkeit wieder dem weinenden Vizepräsidenten zu. Beinahe väterlich sagte er: »Lassen Sie uns doch endlich beginnen, um so eher sind wir fertig. Niemand will Sie töten, wenn Sie vernünftig sind. Schauen Sie, wir bringen Sie ins Haus zurück, bevor jemand überhaupt Ihre Abwesenheit bemerkt. Sie halten dann am besten den Mund, weil es keine Zeugen für Ihre Entführung und Ihr Geständnis gibt und die ganze Angelegenheit sonst nur peinlich für Sie enden könnte. Okay?« Er zog ein Papiertaschentuch aus der Hosentasche und wischte dem Amerikaner die Tränen vom Gesicht. Der Mann lag auf dem Rücken, die Augen blinzelten in den Sternenhimmel. Scheinbar hatte ihn Verens Versicherung beruhigt, es war nicht nur Theater, das er spielte, um Zeit zu gewinnen.

»Fragen Sie!« sagte er leise. Veren begann noch einmal da, wo Coralls Temperamentsausbruch den Faden abgerissen hatte.

»Erzählen Sie uns alles über den Wald hinter dem Draht!«

»Es ist ein Garten Eden«, begann Aiger. Das Schluchzen saß ihm noch in der Kehle. »Hier lebt die Schöpfung noch, erneuert sich und ist die letzte Hoffnung der Menschheit, nicht am Hunger zu sterben.«

»Sehr poetisch«, warf Veren trocken ein. »Wir wissen, daß es sich um ein Wawilow'sches Zentrum handelt, um eins der letzten. Aber warum wird es derart extrem bewacht?«

»Natur, der echte Dschungel, wird bald nur noch auf dem amerikanischen Kontinent wachsen, und hier auch nur, wenn es uns nicht gelingt, das Amazonasbecken und große Teile der Anden für McGill zu gewinnen.«

Corall hatte sich wieder neben den Gefangenen gehockt, Veren direkt gegenüber. »Was heißt das?« unterbrach er den Amerikaner. »Mexiko – und damit die Halbinsel Yukatan – ist einundfünfzigster Staat der USA, nicht Privatbesitz von McGill!«

Der Gefangene stockte einen Moment, dann lachte er schrill auf. »Sie Narr, was glauben Sie denn, wer die Vereinigten Staaten in dieses riskante Abenteuer einer Annexion Mittelamerikas getrieben hat? McGill, niemand sonst als der große McGill! Das war der Preis, den Gershwin für den Präsidentenstuhl bezahlen mußte, den ihm McGill unter seinen breiten Hintern geschoben hat. Ihr Laien, ihr armseligen Nichtskönner habt keine Ahnung von großer Politik, von den Gesetzen der Macht und wollt hier den lieben Gott spielen!« Sein Körper bäumte sich auf, er lachte wieder auf diese schrille Weise. Corall fürchtete schon, er hätte den Verstand verloren. Dann aber fiel Aiger erschöpft auf den Rücken zurück.

»Ist das wahr?« fragte Veren leise, doch bereits völlig überzeugt. Er hoffte, mit seinem Zweifel den Entführten zu reizen, noch mehr Details dieser ungeheuerlichen Information auszuplaudern. Aiger enttäuschte ihn nicht. Mühsam stemmte er den Körper mit den gefesselten Ellbogen hoch und blickte Veren an, ein triumphierendes, beinah irres Leuchten in den Augen.

»Ich weiß nicht, wer Sie sind. Ich weiß nicht, was Sie von mir wollen. Aber was auch immer – für dieses Spiel sind Sie zu klein, seid ihr alle zu klein!« Er drehte den Kopf im Kreis, sah alle an und fiel stöhnend wieder auf den Rücken.

»Jetzt will ich euch mal was erzählen, damit ihr überhaupt die Maßstäbe begreift, in denen bei McGill gedacht wird«, begann er nach kurzer Erholungspause erneut. »Ihr seid hierher gekommen, weil euer Weizen auf den Feldern verrottet, weil ihr nicht mehr fähig seid, euer Korn selbst zu erzeugen. Eine prächtige Demonstration der Unterwerfung, wie? Ihr kommt her, und McGill gibt euch Brot. Ich sage euch, ihr könnt getrost nach Hause fahren, euer Hunger wird gestillt. Aber denkt immer daran, wer das Brot gibt, hat die Macht. Das wußte schon Satan, als er Jesus versuchte. ›Mach Steine zu Brot, und sie werden dir nachfolgen‹, hat er gesagt. Ihr werdet uns nachfolgen, werdet den Vereinigten Staaten folgen. Noch nie in der Geschichte der Menschheit wird ein Staat solche Macht besitzen wie Amerika, und Amerika ist McGill!«

Wieder gewährte er sich eine Verschnaufpause im Kreis seiner erschütterten, stummen Zuhörer. Dann fuhr er ruhiger, fast in normalem Tonfall fort:

»Vor einigen Jahren entdeckte ein Botanikstudent auf einer Urlaubswanderung in den Jalisco-Bergen (das sind jene zartblauen Berglinien, die man vom Lager aus am Horizont sieht) die längst verschwunden geglaubte Wildmaissorte Zea diploperennis, eine, wie sich herausstellte, gegen Pilzbefall immune Maisart. Damals zeichnete sich für Eingeweihte das Weizendebakel bereits ab. Es war wohl auch ein bißchen viel in das gute alte Weizenkorn eingekreuzt worden, denn wenn man heute etwas im großen Maßstab verkaufen will, muß man Verschleiß mit einbauen oder ein Investitionspaket schnüren. Aber warum soll ich euch Narren das alles erklären?«

»Erzählen Sie es uns trotzdem!« ermunterte Veren ruhig mit freundlicher Stimme, ganz konzentriert auf den Sprecher, und auch Corall lauschte gespannt. Marjam schien in Meditation versunken.

»Ach, das müßt ihr nicht wissen, ihr Gangster, laßt es genug sein! Man kann ein bißchen nachhelfen, den Einsatz von chemischen Schutzmitteln für Pflanzen zu fördern.«

Also hatte Gilda recht gehabt – sie taten so etwas, dachte Corall entsetzt.

»Sie müßten das doch kennen«, wandte sich Aiger in verächtlichem Ton an Veren, korrigierte aber sofort seine Meinung. »Nein, natürlich nicht! Dafür sind Sie zu unbegabt, Sie Angeber. Wo das gemixt wird, haben Typen wie Sie keinen Zugang. Warum nehmen Sie mir nicht diese schmerzhaften Dinger von den Händen? Haben Sie Angst, ich greife Sie an?«

»Okay, Sie brauchen keine Fesseln!« Veren beugte sich vor, und mit einem feststehenden breiten Messer, im Stiefel verborgen, zerschnitt er die Schnüre an den Händen. »Ich habe mich erkundigt, Sie waren ein Jahr lang in der New Yorker Zentrale, sind also eingeweiht in die wichtigsten Projekte. Erzählen Sie bitte weiter!« begann Veren das Verhör wieder, immer im freundlichen, überredenden Tonfall. Aiger setzte sich auf, räkelte die verkrampften Schultern, rieb die noch immer zusammengebundenen schmerzenden Knöchel. »So ist es besser«, sagte er. Nichts von der vor kurzem ausgestandenen Angst, den vergossenen Tränen schwang noch in seiner Stimme. Auch mit seiner nächsten Forderung wandte er sich wieder an Veren: »Vielleicht sagen Sie mir jetzt doch einmal, für welchen Zweck Sie mich hier ausfragen.«

Veren lachte auf, kurz, fast wie ein Husten. »Mein Lieber,

Sie werden etwas üppig!« Und diesmal klang seine Stimme hart. »Wir sind hier nicht bei einem Teeplausch, vergessen Sie das nicht. Sie stellen hier keine Fragen, Sie antworten nur, und zwar gründlich, sonst bekommen Sie von mir ein paar gescheuert, gegen die jene Ohrfeigen vorhin Liebkosungen waren.«

Dann redete er wieder in ruhigem, geschäftmäßig freundlichem Ton. »Fahren Sie fort! Was geschah, nachdem der Student die seltene Maisstaude entdeckt hatte und McGill seinen Industrieweizen kaputtgehen sah?«

Aiger schwieg verstockt und rieb sich eine Weile die Hände. Zeit, dachte er, Zeit! Die Angst war einer Trotzreaktion gewichen. Verens rechte Gerade traf den Amerikaner trotz seiner Warnung völlig unvorbereitet direkt unter dem Bakkenknochen. Die Wucht warf ihn zu Boden, raubte ihm sekundenlang sogar die Besinnung. Dann fing der Geschlagene leise an zu wimmern.

»Hören Sie auf!« sagte Veren ohne Ärger in der Stimme, eigentlich tröstend. »Ich habe Sie gewarnt. Setzen Sie sich hin und reden Sie, sonst gibt es noch einen an die Rübe.« Er wartete. Der Mann kam langsam in die Höhe. Wieder rannen ihm Tränen aus den Augen, aber er jammerte nicht mehr, tupfte umständlich die Augen mit seinem eigenen Taschentuch trocken. »Ich werde überhaupt nichts mehr sagen«, erklärte er schließlich weinerlich. Mit der Handkante schlug ihm Corall schmerzhaft aufs Schlüsselbein. Aiger schrie auf.

»Wir schlagen Sie nur, wenn Sie nicht reden wollen«, ermahnte Veren noch einmal väterlich, wie man sonst mit einem ungezogenen Kind spricht. Aiger hatte das Gesicht in den Händen vergraben. Dumpf stöhnte er hinter den Fingern hervor: »Hören Sie auf, mich zu mißhandeln, hören Sie auf!« Und nach einer Pause: »Ein Alptraum, es muß ein Alptraum sein! Was soll ich denn noch sagen?«

»Alles was Sie über McGills Machenschaften wissen, einfach alles!«

»Ich kann nicht, ich darf nicht!«

»Doch, Sie dürfen.« Veren legte ihm tröstend die Hand

auf die Schulter. »Hier liegt ein Notstand vor – da dürfen, da müssen Sie reden.« Er zog die Hand wieder zurück. Der Mann schluchzte noch immer in die hohl aneinandergedrückten Hände. Dann ließ er die Arme langsam sinken, blickte aber weiterhin starr zwischen den Knien hindurch zu Boden.

»Also fragen Sie!« sagte er endlich, kaum hörbar. Veren nickte zufrieden.

»Was geschah, nachdem die seltene Maisstaude gefunden war?«

Sie wurden Zeugen eines inneren Kampfes: Da rang die Angst vor weiteren Schlägen und Schlimmerem mit der eigenen Selbstachtung und der Loyalität zur Firma. Schließlich hob Aiger den Kopf: »Lassen Sie uns ein Geschäft machen. Sie garantieren mein Leben, wie Sie es vorhin versprochen haben, und ich erzähle, was ich weiß. Dafür verpflichte ich mich später zum Schweigen über diese Entführung, und Sie verlassen das Camp. Ist der Vorschlag fair?« Corall blickte Veren an. Veren schaute den Gefangenen an. Nach einer Frist von mehreren Sekunden sagte Veren langsam: »Wenn Sie Ihren Teil des Pakts ehrlich erfüllen, will ich auch meinen halten.«

Er reichte ihm die Hand, bedächtig, fast im Zeitlupentempo, drückte dann kurz und kräftig die Finger des unfreiwilligen Partners. Erneut schwiegen alle. Man gewann nicht den Eindruck, die Lage sei entspannter. Aigers inneres Ringen schien trotz der Übereinkunft noch nicht beendet, doch Veren hatte beschlossen, die weiche Tour noch eine Zeitlang zu spielen.

Corall betrachtete den Mann voller Abscheu. Seine Wut hatte sich aus Kopf und Armen zurückgezogen, lag jetzt geballt in der Bauchhöhle, momentan gebändigt, aber jeden Moment bereit, wieder zu explodieren.

So sind sie, die großen Herren: mitleidlos gegen andere vom Sessel ihrer Macht aus. Zerrt man sie aber herunter in den Staub – mein Gott, wie jammervoll! Wo bleibt die prächtig gehandhabte Pose von Überlegenheit und Größe? Dieser Halbgott Vizepräsident im zerknautschten Pyjama, verdreckt und gepeinigt, war nicht mal ein gefallener Engel, sondern nur ein mieser, subalterner Feigling!

Er fand zwar selbst, daß sich die Darstellung zu stark an Klischees über alle Führungspersönlichkeiten anlehnte, aber er verbannte Selbstkritisches trotzig in jene Ecke seiner Gefühle, wo Abneigung, Angst und der Widerwille gegen diese nächtliche Szene hausten. Da lauerte auch die Frage, warum er das alles eigentlich tat. Mit der Keule jener infantilen Vorstellung von Mut, Männlichkeit und Identitätsfindung erschlug er diesen Vorwurf, der aber anscheinend unsterblich war und immer wieder aufstand. Beschämt sah er sich in diesen Sekunden des Schweigens als jemand, der durch Überreaktion genau das Gegenteil von dem erreichte, was er so verzweifelt beweisen wollte: er selbst zu sein! Hielt er den Klumpen Wut im Bauch nicht künstlich zusammen, damit er das darunter lagernde Mitleid erdrückte?

Nein! Das war wirklich zuviel! verspottete er seine Gefühlsduselei. Mitleid mit dieser Kreatur, die selbst so lange die Macht ... Er war wieder beim Thema, spürte, daß er das Schweigen des Gefangenen nicht mehr lange ertrüge. Und als habe auch er das begriffen, begann Aiger endlich zu sprechen. Ein Schauer schüttelte dabei seinen Körper. Er allein wußte, ob der kühler gewordene Nachtwind durch seinen dünnen Baumwollpyjama drang oder sein seelischer Zustand die Ursache war.

»Ein geheimer CIA-Bericht brachte McGill auf den Gedanken, das Problem der Welternährung für seine Zwecke zu nutzen. Nicht als Philantrop, als Menschenfreund. Der Weltgetreidemarkt schert sich wenig ums Überleben Hungernder und um Entwicklungsstrategien besorgter Experten. Er gebraucht sein Monopol zur Marktmacht über Preise.

Die CIA empfahl der Regierung der Vereinigten Staaten vor mehr als zwanzig Jahren, aus Getreide die Waffe der Zukunft zu schmieden. Ende der siebziger Jahre war die Stellung der USA als Nahrungsexporteur nahezu monopolartig. Die Zwerge Kanada und Argentinien blieben noch knapp im Geschäft. Senator Humphrey faßte damals bei einem Bankett die CIA-Empfehlung so zusammen: Für ihn sei das eine gute Nachricht, wenn Länder in die Abhängigkeit der USA gerieten, weil nur sie ihre Ernährung garantieren könnten. Eine großartige Sache nannte er das. McGill, bei dem Bankett ebenfalls anwesend, war derselben Ansicht.

Ich weiß nicht, wieviel Sie über McGill wissen. Jedenfalls veranlaßte ihn der CIA-Bericht, unter Einsatz aller Kapitalien seines Chemieunternehmens CONvax, die Getreidefirma Fergusson zu kaufen. Wir sind kein Staatshandelsland, und jedem war es klar, daß die Getreideoffensive nur über private Syndikate gestartet werden konnte. Damals teilten sich sechs Unternehmen den amerikanischen Markt. McGill regelte das Problem teils durch Übernahme, teils durch geheime Absprachen, solange ein Konkurrent seinem finanziellen Druck widerstehen konnte. Zum Schluß schluckte er sie alle, auch wenn er ihnen nach außen hin einen scheinbar unabhängigen Firmenmantel ließ. Damit deckte er seine zentralistische Politik zu, so gut, daß nicht einmal ein Untersuchungsausschuß des Senats uns etwas nachweisen konnte. Die Sache lief ein Jahrzehnt hervorragend. Aber Unternehmer sind nicht die Idioten, wie kommunistische Politik sie immer in der breiten Öffentlichkeit verteufelt. Nicht nur Umweltschützer kamen dahinter – auch wir merkten, daß Raubbau, Luft- und Wasservergiftung den Planeten zu verwüsten drohen. Aber im Gegensatz zu den grünen Klageweibern unternahmen wir etwas. Einige Staaten hatten sogar schon vor uns damit begonnen, nämlich sogenannte Gen-Banken einzurichten, wo Samen von aussterbenden Pflanzen gehortet wurden. Was sie taten, war jedoch nichts gegen den universalen Stil, mit dem wir genetisches Material in unseren Kühlhäusern einlagerten. Weizen kann bei sachgerechter Behandlung vierhundert Jahre keimfähig bleiben; Gerste schätzungsweise sogar dreißigtausend Jahre, denken Sie nur an die Funde in den Pyramiden. Bei Mais ist das schon schwieriger, der muß alle drei Jahre auskeimen.«

Mit hartem Auflachen unterbrach Aiger seinen Bericht. Veren zuckte zusammen, auch Corall erschrak überrascht.

Keiner hatte eine solche Unterbrechung erwartet. »Was ist ...?« fragte Veren verständnislos.

»Ich stellte mir eben nur McGills Gesicht vor, wenn er mich in dieser Situation reden hörte«, sagte Aiger, gar nicht fröhlich. »Wir pflegen sonst nicht so offen unsere Geschäftsgeheimnisse auszuplaudern, erst recht nicht zur Information fremder Geheimdienste, denn von der Konkurrenz können Sie nicht sein, wir haben praktisch keine.«

»Machen Sie sich keine Sorgen, wem Sie was erzählen! Erzählen Sie nur ruhig weiter.«

»Was wollen Sie dann mit diesem Wissen anfangen – es der Presse verkaufen?« Der letzte Satz klang sehr erstaunt, so als wäre er jetzt auf der richtigen Spur, und seine nächsten Worte unterstrichen diesen Verdacht: »Sind Sie etwa Reporter? Arbeitet die Presse jetzt schon mit solchen Methoden? Alles was ich bisher gesagt habe, wissen noch mindestens fünfzig andere auch. Aber was ich nun berichte, macht den Kreis kleiner, lenkt auch auf mich Verdacht. Wenn Sie mir schon nicht verraten, wozu Sie meine Enthüllungen verwenden, versprechen Sie mir wenigstens Anonymität! Veröffentlichen Sie Ihr Wissen, bitte so, daß keine Rückschlüsse auf mich gezogen werden können! Garantieren Sie mir das?«

Die Angst pulsierte in ihm, brachte das Blut in den Schläfen zum Pochen. Er meinte, die drei anderen müßten es hören. Auf Zeit spielen! pochte es. Irgend jemand wird merken, daß ich verschwunden bin, man wird Alarm geben, mich suchen. Vielleicht geschieht auch etwas anderes, hilft ein glücklicher Zufall, daß die Streifen kommen!

Ernsthaft mochte er seinem Glück nicht vertrauen. Die Angst schwoll noch weiter an, überspülte ihn mit Hoffnungslosigkeit. Was konnte man von einem Pakt mit berufsmäßigen Killern erwarten? Er konnte zum Wohle des Konzerns schweigen, dann brachte man ihn um. Was war damit gewonnen? Er haßte McGill, schob ihm die Schuld an seiner verzweifelten Lage zu. Er, der beneidete McGill-Mann – dank seiner stolzen Position jetzt das mißhandelte Opfer. Er haßte McGill plötzlich aus ganzer Seele. Er würde reden, verdammt noch mal, vielleicht ließ sich das Schicksal betrügen. Solange er ihnen etwas erzählte, würden sie ihm nichts tun. Hatte er Glück, kam er möglicherweise doch aus dieser tödlichen Klemme heraus. Dann würde sich alles andere finden. Geheimnisverrat! Na und? Ein sinnloser Vorwurf, wenn er dafür weiterleben konnte. Er mußte sich zum Zwangskomplizen dieser Burschen machen, jedenfalls in Grenzen.

Sein so zusammengebasteltes Alibi für weitere Aussagen machte ihn wieder etwas ruhiger.

Diesmal übernahm Corall das Antworten: »Wir sind weder von der Presse noch Mitglieder eines Spionagerings. Jeder von uns wird, ohne jede Quellenangabe gebrauchen, was Sie sagen.«

Wozu würden sie es überhaupt gebrauchen? ergänzte Corall schweigend. ›Ihr seid viel zu klein dafür‹, hatte der Gefangene gehöhnt. Wie ein Peitschenschlag hatte ihn das getroffen. ›Nichts wirst du gegen McGill ausrichten können.‹ Hatte das nicht auch sein Onkel prophezeit? Es konnte, es durfte nicht die Wahrheit sein. Niemand weiß, was ›gut‹ ist, nicht einmal die sechsunddreißig Gerechten des Talmud. Das hier mußte gut sein, mußte zumindest über eine schlechte Tat zu einem guten Zweck führen. Unbewußt stöhnte er auf, alle blickten ihn an, auch der Gefangene. Wütend über die gezeigte Schwäche, fuhr er den Amerikaner an:

»Nun reden Sie endlich weiter! Was sollen diese ständigen Verzögerungen? Wollen Sie uns an der Nase herumführen?«

Beinahe hätte er seiner Aufforderung noch mit einem Faustschlag Nachdruck verliehen, nur um den starken Mann wieder hervorzukehren, aber das spöttische Lächeln Verens hielt ihn ab. Aiger spürte auch so die Gefahr neuer Gewalttätigkeiten. Doch während die Furcht vor Schlägen in ihm aufkeimte, dankte Corall im stillen für den nicht ausgesprochenen Tadel. Er wollte nicht brutal sein, wirklich nicht, es kam so über ihn, vielleicht aus Unsicherheit. Veren hatte nur allzu recht: ›Wer Gewalt einsetzt, wird am Ende selbst das Opfer seiner Praktiken, verroht, ohne es zu begreifen.‹

›»Ja, ja«, beschwichtigte der Amerikaner, verschluckte sich fast vor ängstlichem Eifer, »ich bin schon wieder beim Thema. Vor fünf Jahren kamen unsere Wissenschaftler und sagten, man könne das Überleben der Flora nicht nur in der Konservendose sichern. Sie schlugen biosphärische Reservate vor, die weitgehend noch mit den intakten Wawilowschen Zonen in Asien, Afrika und bei uns identisch waren. Vor etwa vier Jahren entdeckte Gern Bossart die Zea diploperennis. Der Weizen würde bald tot sein, das ahnten wir schon damals, die Gen-Banken waren eine unsichere Zukunftsinvestition. Da kam McGill auf den Gedanken, das unersetzliche Naturgebiet hier auf Yukatan zu annektieren. In einer beispiellosen Kampagne hievte er meinen Kollegen John Gershwin auf den Präsidentenstuhl im Weißen Haus. Für nettes Urwaldgrün hätte die amerikanische Öffentlichkeit unsere Boys allerdings niemals nach Mexiko geschickt. Im Kampf gegen kommunistische Wühlarbeit aber, zur Sicherung unserer Ölressourcen, da durfte man durchaus marschieren. Der wirkliche Grund aber war die Sicherung der Herrschaft über dieses biosphärische Reservat und seine ungeahnten Möglichkeiten, denn hier ist die Urheimat des Mais und seiner Variationen. Nirgendwo sonst auf der Erde hat man noch Zugriff auf diese Pflanze in ihrer Urform. Ein Garten Eden, sagte ich vorhin, verschlossen für alle von außen drohenden Gefahren, auch gegen Konkurrenz, ein Paradies, auch für das Geschäft.«

Aiger schwieg. Auch die anderen sagten nichts. Schließlich schüttelte Veren den Kopf. Eine Geste, wohl zur Angewohnheit geworden, wenn er mit sich selbst zu Rate ging und zu einem negativen Ergebnis kam.

»Freundchen«, begann er wieder, »das kann nicht alles sein. Das rechtfertigt nicht die strenge Bewachung.«

»Vor dem Paradies stand auch ein Engel mit dem Flammenschwert«, erwiderte der Gefangene keck.

Veren schlug ihn, ohne einen Ansatz seiner Absicht zu zeigen, auf die Nase. Der Getroffene brüllte auf, bäumte sich im Sand wie ein Fisch auf dem Trocknen. Corall packte ihn und drückte ihm die Schultern auf den Boden. Stöhnend betastete sich der Geschlagene die Nase. Veren riß ihm die Hände vom Gesicht, die Nase war nur noch ein blaurot verschwollener Klumpen, aus dem in zwei breiten Bahnen das Blut gleichmäßig zu den Mundwinkeln lief.

»Unser Pakt lautet, daß wir ehrlich miteinander reden«, dozierte er mit derselben ruhigen Stimme wie zuvor. Dabei hielt er die linke Hand des Amerikaners fest. Es knirschte nur, als er ihm den Ringfinger brach.

Corall packte das Grauen. Er wußte nicht, ob er es wirklich durchstehen würde. Da sah er Marjams prüfenden Blick auf sich gerichtet. Der Schrei des Gefolterten drang in ihn wie ein Messer. Dem Schmerz des Taek Wo Dan hatte er in den Bergen standgehalten, wenn ihn die Trainingspartner ›A ki‹ zusammenschlugen. Hier mußte er genauso standhalten. Dies war kein Spiel mehr, dies war Ernst, bitterer als der Kampf im Palast der Kleinen Göttin. Dies war Bewährung, nicht Mut, nicht Identitätssuche – Bewährung!

Er blickte Marjam an, der zur Ermutigung einmal langsam die Lider über die Augen senkte. Corall deutete die Geste als: ›Laß ihn machen!‹ Und er nickte zurück mit scheinbar steinernem Gleichmut, so gut er ihn schauspielern konnte. Es war ja nur ein Vizepräsident McGills, ein böser Mensch, das wollte er jedenfalls glauben.

»O Gott!« schrie der Gefangene. »O mein Gott! Laßt mich, laßt mich!«

»Dann sagen Sie die Wahrheit!« verlangte Veren ungerührt und brach ihm mit dem gleichen Geräusch den kleinen Finger.

Das Entsetzen, der Schock machten den mißhandelten Mann für Augenblicke stumm. Es war der Moment, da sich das Wort ›Gewissen‹ wie ein Ballon in seinem Hirn ausdehnte, riesig wurde, alle Logik, Ausflüchte, Entschuldigungen an den Rand quetschte und ganz allein sein Begreifen ausfüllte. Die Mischung aus Schmerz und Selbstmitleid erzeugte einen ihm unbewußten Masochismus. Er war schuldig geworden, das fühlte er, das allein war die Wahrheit; er war schuldig geworden, nicht vor einem imaginären Gott, sondern schuldig an den Menschen und an der Welt.

Langsam zog er die verstümmelten Finger aus der Hand des Peinigers. Der Ausdruck seiner Augen entzog sich normaler Deutung. Das Blut aus der zerschlagenen Nase begann auf den Boden zu tropfen, als er sich aufsetzte, den undeutbaren Blick in die Ferne gerichtet und mit großem Ernst sagte: »Ich bin schuldig geworden.«

Eine ungeheure Erleichterung breitete sich nach diesem Geständnis als Ruhe in seiner Seele aus. Er nahm den Schmerz der Folter auf sich, begriff nun, warum er so leiden mußte, unterwarf seinen Körper willig der Buße.

Sein Bekenntnis traf die Entführer unvorbereitet, und Corall dachte: Jetzt ist er endgültig verrückt geworden. Was der Mann dann sagte, ließ ihm den Atem stocken.

»Wir haben die Welt vergiftet.«

Obwohl diesem Satz zunächst keine Erklärung folgte, wußte Corall sofort, daß er sich auf die Giftanschläge im Himalaja, in China und Afrika bezog. Chien-Nu, Ketjak – der Gedanke lähmte ihn. Wunsch und Angst, die Wahrheit zu erfahren, hielten sich die Waage. Mit jedem Zeitquant, das den Wunsch nach Wahrheit beschwerte, wuchs aber auch sein Haß, artikulierte sich, artikulierte sich zuerst in einem hervorgestoßenen: »Reden Sie!«

Aiger schien ihn gar nicht zu hören, schien überhaupt seine drei Schergen vergessen zu haben. Aber er begann zu sprechen, so als kläre er laut einen Denkprozeß, als rede er nur mit sich selbst oder einem unsichtbaren vierten Mann.

»Es war eine furchtbare Entscheidung, doch die Idee ist vom geschäftlichen Standpunkt grandios. Logisch, drängt sich einfach auf. So einfach, so schrecklich und so genial! Sie sichert uns endgültig das Monopol künftiger Neuzüchtungen und damit die Macht, praktisch den gesamten Getreidehandel der Welt zu kontrollieren, denn in Zukunft lebt die Menschheit fast ausschließlich vom Mais, dessen Saatgut nur noch hier auf Yukatan regeneriert und verbessert werden kann. Nirgends auf der Erde existieren sonst noch Wildformen dieser Pflanze. Der Tod fremder Biosphären verhindert, daß anderswo ein Konkurrenzgetreide entwickelt wird. Die Schöpfung lebt nur noch hier, sie gehört McGill, die Schöpfung gehört McGill, macht ihn zum Herrn der Welt. Eine schreckliche Tat, aber im Interesse der Sache notwendig.«

Jetzt begriff auch Veren.

»Was denn, ihr habt die Wawilowschen Zentren am Horn von Afrika, im Himalajagebiet und in China vernichtet?«

Aiger starrte weiter in die Ferne, antwortete mit pastoral singender Stimme, die er schon den Schlußsätzen seiner Beichte unterlegt hatte: »Ein fürchterliches Verbrechen, nicht wahr? Es sind so viele Menschen dabei gestorben.«

Dieser leicht abwesende, ja beleidigend unbeteiligte Singsang brachte Corall vollends zur Raserei. Er packte den Kopf des Gefangenen, schüttelte ihn wie wahnsinnig, wobei er immer wieder schrie: »Was habt ihr getan? Was habt ihr getan?«

Sie waren in diesem Moment eine schmerzverschworene Gemeinschaft, schuld am Elend der Welt und gleichzeitig darunter leidend. »Lassen Sie mich los!« Gurgelnd kamen die Worte von den Lippen des Gepeinigten. Veren, der ebenfalls Sorge hatte, Corall könnte den Amerikaner zu früh umbringen, riß ihn an den Schultern zurück. Kaum befreit, sank Aiger wimmernd zusammen. Der Kopf fiel ihm auf die Brust, die Schultern sackten nach vorn. Die masochistische Euphorie stürzte in jene unbekannten Seelentiefen zurück, aus denen sie so unvermutet aufgestiegen war. Zurück blieb ein willenloser Mensch, der letzten Stütze beraubt, dem Glauben nämlich, sein Leiden könne wenigstens einen persönlichen Sinn haben.

Corall sprang auf. Er mußte seinen Haß in Bewegung umlenken, sonst hätte er sich doch noch an dem Mann vergriffen. Er sah aber ein, daß nur ein lebendiger Vizepräsident Aussagen und Geständnisse lieferte, die ja der Sinn der ganzen Aktion waren. So rannte er mit schnellen, kurzen Schritten die kleine künstliche Lichtung auf und ab, die als Wachen verkleidete Komplicen mit der Machete ins Maisfeld geschlagen hatten.

Dem ›Warrior‹ kam das entgegen. Coralls disziplinlose Haltung widerte ihn an. Da mußte Gilda eine völlige Fehleinschätzung unterlaufen sein. Wahrscheinlich trübte ihr privates Verhältnis das Urteilsvermögen. Am liebsten hätte er ausgespuckt. Ein Laie und dieser undurchsichtige, zurückhaltende Nepalese. Besser hätte er zwei von seinen Leuten mitgenommen. Aber das ließ sich jetzt nicht mehr ändern. So wandte er seine Aufmerksamkeit wieder dem zum zweiten Mal demoralisierten Opfer zu. Ein schwieriger Fall, aber eigentlich nur schwierig gemacht durch diesen Jungen, der seine Unsicherheit hinter sinnlosen Brutalitäten versteckte. Ein Mann mit Erfahrung und Verstand in solchen Verhören setzte Grausamkeit kühl und ganz gezielt nur dann ein, wenn er sicher war, den psychologisch richtigen Zeitpunkt zu erwischen, um das Opfer weich zu machen.

»Kommen Sie, Mensch!« redete er aufmunternd dem stöhnenden Aiger zu, legte ihm wieder den Arm um die Schultern und verfluchte seinen eigenen Zynismus. »Ich kann nicht bis zum Morgengrauen warten und will Ihnen auch nicht alle Finger brechen, soviel Spaß macht mir das nicht. Erleichtern Sie Ihre Seele, wenn Sie sich schuldig fühlen. Empfinden Sie mich als Ihren Beichtvater. Gestehen Sie alle Taten, die Sie bedrücken!«

»Was soll ich noch sagen?« stöhnte Aiger. »Es tut so weh!«

»Mann, je eher wir fertig sind, um so schneller erhalten Sie Hilfe!«

»Hilfe? Ihr bringt mich doch bloß um!« jammerte der Verletzte. Schützend bettete er die gebrochenen Finger in die rechte Hand. Veren überging die pessimistische Äußerung, widersprach nicht, tröstete nicht mehr.

»Der junge Mann zu Ihren Füßen kommt aus Nepal. Er hat die weite Reise gemacht, um zu erfahren, warum ihr dort keine Kornspeicher bauen laßt. Jetzt, da das Getreide auf den Äckern stirbt, haben die Leute keine Chance, den Hunger aufzuhalten, bis Hilfe aus westlichen Ländern kommt. Welche neue Teufelei steckt dahinter? Wem wolltet ihr damit zur Macht im Land verhelfen?«

Aiger hob den Kopf. Die untere Gesichtspartie war mit geronnenem Blut verkrustet. Der schmerzverzerrte Mund, eine schmale Schramme unter der angeschwollenen Nase, schaffte es dennoch, ein heiseres Lachen auszustoßen.

Er war nicht der erste Bursche, den Veren zusammengeschlagen hatte, aber es war der erste, zu dem ein verunstaltetes Gesicht so gar nicht paßte. Der ›Warrior‹ verglich das ursprüngliche Modell, wie er es beim Abendessen im Laborhaus gesehen hatte, mit dem derzeitigen Zustand. Ein distanziertes Gesicht war das gewesen, in den Augen Bewußtsein intellektueller Überlegenheit, die sich wahrscheinlich nur vom Ansehen eines Vizepräsidentenstuhls ableitete; kühle Augen, vor der unmittelbaren Zudringlichkeit der Welt durch eine schmale Hornbrille geschützt; die markant geformte Stirn, gepflegt, leicht glänzend. Ein durch und durch zivilisiertes Gesicht. Nein, diese verquollene Nase, diese schmutzigen Blutreste, dieser verschorfte Dreck um Mund und Kinn paßten einfach nicht.

Manchmal gaben Spuren der Mißhandlung einem Gesicht etwas Männliches, Heldenhaftes, manchmal schufen sie einen Märtyrer. Dieses hier ähnelte nur einem aufgeweckten Kindergesicht, das in den Schmutz gefallen war. ›Mama, komm und wisch mich sauber!‹ Der bösartige Intellektuelle, der mit arrogantem Charme bei Tisch Konversation gemacht hatte, war nach seinem großartigen Schuldbekenntnis jetzt zu einem armseligen Duckmäuser verkommen.

Veren kannte auch dieses Stadium im Verhör, wenn die letzte Barriere der Selbstachtung brach. Dann lachten die meisten, kaschierten ihren Rückzug vor der Gewalt mit höhnischen Aussagen, so als gäben sie ihre Geheimnisse preis, nur um den Gegner zu demütigen. Später bestand man besser vor dem eigenen Gewissen. Veren ließ ihnen immer diesen Glauben; er würde ihn auch Shmul Aiger lassen.

Aiger bröckelte ein Lachen aus dem Hals. Dann krächzte er: »Die Deutschen wollten doch Speicher bauen! Dieser machtgierige Hund Jell Raj Singh hat es verhindert, dieser Premierminister oder was er sonst ist!«

Corall blieb jäh stehen. Marjam riß es auf die Knie. »Welchen Namen haben Sie da genannt?« fragte er, rasch nähertretend.

»Jell Raj Singh! Müßtet ihr kennen, wenn ihr wirklich aus Nepal kommt.«

Corall starrte fassungslos Marjam an; der achtete nicht auf ihn, legte die Hände fest wie ein zweites Paar Fesseln um Aigers Fußknöchel.

»Das interessiert uns, lassen Sie Genaueres hören!« befahl er in seinem Asiatenenglisch, dessen ›R‹ immer einen leichten Anklang von einem ›L‹ mitschwingen ließ.

Wieder höhnte Aiger, den das Reden vom Schmerz ablenkte: »Da kennen die Herren nicht mal den mächtigsten Mann im Land, der so gern noch mächtiger werden möchte. Singh will die Hungersnot, den Aufstand, den er den einzig dort rational denkenden Leuten in die Schuhe schieben will, den Kunsheis. Die müßtet ihr aber kennen, die wahre Elite im Land, von Weißen gescheit erzogene und ausgebildete Asiaten. Der alte Singh will wieder zurück ins Mittelalter, in ein religiöses Staatsgebilde nach buddhistischen Prinzipien; da kann er solche Intelligenz nicht brauchen. Ihm schwebt eine ähnliche Karriere vor, wie sie Ministerpräsident Rana vor hundertfünfzig Jahren machte. Der setzte König Sahi ab und schuf aus seiner eigenen Familie eine Dynastie. Solltet ihr alles wissen, ihr zwei, habt wohl den Geschichtsunterricht geschwänzt!« Er hoffte, mit diesem gleichsetzenden Tadel Coralls Rassismus anzustacheln. Wieder bröckelte sein kaputtes Lachen heraus. Das Atmen fiel ihm schwer durch die verstümmelte Nase. Marjam löste ihm die Hände.

Haltlos sackte er in die Hocke zurück. Der Mann konnte unmöglich lügen, dafür waren ihm zu viele Details geläufig. Der gleiche Gedanke bewegte Corall. In dieser Situation, ganz konzentriert auf den Schmerz, teilweise seelisch zerrissen von Schuldgefühlen, dazwischen von Todesangst gepeinigt, erfand keiner wilde Lügengeschichten, nur um den Gegner zu verwirren, wobei er nicht gewinnen konnte. Corall fühlte sich erschlagen, gedemütigt und verraten; er ging neben Marjam in die Knie.

Den Gefangenen, wieder zu Atem gekommen, erleuchtete eine Erinnerung. Wieder begann er sein holpriges Lachen, das an den Nerven zerrte. Er steigerte es ungeahnt trotz seiner Blessuren, so daß aus dem Bröckeln ein Steinschlag des Lachens wurde, der auf die beiden herunterprasselte, die sich schutzlos duckten, denn was auch immer im Zusammenhang mit dieser bösen Geschichte er noch sagte, es würde sie treffen und verletzen.

»Richtig, richtig! Jetzt, da ich euch beide so richtig sehe, fällt es mir ein. Dann seid ihr also die beiden Narren, die er mit seiner Vorstellung von einem Überfall im Haus der Kleinen Göttin motivierte! Habt ihr das gewußt? Hat er mir alles erzählt, der große Intrigant, Teufel ...« Er unterbrach sich, kein Lachen mehr, nur hassende Nachdenklichkeit. »Dann hat er euch also geschickt, um mich über den Mais zu verhören? Was soll dieser Schachzug? Wir waren doch klar!« Er stöhnte auf, bei einer ungeschickten Bewegung der rechten Hand hatte er die gebrochenen Finger berührt.

»Ich will es dir sagen«, flüsterte Corall vorgebeugt Marjam ins Ohr. »Wir waren sein Alibi für Ketjak. Sein Nachweis, daß er angeblich versuchte, den Kunsheis auf die Schliche zu kommen. So schlug er zwei Fliegen mit einer Klappe, hielt Ketjak und dessen Leute bei der Stange, indem er sie von seinem Kampf gegen die Kunsheis überzeugte, machte Ketjak damit zum willigen Werkzeug seiner Umsturzpläne. Und als brauchbares Nebenergebnis unserer Reise erhoffte er weitere Informationen über den neuen Mais und erste Kontakte für rettende Nahrungsmittelhilfen aus der Bundesrepublik. Übernahm er mit Ketjaks Unterstützung die Macht, mußte schließlich etwas gegen den von ihm mitverschuldeten Hunger getan werden. Mit den Kunsheis besaß er einen glaubhaften Sündenbock für alle Unbill nach seiner Machtergreifung.«

»So ist es wohl, Bruder«, knurrte der Samurai. »Er wird es uns büßen!« Keine Regung in der Haltung, kein Mienenspiel verrieten seine Wut, er war Herr über seine Gefühle. Beneidenswert! dachte Corall. Doch der Haß des Asiaten flutete wie eine Welle auch in sein Empfinden, baute einen

Schirm geballter Energie, der wieder jenen unsichtbaren Abstand zwischen Marjam und seiner Unwelt schaffte, den Corall schon gespürt hatte, als er Marjam zum ersten Mal in Katmandu begegnet war.

»Jetzt weiß ich auch«, fuhr der Deutsche flüsternd fort, »warum dein Onkel damals ohne jede Erregung unserem Duell mit diesen Burschen zusehen konnte. Wie ein Ölgötze saß er da, keinerlei Angst, dabei wäre ihm auch einiges passiert, wenn wir den Kampf verloren hätten. Die Kerle kannten ihn doch nicht als ihren Auftraggeber. Ich erinnere mich, nachher ein Geräusch gehört zu haben, so als hätte noch jemand im Raum auf der dunklen Seite gestanden. Natürlich war da jemand – vielleicht sogar mehrere Männer, seine Leibwache! Die hätten den Kerl schon beschützt, wenn wir mit seinen Killern nicht fertiggeworden wären. Ich fand ihn gleich zum Kotzen, als ich ihn im Hof der Göttin sah!«

»Auch ich war damals mißtrauisch, was diese Vorstellung sollte«, ergänzte Marjam. »In solchen Dingen haben sie nämlich Übung. Erinnerst du dich an den Überfall während deines Aufenthalts in Ketjaks Lager? Der war auch fingiert. Ketjak schickte einen seiner Bauern, erstens um deinen Mut zu prüfen und zweitens um deine Dankbarkeit zu gewinnen. Der Mann wurde gar nicht von Ketjak getötet, er verschwand einfach so lange aus dem Dorf, wie deine Entführung dauerte und du oben in den Bergen warst.«

Corall traf es wie ein Schlag, aber dies war nicht der Augenblick, Enttäuschung zu beweinen. Ketjak hatte ihn hintergangen, genaugenommen betrogen – na und? Wegstecken, runterschlucken, nicht jetzt darüber nachgrübeln! Es war ja für einen anständigen Zweck geschehen. War es das? Corall merkte, daß zuviel auf ihn niederstürzen würde, wenn er diese Schleuse offen ließe, nicht schnell ein Wehr davor setzte, das Wehr des Vergessens. Dann würde ihn das alles verschütten und fortspülen, würde er in einem Meer von Verzweiflung und Selbstmitleid ertrinken.

»Das ist allerdings eine böse Überraschung!« lachte Veren schadenfroh. Den Dialog der beiden hatte er nicht verstanden, aber was Aiger gesagt hatte, reichte schon. Das gönnte er dem albernen Möchtegern-Abenteurer. Diese Niederlage vernichtete dessen ganze Mission und machte den Mann für seine eigenen Pläne eigentlich überflüssig. Ihm war es jetzt egal, ob der Gefangene merkte, wie hier ein Zwiespalt zwischen seinen Feinden aufbrach. Der Kerl war sowieso leergepumpt, da kam nicht mehr viel, das ahnte er aus Erfahrung. Aber er hatte reichliche Informationen bekommen, der Bursche konnte abserviert werden. Offen blieb nur, wie weit die Gemeinsamkeit mit den anderen noch gehen sollte. Das mußte morgen entschieden werden, wenn das Attentat entdeckt wurde.

Die Informationen dieses Vizepräsidenten waren für die weltweite Propaganda von Greenpeace unbezahlbar. Er sah die Schlagzeilen schon vor seinem inneren Auge: ›Asien vergiftet! Amerikanischer Großkonzern gibt Dritte Welt dem Hunger preis!‹

Nicht gleich in Amerika, da würden sie nur indirekt wirken. Aber in Europa und von da ausstrahlend nach Asien und in die sozialistischen Länder und dann doch zurück in die Staaten. Das würde einen Wirbel geben!

Er lenkte seine Aufmerksamkeit noch einmal auf den gequälten Vizepräsidenten.

»Eine Frage ist noch offen, mein Freund«, sagte er gleichmütig. Das jammernde Opfer betrachtete ihn mit weitaufgerissenen Augen. Nach dem kurzen Triumph über zwei seiner Peiniger war er wieder in seinen Schmerz versunken. Auch Corall und Marjam hörten wieder interessiert zu.

»Sie haben vorhin von Gen-Banken gesprochen, von Kühlhäusern, in denen konservierte Samenkörner den Umwelttod der Mutterpflanzen überleben sollen. Das haben Sie zwar nicht als ideale Lösung beschrieben, trotzdem aber bestehen diese Depots. Wie will sich McGill zum Brotgeber – oder wohl besser zum alleinigen Maisgeber der Welt machen, solange diese Konkurrenz im Geschäft mitmischt?«

Der Gefragte schüttelte mechanisch den Kopf. Sein Gebaren ähnelte dem eines Irren, fand Corall erneut.

»Es gibt keine Konkurrenz«, sagte der Amerikaner

schwerfällig, und irgendwie klang es wieder stolz. Der letzte Trumpf, den der Todeskandidat noch ausspielen konnte: sein Wissen. Er wußte! Geradezu pervers schien er jetzt die tragische Tatsache zu genießen, der wahre Mittelpunkt in diesem Drama zu sein. War das noch normal? Nichts mehr sonst war ihm geblieben als das Wissen. Er spielte nicht mehr auf Zeit. Er glaubte nicht mehr an Rettung, es nutzte nichts mehr zu schweigen. Die hier wollten kein Lösegeld, die wollten Sicherheit. Er war verloren, aber er besaß noch immer etwas, was sie auch wollten, was ihn wichtig machte: Informationen! Und mit diesem Schatz kaufte er Selbstbewußtsein zurück. Großzügig streute er ihn aus, sie sollten alle sehen, wer er gewesen war, wie mächtig, wie eingeweiht. Es gab nichts zu bereuen, alles war wichtig gewesen, sogar entscheidend, woran er mitwirkte, und eine letzte Entscheidung träfe er hier, indem er redete und damit verbarg, was wirklich geschehen sollte. Das krönte sein sinnvolles, bedeutendes Leben!

Er dachte dies alles, als hielte er seine eigene Grabrede, und in einer Vision sah er als flüchtiges Bild die sechzehn Vizepräsidenten und McGill in der Mitte, stehend versammelt um den schweren hölzernen Tisch im New Yorker Konferenzraum und seiner in einer kurzen Schweigeminuten gedenkend, bevor sein Nachfolger eingeführt wurde.

»Oh, mein Gott!« entlockte ihm diese schemenhafte Vision. Veren drängte ihn:

»Warum sind diese Gen-Banken keine Konkurrenz?«

Aiger riß sich zusammen, wollte nicht mehr die Fassung verlieren, so wie er es eben beschlossen hatte. Im Gegenteil, er würde jetzt bis zum Schluß Haltung wahren, weil er sich das schuldig war. Also verdrängte er das gräßliche Bild und sprach mit möglichst fester Stimme:

»Wir haben einen Spezialisten vor einiger Zeit angesetzt. Bis auf die Präparate in Moskau sind die wichtigsten Speicher in Jugoslawien, Nationalchina und Kanada vernichtet. Außerdem lagert Mais sich schlecht. Ich sagte es schon: Nach vier Jahren ist er kaputt; wenn er immer wieder auskeimt, haben ohne Neueinkreuzung die Schädlinge nach zehn Jahren seine Abwehrgene im gegenwärtigen Saatgut überwunden.«

»Ihr Teufel!« murmelte Corall, aber Aiger hatte es gehört. Wieder ertönte sein meckerndes Lachen, bröckelte aus dem blutverkrusteten Mund. »Geschäft, was wollen Sie? Das ganze Land ist ein Geschäft um Macht und Fressen!«

»Was tun wir jetzt mit ihm?« fragte Corall. Es bedurfte nicht des spöttischen Lächelns um Verens Lippen, er wußte selbst sofort, wie naiv und rhetorisch, nein, wie dumm diese Bemerkung nicht nur dem Widersacher gegenüber war. Auch Marjam runzelte die Brauen.

»Es bleibt wohl nur die Frage, *wer* es besorgt«, meinte Veren ironisch. »Wollen Sie es übernehmen?« Und er reichte Corall das breite zweischneidige Messer, mit dem er vorhin Aigers Fesseln durchgetrennt hatte. Doch in der Bewegung, noch bevor Corall Zeit fand, auch nur den Atem anzuhalten, eine Entscheidung zu treffen oder mit abwehrender Geste die Henkerstat von sich zu weisen, kehrte Veren blitzschnell die Stahlklinge um. Fast ohne hinzuschauen, hieb er dem Vizepräsidenten das Messer in den Hals, stützte gedankenrasch den linken Arm auf den Brustkorb des Mannes und zog die Scheide auf sich zu. Es krachte dumpf. Im Sterben bäumte sich Aiger auf, er röchelte, Arme und Beine zuckten wild.

Marjam sprang zurück, Corall wurde übel, aber er erbrach sich nicht, wandte sich nur ab.

Welcher Wahnsinn! dachte er entsetzt. Welcher Wahnsinn! Möge diese Tat nicht über mich kommen! Aber was soll diese Formel? fragte er sich gleich danach erschrocken. Schweißnaß die Stirn, mit dem Erbrechen kämpfend, wußte er genau, was er meinte, leugnete aber. Wollte leugnen, hier christliche Sühnegedanken mit schlimmem Schuldbewußtsein zu verquicken. Das ist kein Spiel mehr, fuhr es ihm durch den Kopf, ohne daß er daraus eine Schlußfolgerung ziehen konnte. Hinter ihm starb ein Mann. Ein böser Mensch. Beweisbar ein ganz böser Mensch. Jetzt aber, in diesem Moment seines Todes, war er nur noch ein Mensch.

Schwach, vielleicht schmerzgequält, schlicht ein Mensch, und er hatte nicht einmal eine Chance erhalten, wie etwa der Kämpfer im Haus der Kleinen Göttin, der sein Schicksal mit zwei Fäusten verteidigte. Hier starb ein wehrloser Mensch, und niemand wußte, der es nicht selbst erleben mußte, was das hieß und wie lange es dauerte: Sterben!

Alle drei hatten sich abgewandt, sie hörten das Scharren entweichenden Lebens. Dann wurde es stiller, schließlich ruhig. Corall versuchte seine Gedanken zu vergessen, aber immer noch beherrschte ihn die Frage: Was und wie lange hatte es der Mann gespürt? War er gleich tot, als ihm der Stahl die Kehle durchtrennte, oder hat er sehr gelitten? Konnte der Verstand über lange Sekunden hinaus noch erfassen, was seinem Körper geschah, und daran leiden, auch wenn sich keine körperlichen Funktionen mehr unter Kontrolle halten ließen? Jemand hatte ihm erzählt, oder hatte er es gelesen, daß die großen grauen Zellen, die für den Denkvorgang so wichtigen Neuronen, es sieben Sekunden ohne Sauerstoff aushielten, bevor sie starben. Nicht auszudenken: sieben Sekunden, welche Zeit! Er hielt die Luft an und zählte: Einnnundzwannziiig ... Siebenmal.

Das lenkte ihn von seiner schrecklichen Umgebung ab, aber die Flucht gelang nicht lange. Er rief sich selbst zurück. Es ging ihm besser, die Übelkeit war gewichen. Er konnte sich sogar umdrehen und die Leiche betrachten, als Letzter.

Ich werde hart werden oder in ständiger Angst vor irrationaler Vergeltung leben müssen, mahnte er sein angeknackstes Selbstvertrauen. Flüchtig streifte sein Blick die schattenhafte Gestalt gegenüber. Der Mörder stand mit gesenktem Kopf vor seinem Opfer, das Messer lag vor seinen Füßen, es sah aus, als betete er.

Corall betrachtete die Szene nur kurz, schloß dann die Augen, um den Toten nicht mehr zu sehen. Eine tiefe Dankbarkeit erfüllte ihn, Dankbarkeit Veren gegenüber, daß er ihn nicht gezwungen hatte, das Gesicht zu verlieren, oder womöglich doch die schreckliche Tat auszuführen. Er konnte – jedenfalls in diesem Augenblick – keinen Abscheu vor dem Mann empfinden. Im Gegenteil, er erschien ihm geradezu gewaltig, eine Person von Charakter, der ohne Zeichen von Schwäche seine Ziele bis zum Ende verfolgte. Der spielte ganz gewiß nicht oder hatte es längst aufgegeben. Ob das tatsächlich beneidenswert war, wollte und konnte er wohl auch nicht in dieser Minute entscheiden.

Ein schmaler, heller werdender Lichtstreifen am Horizont kündigte den Morgen an.

Die Abwesenheit des Vizepräsidenten wurde zur Frühstückszeit bemerkt. Befremden war die erste Reaktion, aber noch keine Unruhe. Das Bett war benutzt. Die Kleider lagen erstaunlicherweise über dem Stuhl, aber er konnte andere aus seinem Koffer genommen haben. Schlief er ohne Pyjama? Jedenfalls wurde keiner gefunden. Man nahm an, Aiger sei wohl spazierengegangen oder gelaufen, und das sehr früh, denn niemand hatte ihn gesehen, niemand war ihm begegnet.

Der erste Termin, für neun Uhr angesetzt, verstrich, der hohe Gast fehlte. Man begann nachzuforschen. Col Hammerstein wurde nervös, was allerdings nur ein paar unordentliche Haarsträhnen verrieten.

Auch Corall packte die Unruhe. Er saß mit Marjam, der keinerlei Erregung zeigte, im Laborgebäude und wartete – vorgeblich wie alle anderen auf das Erscheinen von Shmul Aiger. Innerlich verkrampfte er sich immer stärker. Nur mit Mühe hatten sie es geschafft, mit den letzten Fetzen der Finsternis ihre Zimmer zu erreichen, wobei ihnen auch nur half, daß Verens Komplizen die Wache im Dorf übernommen hatten.

In dem Maß, wie Corall versuchte, gefaßt zu erscheinen, und dauernd darüber nachdachte, welche Reaktion wohl die glaubwürdigste sei, wenn man die Leiche fand und die Untersuchung begann, fühlte er sich wie ein ertappter Schuljunge, der wegen mangelnder Kaltblütigkeit alles verderben würde. Dabei wiederholte sein Verstand ähnlich einer Gebetsmühle ständig die Anweisung des ›Warriors‹: ›Natürlich bleiben, einfach den spontanen Gefühlen folgen. Niemand von uns ist verdächtig, wir kommen als Täter genauso in Frage wie mindestens fünfzig andere auf der Station. Wer hat schon ein Alibi im Schlaf?‹

›Natürlich bleiben‹! Das stimmte sicher, bloß wie blieb man das in einer solchen Situation? Die Angst ließ sich von logischen Gründen nicht überzeugen, sie würgte ihn mit jeder Minute stärker. Er fühlte sich in der Falle sitzen. Bloß keine Panik! mahnte er seine flatternden Nerven. Sei verdammt noch mal ein Kerl, der Kerl, der du in Nepal im Lager und im Palast der Kleinen Königin zu sein vorgabst.

Das Schlimmste war: Er fühlte den fatalen Wunsch, alles ungeschehen zu machen, was passiert war, und diese Vorstellung erschien ihm gleichzeitig als der Gipfelpunkt ekelerregender Schwäche. Verstiegen sich seine Gedanken so weit in ihrem Kreislauf, fühlte er seine Beherrschung tatsächlich dicht vor dem totalen Absturz. War er in Wahrheit wirklich nur ein Feigling? Irrten sich jene, die Vertrauen in seine Stärke gesetzt hatten? Ketjak, Gilda? Hatte er es ihnen allen nicht zeigen wollen und auch seinem Onkel? »Scheiße!« sagte er halblaut, stand auf und ging zum Fenster. Marjam folgte ihm. Die Erinnerung an Ketjak und Gilda gab ihm wieder etwas von seiner Zuversicht zurück. Er atmete kräftig durch, das stärkte auch seine körperliche Verfassung. Er spürte Marjams leichte Berührung an der Schulter.

»Du mußt dir keine Sorgen machen, Bruder«, sagte der Nepalese in seinem leicht singenden Deutsch. »Du hast deinen Schatten, er wird dich vor allem schützen, das habe ich geschworen. Kommt es ganz schlimm, werde ich alle Schuld auf mich nehmen.«

Corall fühlte, wie sein Gesicht rot anlief. Er schämte sich, schämte sich unsäglich. Marjam hatte es also gemerkt und erklärte ohne große Worte, ganz selbstverständliche persönliche Opferbereitschaft. Wie schändlich benahm er sich selbst!

Er blickte weiter starr durch die große Scheibe auf die endlosen Maisfelder, zwischen deren Stauden irgendwo die Leiche lag.

»Unsinn!« sagte er rauh, fühlte sich aber gleichzeitig ungeheuer erleichtert. »Glaubst du im Ernst, ich will mich drücken? Hältst du mich für so feige?« Dann besann er sich aber, keine allzu großen Worte zu machen, fand sogar die Kraft, dem anderen in die Augen zu blicken, und sagte:

»Danke, es geht schon wieder und jetzt erst recht. Ich habe tatsächlich etwas gesponnen, das ist jetzt vorbei, bestimmt! Glaubst du mir?« fügte er bittend an.

Marjam nickte mit großem Ernst: »Ich glaube dir. Du solltest stolz sein, wir haben mehr als unseren Auftrag erfüllt.«

Doch diesen Optimismus konnte Corall nicht teilen, ganz und gar nicht. Nach dem, was er gestern nacht gehört hatte, vor allem nach dem wahrscheinlichen Tod Ketjaks, sah er die Mission als gescheitert an. Aber er schwieg.

Sie hatten mit Veren vereinbart, Kriegsrat zu halten, wenn der Tote gefunden worden war. So lange hieß es abwarten.

Als der Vizepräsident um elf immer noch nicht auftauchte, gab Hammerstein Alarm. Die Sirene auf dem Torpfosten begann zu heulen. Zwar wußte jeder im Camp, daß der hohe Gast verschwunden war, jetzt aber erhielt diese Nachricht höchste Dringlichkeit. Ein dramatischer Effekt.

Hammerstein telefonierte mit New York. New York gab Weisung, den Hubschrauber, mit dem Aiger gekommen war, unverzüglich für Suchaktionen aufsteigen zu lassen und die Zentrale weiter auf dem laufenden zu halten. Der Helikopter jagte bereits seit zehn Minuten im Tiefflug über die Felder, und alle Streifenwagen, mit Megaphonen ausgerüstet, rammten ihre Fahrspuren noch tiefer in die Wege zwischen dem Mais und überbrüllten sich gegenseitig mit der Aufforderung an Aiger, er möge doch endlich aus der Pflanzung auftauchen.

Der Hubschrauber fand die Leiche nach zwei Stunden. Die hektische Aktivität machte einer tiefen Niedergeschlagenheit, geradezu einer Lähmung Platz. Stille breitete sich über das Camp. Hammerstein brauchte viele Minuten, in denen er seine Formulierungen probierte, bevor er über Funk die Botschaft an die Zentrale durchgab.

Die Anordnung von dort, niemand dürfe vorläufig die

Station verlassen, war nicht erstaunlich, erstaunlich auch nicht, daß die Sicherheitstruppe aus Ciudad Pemex sofort in Marsch gesetzt wurde, um die Einhaltung dieser Weisung zu kontrollieren. Überraschend war: McGill kam selbst und wollte die Suche nach dem Schuldigen überwachen.

Hammerstein versammelte nach dem Gespräch Mitarbeiter und Gäste im Haupthaus, entschuldigte sich bei den Kunden für die strengen Maßnahmen, denen auch sie unterworfen seien, versprach, den Zwangsaufenthalt so angenehm wie möglich zu gestalten, und vergaß auch nicht, praktisch als Trost einzuflechten, der große McGill käme selbst, zum Beweis, wie wichtig das Verbrechen in der Firma genommen würde, das ja auch eine Katastrophe sei.

Obwohl er sich so positiv über McGills Erscheinen äußerte, schien ihm die Tatsache doch deutlich Unbehagen zu bereiten. Dann bat er zum Essen. Nervös fuhr er sich die ganze Zeit mit gespreizten Fingern durchs Haar, was die sonst so exakt gelegte Frisur allerdings nur noch stärker in Unordnung brachte.

Veren empfand den zerwühlten Scheitel als symbolisch für die Auflösungserscheinungen im Camp. Mehr Interesse widmete er jedoch der Mitteilung von McGills Ankunft. Die Aktion trug also mehr Früchte, als er zu hoffen gewagt hatte. McGill kam und damit die beste Gelegenheit, zum ganz großen Schlag auszuholen. Logisch, normalerweise ging es nie darum, Männer aus der Führung umweltzerstörender Konzerne zu erledigen. Das waren alles Charaktermasken, die sofort durch neue Einpeitscher ersetzt wurden. Austauschbar jeder für jeden. McGill aber, das war etwas völlig anderes. Der war ein Mythos, die wahre Spitze. Nach allem, was der Entführte gebeichtet hatte, liefen bei McGill wirklich die Fäden zusammen, ganz so, wie die Organisation immer schon vermutet hatte. McGill war ein Hebel; legte man den um, kamen Dinge von einer Größenordnung ins Rollen, die als Lawine vieles unter sich begruben. Fiel McGill, fiel der Konzern, das schien verbürgt. Ein Mann, mit derartiger Macht ausgestattet, duldete sicherlich nur Marionetten in seiner Nähe, Typen wie diesen durchschnittlichen

Shmul Aiger. McGills Tod konnte Geschichte machen. Vielleicht nicht in dem Sinn, wie man es sonst verstand.; dazu blieben die Fäden, an denen McGill das Weltgeschehen lenkte, zu sehr der Öffentlichkeit verborgen. Der Mann stand nicht im Rampenlicht, seine Popularität hielt sich in Grenzen. Im weltweiten Bereich der Wirtschaft aber steckte der Konzernherr einen Napoleon glatt in die Tasche. Das Ende McGills bedeutete Krise: Diadochenkämpfe der möglichen Nachfolger, das Auseinanderfallen der gigantischen Firma, weil niemand fähig war, auf diesem Instrument der Macht so virtuos zu spielen wie McGill. Die Krise käme so oder so, denn McGill stürbe ganz gewiß in wenigen Jahren, falls es überhaupt so lange dauerte; er war wirklich nicht mehr jung. Starb er früher, als es der natürliche Ausleseprozeß vorsah, verhinderte sein Tod vielleicht schlimmste biologische Manipulationen auf den Weltgetreidefeldern. Wenn auch die Börse darüber zum Teufel ging, blieb das ökologische Gleichgewicht der Erde doch weniger gestört, als wenn es später geschah. Wer konnte die möglichen Folgen einer solchen Tat in einem kurzen Moment schon ganz überblicken?

Wie ein Dia schob sich in den Ablauf seiner Spekulationen der Name ›Herostrat‹. Ein Grieche, der den Tempel der Diana in Ephesus verbrannte, um mit der Zerstörung dieses Weltwunders der Antike seinem Namen Unsterblichkeit zu verleihen. Eine destruktive Methode, aber wirksam: Man erinnerte sich dank dieses Frevels noch immer an ihn, in jedem Geschichtsbuch. Veren wies diesen Vorwurf von sich; nicht dafür wollte er McGill umbringen, seinen Namen mit der Tat verknüpfen. McGill! Wer kannte schon dieses Synonym für Macht, Verbrechen und Hunger in der breiten Masse? Sicher, für Wochen würden Schlagzeilen den Namen weltberühmt machen, aber wieder ins Vergessen sinken lassen, wenn Folgen seiner Produktion und Wirtschaftspolitik die Menschen noch lange schädigten. Wer würde da noch von Ben Veren reden. Die ›Herostrat‹-Idee war blanker Unsinn. McGill töten hieß schlimmeres Unheil verhüten, auch wenn die weltweiten Folgen die Märkte

schlimm genug träfen. Doch der Warrior-Wahlspruch lautete: ›Der beste Umweltschutz ist eine Wirtschaftskrise.‹ Eine
These, die ihre Wahrheit regional im vergangenen Jahrzehnt
oft bestätigt hatte. Die Aktion, gelang sie, schaffte auf alle
Fälle Veränderungen, löste auch gleichzeitig das Problem
seiner beiden Mittäter. Jetzt bedeuteten der Deutsche und
sein asiatischer Freund eine große Verstärkung. Wichtig war
daher, sich bald um die beiden zu kümmern. Der Deutsche
durfte nicht durchdrehen. Dann mußten die vier Kameraden unterrichtet und ein Plan ausgearbeitet werden, dessen
Grundzüge er schon im Kopf hatte. Und vor allem mußte er
den genauen Terminkalender für McGills Aufenthalt im
Camp erfahren.

Der tote Vizepräsident fand eine vorübergehende Ruhe-
stätte in einer Kühlbox des Instituts. Im Bewußtsein seiner
räumlichen Anwesenheit war man beim Essen äußerst
schweigsam, nur ernste Mienen bei Tisch. Noch wucherte
nicht das große Mißtrauen, jeder gegen jeden, daß wahrscheinlich ein Mörder mit an der Tafel saß. Dieser Gedanke
würde sich erst einschleichen, wenn die Untersuchung, die
Verhöre, die Verdächtigungen begannen. Wenn einer die
Vergangenheit des anderen belauerte, wenn kleine Gesten,
Sätze vom Vortag, Handlungen, die noch weiter zurückla-
gen, plötzlich riesengroß in ihrer Bedeutung erschienen.
Noch war das nicht soweit, Veren lächelte, unsichtbar für
die Tischgenossen, aber es würde geschehen, so sicher wie
das Amen in der Kirche, er kannte sich aus. Es sei denn, etwas passierte, das die Fronten klärte, jedem der Anwesenden die Täter offenbar machte. Veren wollte dafür sorgen,
daß es so kam. Er hoffte es jedenfalls.

Nach dem Essen zog er Corall scheinbar zwanglos an seinen Labortisch. In mehreren Flachgläsern wucherte dort lila
eingefärbt das Mycel des Acronpilzes. Die Wirkung seiner
Stoffwechselprodukte auf die Außenhaut von Maiskörnern
sollte die Versuchsanordnung klären. Veren rieb mit dem
Glasstab etwas von der Gelatinemasse herunter, auf der
sich die Pilze so gut ernährten, warf die Portion in ein Rea-
genzglas mit farbloser Lösung, schüttelte und hielt das

Röhrchen wie zur Erklärung gegen das Licht, während er fragte:

»Wie geht's denn?«

Einerseits freute Corall die fürsorgliche Nachfrage, andererseits ärgerte sie ihn schrecklich. In der Hierarchie der kleinen Gruppe wollte er ja gern zugeben, Veren, was Tatbereitschaft anging, nicht das Wasser reichen zu können, war ihm auch dankbar für die Rücksichtnahme in schwerer Stunde, aber das gab dem schnauzbärtigen, schwerblütigen Menschen noch lange kein Recht, sein Stehvermögen anzuzweifeln. Oder hatte der es auch wie Marjam gemerkt? Zum Kotzen! »Es geht gut«, antwortete er so kühl und so distanziert wie möglich, ohne dabei ablehnend zu wirken. Gleichzeitig beugte er den Kopf so nahe wie möglich an das Präparat zwischen Verens Fingern, brachte die Augen bis dicht vor das Glas, als sei er ganz besonders wißbegierig, was für etwaige Zuhörer den weiteren Dialog rechtfertigte: »Sie sind erfahrener in solchen Situationen«, gab Corall unwillig zu. »Wie soll es also weitergehen? Einfach abwarten?«

Veren tropfte aus dem Röhrchen einige Flüssigkeitsperlen auf den Objektträger unter seinem Mikroskop. »Vorläufig ja, jedenfalls bis McGill eintrifft. Ist das nicht ein schönes Ergebnis unserer kleinen Entführungsshow?«

»Ich bewundere Ihre Ruhe«, entschlüpfte es Corall ungewollt. Veren ignorierte die Anerkennung. »Ich frage mich schon die ganze Zeit, warum McGill selbst kommt. Aber eigentlich ist der Grund ohne Bedeutung. Wichtig ist, daß er sich uns für den Gebrauch frei Haus liefert.«

Corall zuckte vor Überraschung zusammen.

»Seien Sie doch vorsichtig, Mann!« zischte Veren ärgerlich. »Wir sind hier nicht allein, und jeder Fachmann weiß, daß meine Forschungsergebnisse nicht so erstaunlich sind, um solche Reaktionen zu provozieren. Die merken sonst noch, daß wir bloß täuschen.«

Corall steckte den Tadel wortlos weg, fühlte sich erneut dem anderen gegenüber durch eigene Schuld verunsichert. Trotzdem fragte er, als sei nichts gewesen: »Verstehe ich Sie richtig! Wir sollen auch McGill entführen?« Er konnte aber

nicht verhindern, daß seine Stimme vor Atemlosigkeit gepreßt klang.

»Sie verstehen absolut richtig.«

»Aber das ist doch Wahnsinn!«

»Warum?«

»Nach allem, was vorgefallen ist, lassen die den Mann
doch keine Sekunde aus den Augen.«

»Schon möglich, aber ich denke mehr an ein Attentat,
nach dessen Ausführung wir uns hinter den Zaun in den
Dschungel zurückziehen. Lassen Sie uns heute abend zusammen spazierengehen und das genauer besprechen.«

Während der letzten Worte hatte er auf dem Drehschemel
vor dem Mikroskop Platz genommen und hantierte am
Okular. Die Audienz war beendet. Corall starrte von oben
auf Verens Scheitel. Eine weiße Hautallee durch den fettig
glänzenden schwarzen Urwald der Haare. Die Idee gefiel
ihm plötzlich, machte ihm direkt Mut, denn nun bekam er
eine noch bessere Idee, und die konnte tatsächlich den
Ausweg aus ihrer verwickelten Lage bedeuten, konnte so
schnurgerade das Labyrinth verlassen, wie dieser Scheitel
durch die Wirrnis der Haare führte. Ein guter Einfall, aber
nicht ungefährlich auszuführen. Doch bevor er das wirklich
in Angriff nahm, mußte er genau erfahren, was Veren anzu-
bieten hatte. Er verschwand.

Obwohl kaum jemand seiner üblichen Beschäftigung
nachging, die meisten nur herumstanden oder in kleinen
Gruppen Vermutungen zu äußern begannen, gewann Corall den Eindruck, daß sich nach der ersten Lähmung nun
Unruhe ausbreitete. Es war eine Unruhe, die keiner Bewegung bedurfte, weil nur das Wort sie trug. Was bei Tisch
noch keine Rolle gespielt hatte, hier begann das Gerücht zu
blühen. Einer hatte nachts verdächtige Geräusche in der
Nähe des Pavillons gehört, aber nicht nachgeschaut. Ein
anderer bestätigte leise Hilfeschreie, denen er merkwürdigerweise aber keine Beachtung geschenkt hatte. Die Wich-
tigmacher hatten Konjunktur. Aber soviel gerätselt und gelogen wurde, eine glaubwürdige Erklärung für den Mord
fand keiner. Das verunsicherte.

Corall schlenderte zwischen den Gruppen umher, blieb stehen, hörte zu, doch niemand zog ihn ins Gespräch. Ein Fremder, der die Distanz allem Fremden gegenüber zu spüren bekam, aber noch keine mißtrauische Abneigung. Corall war zufrieden: Gegen seine Person richtete sich offenbar kein Verdacht. Er verließ den Raum.

Draußen beobachtete er das Tor. Wie Veren dieses Bollwerk bezwingen wollte, blieb ihm schleierhaft. Der Zaun war elektrisch geladen, den Strom lieferte ein eigenes Kraftwerk aus Ciudad Pemex. Die Drähte endeten an zwei massiven hölzernen Wachtürmen zu beiden Seiten des Eingangs. Die Torflügel wirkten überdimensional im Gegensatz zu der schmalen Sandtrasse dahinter, die sich unmittelbar nach einer Biegung im Urwald verlor. Gesichert war der Zugang durch automatische, allein vom Turm aus zu bedienende Riegel. Und ein breiter Querbalken, nur mühsam mit der Hand zu entfernen, schwer genug, um zwei kräftige Männer damit zu beschäftigen, schützte das verschlossene Tor zusätzlich. Die Plattform der Türme war jeweils mit zwei Uniformierten besetzt, und erst aus der Nähe entdeckte Corall auf beiden Zinnen ein fest montiertes Maschinengewehr. Die Türen zum Turm erschienen ebenfalls verbarrikadiert. Bevor es jemandem gelang, das hochkarätige Schloß zu sprengen, brauchte die Besatzung von oben nur eine Handgranate fallen zu lassen und hinter der Brüstung in Deckung zu gehen. Das genügte, um jeden Angreifer zu erledigen.

Die von ständiger Witterungsnässe durchtränkten Balken, leicht grün gefärbt vom Algenbewuchs, hatten einen Härtegrad erreicht, der kleinere Explosionen aushielt, ohne einzustürzen, Splitterschutz bot und mit normalen Werkzeugen kurzfristig nicht zu knacken war. Wie wollte Veren da durchbrechen? Mit roher Gewalt? Kaum. Corall wandte sich ab, er war gespannt, welchen Plan der ›Warrior‹ entwerfen würde.

Die Stimmung beim Abendessen war noch gespannter. Auch diesmal wurde zwischen den Tischnachbarn kaum ein Wort gewechselt. Das Kommando aus Ciudad Pemex war eingetroffen, hatte einen engen Absperrungsring um das Camp gelegt. Der kommandierende Offizier kam zu Hammerstein und erkundigte sich ziemlich barsch, ob jemand mit oder ohne Erlaubnis die Station verlassen habe. Hammerstein hielt Rapport, alle waren da. Der Offizier lehnte die Einladung zum Essen unfreundlich ab. Sein Jeep und er verschwanden eine Stunde nach dem Eintreffen wieder zwischen den Maisfeldern. Jetzt waren sie also auch offiziell Gefangene. Mit der Ankunft McGills und seiner Crew wurde am nächsten Vormittag gerechnet.

Nachdem jeder schweigend seinen Hamburger mit Maisfladen, schwarzen Bohnen und scharfer Sauce in sich hineingestopft hatte, sagte der Biologe Ron Dirksen, Schwede von Geburt, aber längst eingebürgerter Amerikaner, plötzlich laut:

»Ich verstehe das einfach nicht, ich verstehe das nicht! Was soll dieser dumme, sinnlose Anschlag? Was hat sich der Täter dabei gedacht? Aus welchen Reihen kommt er? Ist er einer von uns? Niemand hier kannte Shmul Aiger. Sind Leute aus der Wachmannschaft auf die Idee gekommen, ihn gegen Lösegeld zu entführen, und haben ihn dann aus Angst vor Entdeckung umgebracht?«

»Ich bitte Sie, Dirksen!« unterbrach Hammerstein den Frager scharf. »Keine Diskussionen! Morgen werden die Fachleute schon herausfinden, wen wir am Ende hängen.«

Veren mischte sich ein: »Ich weiß nicht, ob es wirklich richtig ist, jeden Gedankenaustausch in dieser uns alle bewegenden Frage so völlig zu unterbinden.« Mit derselben Schärfe adressierte Hammerstein seine Antwort auch an ihn: »Was Sie untereinander reden, interessiert mich nicht. Ich wünsche nur keine Generaldebatte über das Thema.«

»So als hätte er Angst, es könnten Fingerabdrücke verwischt werden«, mokierte sich Dirksen leise.

Veren fand die Auflage ausgezeichnet. Nach der Mahlzeit würden sich garantiert wieder Gesprächspartner zusammenfinden, und sei es auch nur, um Hammersteins Verhalten zu diskutieren. Das Verbot forderte geradezu auf, solche Zirkel zu bilden. Eine Runde aus ihm, dem Asiaten und Corall, der ja schon neben ihm saß, würde also kaum Verdacht erregen, man mußte nur aufpassen, daß sich kein Vierter hinzugesellte.

Eine halbe Stunde später standen die drei zwanglos um Verens Laborplatz versammelt. Der ›Warrior‹ saß mit verschränkten Armen auf der Tischplatte, baumelte locker mit einem Fuß, während die Spitze des anderen unsichtbare Ornamente auf den Steinboden zeichnete. Scheinbar ganz in dieses Spiel vertieft, sagte er wie nebenbei: »Wir müssen uns einigen, wie es jetzt weitergehen soll.«

Corall, der keinen Zweifel hegte, daß Veren schon längst entschieden hatte, wie es weitergehen sollte, lehnte mit dem Rücken an der Glasscheibe. Die Finger trommelten nervös den Takt wechselnder Gefühlsaufwallungen an das Fenster. Stakkato, wenn er an die morgen beginnende Untersuchung dachte. Es war schon ein Unterschied, ob man mit Billigung staatlicher Macht einen Gegner erledigte oder dasselbe tat und dann die Vergeltung einer solchen Institution fürchten mußte. Im Palast der Kleinen Göttin wurde nur die moralische Seite der Tötung zur Gewissensbelastung. Die ließ sich rasch mit Notwendigkeitserwägungen beschwichtigen. Schwerer wog das Problem jetzt, da dem Mord Strafe drohte. Strafe, die nicht nach Notwendigkeit oder der Persönlichkeit des Opfers fragte, kein Motiv erforschte, sondern nur Rache wollte.

Leichter klopfte er den Rhythmus, fast schon beschwingt tanzten die Fingerkuppen auf der Scheibe, schweiften Coralls Gedanken zu den eigenen Plänen. Auch sie nicht ungefährlich, aber was war jetzt noch ohne Risiko? Wichtig blieb es, Verens Vorstellungen kennenzulernen, selbst lenkend einzugreifen und dann die endgültigen Schlüsse daraus zu ziehen.

Befriedigt beobachtete Corall die Geistermalerei der Fußspitze. Also war auch Veren nicht frei von innerer Spannung, zeigte Nerven, vielleicht sogar Angst. Das stärkte Coralls Selbstvertrauen, stufte sein Wertigkeitsgefühl dem anderen gegenüber wieder höher. Er empfand zwar seine Position noch immer als schwach angesichts der Tatkraft und

Erfahrung Verens. Gekoppelt aber mit seinem Einfall und der sichtbaren Beunruhigung des ›Warriors‹, holte er auf, so meinte er.

Wäre er ehrlich gewesen, hätte er sich eingestehen müssen, daß er nur Gründe zur Rechtfertigung seiner neu gewählten Wege suchte. Er hatte ein schlechtes Gewissen, fühlte sich auch irgendwo noch in der Dankesschuld des ›Warriors‹, aber das alles mußte er vergessen, wollte er seinen Plan ausführen.

Corall irrte. Veren war weder ängstlich noch sonderlich aufgeregt. Er kannte längst ähnliche Gefahrensituationen, lebte dauernd unter dem Streß möglicher Entdeckung; so etwas stumpfte ab. Nur – in einer solchen Mausefalle hatte er noch nie gesessen. Doch das war ihm klar, längst bevor er einen Finger zur Entführung des Vizepräsidenten gerührt hatte. ›Warriors‹ wurden nur die härtesten Typen, die auch mal ihr Leben riskierten.

Wenn Veren Besorgnis fühlte, dann nur in bezug auf die Zuverlässigkeit seiner nicht selbst ausgewählten Bundesgenossen. Der Asiat war okay, aber der andere! Ein Draufgänger ohne Überzeugung, ein Mitmacher aus Abenteuerlust, der sich selbst irgend etwas beweisen wollte. Völlig klar war er sich über Corall noch immer nicht.

Gilda hatte den Mann empfohlen. Gilda, mit das Beste, was es in der Führungsspitze der ›Warriors‹ gab, und noch dazu eine wunderschöne Frau, der keiner gleichgültig gegenüberstehen konnte, auch er nicht. War es möglich, daß Gilda sich irrte, weil sie an dem Kerl ein persönliches Interesse hatte? Oder pflegte er selbst ein Vorurteil, weil er Corall die enge Beziehung zu Gilda neidete? Aber er durfte sich nicht irren, nicht aus Eifersucht, durfte sich überhaupt nicht irren, dafür stand morgen zu viel auf dem Spiel. Wer morgen überleben wollte, mußte mit rücksichtsloser Härte zuschlagen. War dieser Deutsche dazu fähig? Er konnte es nur hoffen!

Corall unterbrach die Trommelei. »Ich nehme an, es existiert deinen Andeutungen nach bereits ein fertiger Plan in deinem Kopf. Laß hören! Wir werden kaum etwas dagegen zu setzen haben, schließlich besitzt du die größte Erfahrung in solchen Krisensituationen.«

Marjam, der sie auch besaß, schwieg, ordnete sich wieder unter, blieb ganz der Schatten, aber wachsam.

»Also gut«, sagte Veren im Tonfall des eben zu einem Entschluß gelangten Zauderers, der alle Bedenken hinter sich warf wie abgenagte Knochen. Es hatte ja auch keinen Zweck, weiter theoretisch an allen Möglichkeiten herumzuknabbern, ohne die Reaktion der Betroffenen zu testen. »Wir sitzen gemeinsam im Boot. Ein verdammt brüchiger Kahn, den wir nur mit vereinter Kraft ans sichere Ufer rudern. Das ist doch klar, oder?«

Marjam zeigte keine Zustimmung, keine Ablehnung, sein Gesicht blieb wie meistens unbewegt. Corall schnitt eine Grimasse, ein mißglücktes Lächeln, dem die innere Kraft fehlte. Trotzdem konnte es als Einverständnis identifiziert werden.

»Okay, nun zum Konkreten! Wir haben morgen nur eine Chance in den wenigen Minuten zwischen dem Eintreffen McGills und seinem Verschwinden im Haus. Da wir den Begrüßungsablauf nicht kennen, muß vieles der Improvisation überlassen bleiben. Wir sind aber sieben entschlossene Krieger gegen etwa fünfzig überraschte Gegner. Der Überraschungseffekt ist allerdings begrenzt, denn die Bullen rund um McGill sind ja gewarnt, sie wissen, daß hier ein Attentäter wartet. Da es sich aber um erfahrene Leute handelt, haben sie aus der Tatrekonstruktion wahrscheinlich längst erkannt, daß sie es hier mit mehreren Männern zu tun haben. Was sie jedoch nicht ahnen, ist unsere Entschlossenheit, und da rechne ich wirklich fest auf euch. Um es ganz deutlich zu sagen: Hier hängt jeder mit drin, da kommen entweder alle oder keiner ungeschoren raus!«

»Du mußt uns nicht drohen, mein Freund!« sagte Corall ruhig, bewunderte selbst seine Gelassenheit. Ich mache Punkte, dachte er zufrieden, ich mache wirklich Punkte. Und diese Feststellung stärkte seine Zuversicht.

»Niemand bedroht hier jemanden«, wehrte Veren unwirsch ab. »Wir sollten jetzt Worte nicht auf die Goldwaage

legen. Streit ist wohl das letzte, was wir brauchen können.«
Er schüttelte den Kopf, die schon gewohnte Pose, wenn er
nicht einverstanden war, widmete sich aber wieder ganz
dem Thema, wenn auch mit Verdruß in der Stimme. »Unsere einzige Chance bleibt die Überraschung. Gelingt sie,
obwohl McGills Leibwachen sicher vorsichtig sind, werde
ich mit meinen Männern den blutigen Teil das Dramas
übernehmen. Eure Aufgabe ist es, McGill zu schnappen.
Mit ihm als Geisel werden wir die Turmwachen zwingen,
das Tor zum Wald zu öffnen. Sind wir erst zusammen mit
McGill im Dschungel verschwunden, findet sich alles weitere. Dann kann verhandelt werden, dann bekommen wir
Hilfe von außen. Das einzige also, was ich von euch verlange: Ihr müßt möglichst dicht im Begrüßungspulk an McGill
herantreten und zugreifen, wenn das Feuerwerk losgeht.
Könnt ihr das schaffen?«

Wie immer sprach Corall auch für Marjam, der nur still
zuhörte. »Natürlich ist das zu schaffen. Warum aber setzen
wir uns nicht einfach still in die Ecke und warten ab, was geschieht? Es gibt doch keine Beweise gegen uns. Vielleicht
ziehen die Burschen in ein paar Tagen ganz friedlich wieder
ab.«

Veren lachte höhnisch auf, bremste aber sofort die Lautstärke. Einige der herumstehenden Herren, ebenfalls in
Grüppchen aufgespalten und diskutierend, schauten ob des
unpassenden Gefühlsausbruchs erstaunt herüber. Das verschluckte Gelächter ließ zwei Adern an Verens Hals schwellen.

»Oh, heilige Einfalt! Hör zu, mein Junge!« knurrte er mit
unterdrückter Wut, als er wieder zu Atem kam, und spuckte
die Silben ›mein Junge‹ Corall geradezu ins Gesicht. »Deinetwegen möchte ich mich nicht hängen lassen, womöglich
hier an den nächsten Ast. McGill ist stark genug, um Selbstjustiz zu üben. Keine Beweise? Du bist gut! Wetten, daß in
New York die Computer schon heiß laufen? Die kauen jeden bis auf den letzten Knochen seiner Persönlichkeit
durch. Ich weiß nicht, ob du was auf dem Kerbholz hast.
Meine Verbindung zu den ›Warriors‹ spüren sie garantiert

auf. Bisher gab es für sie noch keinen Anlaß, sich darum zu kümmern, weil ich schon bei McGill arbeitete, als ich bei den ›Warriors‹ eintrat. Aber die Burschen treffen hier ein und wissen besser über uns Bescheid als wir selbst. Nein, mein Lieber, ich sagte es schon, wir hängen alle mit drin. Was ich vorschlage, ist die einzige Chance, heil aus der Sache herauszukommen. Glaub es mir!«

Bei den letzten Worten milderte er seinen herrischen Tonfall. Unbestritten besaß er die Führerschaft, verfügte über die Waffen, kommandierte vier ausgebildete Leute. Doch Klugheit gebot ihm, trotzdem mit seinen beiden Zwangsverbündeten freundlich umzugehen, sie durch den Schein von Gleichberechtigung bei der Stange zu halten.

Corall begrüßte insgeheim die ausfallende Art Verens. Das ruppige Verhalten machte es ihm leichter, sich aus dem Bannkreis des zeitweise unfreiwillig bewunderten Partners zu lösen und damit die Kraft zu finden, seinen eigenen Plan in die Tat umzusetzen.

Der im Sitzen trotz seiner Größe massig wirkende McGill hockte in der Mitte der hinteren Sitzbank einer BO-108. Der Hubschrauber, in deutsch-französischer Co-Produktion gebaut, galt als der zuverlässigste der Welt.

McGill haßte das Fliegen. Fünfeinhalb Stunden brauchte sein Privatjet von New York nach Ciudad Pemex. Bevor er die Maschine betrat, ging jedesmal eine große Inspektion voraus. Die Fama wollte wissen, für den Fall seines Absturzes habe McGill im Testament über die für die Sicherheit des Flugzeugs verantwortlichen Techniker die schlimmsten Sanktionen verhängt. Niemand hatte die angebliche Strafklausel jemals gesehen, McGill tat aber nichts, um das Gerücht zu entkräften.

Außergewöhnliches mußte geschehen, damit sich der Konzernherr außerhalb feststehender Termine in den stählernen Vogel setzte. Den Helikopter, mit dem er jetzt die letzten vierhundert Kilometer bis zur Station zurücklegte, stellte ihm der Gouverneur des neuen US-Staates Mexiko zur Verfügung. Auch ein Protegé von ihm – McGill achtete immer darauf. Wirtschaftlich wichtige Bastionen sicherte er stets auch von der politischen Seite ab.

So hockte McGill zusammengesunken auf der hinteren Bank. Den Schildkrötenhals leicht vorgestreckt, die Augen geschlossen, den Körper mit beiden Händen seitwärts auf den leeren Flächen der blaubezogenen Polster abgestützt.

Wenn ich doch erst wieder unten wäre! wiederholte sein Gehirn fortwährend als Litanei. Der Gedanke war zwar nicht originell, aber er lenkte ab, sonst hätte McGill über politische Schwierigkeiten grübeln müssen. Nicht daß sie ihn überrascht hätten.

Die Welt in Aufruhr! Weniger über die Giftattentate auf drei unersetzliche Naturzentren in Asien und Afrika als über die Verletzung der Neutralität Chinas. Glücklicherweise keine Spur von den Tätern, kein Hinweis auf ein Motiv. McGill lobte seine Vorsicht, sämtliche Piloten sofort auf einer abgelegenen Farm in Nevada interniert zu haben. Sie waren über Mittelsmänner angeworben worden, kannten ihren Auftraggeber nicht. Den Flugzeugumbau und das Einfüllen des Sprühmittels besorgte eine Crew in Südfrankreich, die dank gefälschter Papiere glaubte, für einen südamerikanischen Staat zu arbeiten. Das Gift stammte aus den Kochern einer Schweizer Chemiefirma, an der McGill Beteiligungen besaß, war aber ebenfalls auf Rechnung jener südamerikanischen Regierung gekauft. Den Plan ausgearbeitet und die Zielgebiete bestimmt hatte Shmul Aiger. Indirekt halfen ihm dabei die jeweils zuständigen Sektionschefs, ohne zu wissen, worum es ging, bis sie den dünnen Akt während der New Yorker Konferenz lasen. McGill legte Wert darauf, daß der innere Kreis die ganze Wahrheit kannte, um geeignete Abwehrstrategien zu entwickeln und nicht ahnungslos über irgendwelche Fallstricke zu stolpern. Auch John Gershwin, den Präsidenten, hatte er vorab unterrichtet; ansonsten verwischte er nach besten Kräften die Spuren.

Gerüchte gab es genügend. Verdacht wurde immer gleich gegen Amerika laut. Gershwin tobte am Telefon in den Grenzen des Respekts, den er seinem Mentor immerhin schuldig blieb. Ihn ängstigten die Weltmeinung und die Sorge vor Chinas möglicher Reaktion, falls doch etwas durchsickerte. Sichere Beweise würde man aber kaum entdecken, davon war McGill überzeugt. Und ging doch etwas schief – Schweigen konnte man kaufen oder erzwingen.

So stand die Sache bis vor vierundzwanzig Stunden, und jetzt war Shmul Aiger tot. Keine zwei Tage in seinem neuen Amt. Ermordet ausgerechnet im Camp. Wer dahintersteckte, wußte wahrscheinlich Bescheid, und das bedeutete eine Bedrohung für das ›Projekt.‹ Das ›Projekt‹ aber war im Leben McGills die letzte große, nein, korrigierte er: die größte Aufgabe. Nur allzu schmerzlich spürte er, wie ihm die Zeit davonlief. Darum hatte er so brutal die Weichen stellen müssen. Seine Ärzte gaben ihm noch gute zehn Jahre, er fürchtete aber, sie redeten ihm nach dem Mund. Wer würde schon sagen: ›McGill, Ihr Herz leistet seinen Dienst noch höchstens zwei Jahre.‹ Oder: ›Ihre Leber, mein Lieber, ist vielleicht noch fünfzehn Monate, allenfalls zwanzig funktionsfähig.‹

Wer von diesen Halbgöttern in Weiß würde sich das, einem so prominenten Patienten gegenüber trauen? Also blieb ihm nur die Hoffnung, sein ›Projekt‹ tatkräftig zu fördern, solange die geistige Spannkraft anhielt. Darum war er jetzt unterwegs, nahm die Unbill außerplanmäßiger Fliegerei auf sich.

Doch diese Überlegungen beschäftigten ihn im Augenblick wenig. Er wollte nichts denken, nichts sehen. Keine Landschaft aus dieser Höhe, keine Wolkengemälde, er wollte wieder festen Boden unter den Füßen. Die schlingernden Bewegungen des Hubschraubers peinigten seinen Magen. Das Abstützen im Polster half dagegen nur wenig. War nur der Wunsch Vater des Gefühls, oder senkte sich die Flugmaschine wirklich wieder dem Boden zu? Die Antwort gab die blecherne Stimme aus dem kleinen Lautsprecher an der Decke. Der Pilot meldete: »Wir landen in zwei Minuten, Herr Präsident.«

Jetzt, da es abwärts ging, das Ende der quälenden Reise in Sicht kam, öffnete McGill die Augen. Dieses Ende wollte er genießen. Seine Beschwerden waren wie weggeblasen und verschwunden. Die Maschine setzte in Schräglage zu einem halben Bogen an. McGill erkannte die Häuser der Station und davor eine Menschenansammlung. Auch die Fahrzeuge der Wachmannschaften auf den Wegen und einzelne Patrouillen in den Feldern konnte er ausmachen. Die prompte Ausführung seiner Befehle stimmte ihn zufrieden. Tiefer sackte der Hubschrauber, tiefer, eine glatte Fahrstuhllandung. Die Rotoren peitschten die Luft und verursachten einen flatternden scharfen Laut, der leiser wurde und rasch verklang, als die Kufen Bodenberührung fanden und der große Dachpropeller langsam ausdrehte. Noch einmal gab es Lärm. Neben ihnen, nur zwanzig Meter entfernt, parkte der firmeneigene ›Bell Long Ranger‹ seiner Begleitung. Sechs Mann an Bord, weil McGill nur Ulf Tarax gestattet hatte, in der Bo-108, vorn beim Piloten, mitzufliegen.

Tarax sprang aus der Glaskanzel und öffnete in gebückter Haltung die Kabinentür für McGill, denn noch immer kreiste der Rotor im Leerlauf über ihm. Der Präsident schob behutsam den schwerfälligen Körper aus der Maschine, die Beine zuerst, die Hände fest an den Türrahmen geklammert. Die Prozedur sah ungemein komisch aus, doch Tarax verzog keine Miene. Lachen hätte ihn zwar nicht den Job gekostet (dafür war er ein zu brauchbarer Mann), aber sein gutes Verhältnis zu McGill getrübt. Der Präsident war wenig eitel, wer aber über ihn lachte, kratzte an seiner Autorität. Das vertrug und verzieh er selten. Mit beiden Füßen wieder auf festem Boden, ließ der große Mann ein lippenvibrierendes »Brrr« hören und schüttelte sich dabei wie ein nasser Hund.

»Es ist gut, heil wieder unten zu sein«, knurrte er und wischte mit beiden Händen den grauen Haarkranz rund um die ovale Glatze glatt. Aus Richtung der Station hörte man Motorengeräusche. Sehen konnte man vom Landeplatz aus nur das obere Stockwerk des Laborgebäudes. Beide Helikopter landeten in einer künstlich angelegten Wiesenmulde, die Lärmbelästigung bei Start und Landung gering hielt. Über dem Wall tauchten jetzt zwei Jeeps auf. Im ersten stand, gestützt auf die Windschutzscheibe, Col Hammerstein. Seine Krawatte wehte im Fahrtwind um den Hals wie ein abgerissener Strick. Hammerstein hätte sich, so aus der Entfernung gesehen, niemals als vom Galgen bereits losgeschnitten betrachtet. Er fürchtete im Gegenteil, direkt zur Exekution zu fahren. Dieser Führungsjob im Camp war ein Vertrauensposten. McGill hatte ihm das damals bei seiner Ernennung persönlich gesagt. Von hier aus hatte er alle Chancen, zum Vizepräsidenten aufzusteigen. Und nun dieser Skandal!

McGill zeigte sich erstaunlich gnädig. Als der Wagen vor ihm hielt, nickte er Hammerstein zu und stieg ein, noch bevor der Stationsleiter abspringen konnte.

»So«, sagte er dann ruhig, »jetzt fahren *Sie*. Fahren Sie ganz langsam, und wenn die Zeit nicht reicht, fahren Sie von mir aus zehnmal um die Helikopter herum. Aber wenn wir im Camp halten, will ich über alles Bescheid wissen.«

Der Chauffeur gab das Steuer frei. Hammerstein startete, und in einer Prozession – die Begleitung folgte im zweiten Jeep – kreisten die beiden Wagen mehrmals um die Maschinen.


Coralls Nervosität stieg. Niemand wußte, warum der hohe Gast so lange auf sich warten ließ. Vor der Treppe standen die rund zwanzig Wissenschaftler und Angestellten der Station. Zwei, drei Stufen dahinter die ausländischen Einkäufer, darunter auch Corall. Veren bildete den rechten Endpunkt seiner Gruppe, Corall den linken, so daß sie nicht im Schußfeld der vier Komplicen von Veren standen.

Marjam hatte sich wie absichtslos aus der Händler-Clique gelöst und schlenderte hinter die angetretenen Wachen auf der anderen Seite. Die verzögerte Ankunft McGills drohte allerdings das Konzept durcheinanderzubringen, denn Marjams Spaziergang erregte inzwischen mehr Aufmerksamkeit als geplant, besonders bei Veren, der den Nepalesen an die Seite Coralls gestellt hatte. Wer konnte auch wissen, daß der Präsident wie eine Diva mit Verspätung eintraf? Rief jemand Marjam jetzt zurück, dann scheiterte ihr

Unternehmen, über das er gestern bis in die Nacht mit Marjam beraten hatte. So wurde Corall mit jeder Sekunde nervöser, fühlte förmlich die mißtrauischen, vorwurfsvollen Blicke Verens auf dem Gesicht brennen. Obwohl er sich hütete, den ›Warrior‹ anzublicken, sah er aus den Augenwinkeln deutlich den ihm zugewandten Kopf. Endlich hörte er rasch lauter werdendes Motorengeräusch.

Niemand achtete mehr auf den Einzelgänger hinter den Wachen, das ganze Interesse konzentrierte sich auf die ankommenden Fahrzeuge. Die Jeeps hielten, das überbesetzte Begleitfahrzeug an der Spitze, genau wie Veren es vermutet hatte. Die Männer sprangen herunter, vier liefen nach hinten, sicherten – zwei auf jeder Seite – den Ausstieg McGills. Die geballte Aufmerksamkeit für diese Szene nutzend, lief Corall, hinter der Gästegruppe in Deckung, gebückt auf Veren zu.

Der hob gerade den Arm, und der Schuß aus seinem Revolver traf Col Hammerstein tödlich, als dieser um den Wagenkühler eilte, um McGill die Mannschaft vorzustellen. Der Knall gab das verabredete Zeichen. Vier Männer aus dem Spalier der angetretenen Wachleute hoben ihre Maschinenpistolen, jagten eine Salve in die erstarrte Schar der Wissenschaftler, Gäste und Begleiter McGills. Männer brachen zusammen Schreie wurden laut. Doch bevor die Waffen zum zweiten Mal ihren tödlichen Inhalt ausspien, war Marjam zur Stelle. Handkantenschläge ließen zwei der uniformierten Attentäter zusammensacken.

Veren drückte seine Pistole noch mehrere Male ab, bevor Corall ihn erreichte. So fiel der Fahrer des vorderen Jeeps verwundet über das Lenkrad, einen der Leibgardisten traf er tödlich am Kopf. Dann schaute Veren sich hilfesuchend nach Corall um. Der mußte sich jetzt doch schon auf McGill gestürzt haben, aber wo blieb er? Richtig, dieser merkwürdige Asiate lief noch kurz vor Ankunft der Kolonne bei den Wachmannschaften herum. Was hatte er dort zu suchen? Er sollte doch den Deutschen bei der Geiselnahme McGills unterstützen! Als er Corall nicht entdecken konnte, blickte er zu seinen Mitkämpfern hinüber. Dort hatte das Salvenschießen aufgehört. Einen der Männer sah er laufen, zwei am Boden, den dritten schlug dieser verdammte Asiate gerade zusammen. Also Verrat! Hatte er es nicht geahnt? Er hob den Revolver, drückte ab. Corall sprang ihn an. Zu spät! Die Kugel durchschlug Marjam den Hals. Gleichzeitig mit seinem Opfer brach der Nepalese sterbend zusammen.

Veren warf sich beim Anprall herum, wackelte, konnte das Gleichgewicht aber halten und Corall mit dem linken Arm abwehren. Doch der war schon wieder bei ihm, aber sein Handkantenschlag traf nicht – wie gezielt – Verens Genick, sondern krachte durch eine plötzliche Körperdrehung des anderen nur gegen dessen Schlüsselbein. Veren brüllte auf, der linke Arm fuhr in einem letzten Reflex Corall ins Gesicht, bevor er gelähmt nach unten sank. Corall kam ins Taumeln. Veren wollte mit dem Revolvergriff nachschlagen, da sah er Tarax.

Der erste, der richtig begriff, was geschah, war Ulf Tarax. Er kannte das sanfte *Peng* des neuen rückstoßfreien Modells SR 7-93. So harmlos, eher unauffällig der Klang und doch so verflucht gefährlich, weil der gekappte Rückstoß ein schnelles ruhiges Zielen ermöglichte, besonders bei den weiteren Schußfolgen. Tarax hatte den Revolver der Schweizer Firma Technicor selbst schon benutzt. So warf er sich über McGill. Mit einem Schrei fiel der alte Mann auf die Knie, verstand nicht, was ihm geschah, als der schwere Körper seines besten Agenten plötzlich auf ihm lastete. Der rief ihm zu: »Runter, runter!« Obwohl er doch schon so schmerzhaft unten lag. Dann hörte McGill die Salve, hörte das Einschlagen der Schüsse in die Hauswand, sah Menschen umfallen wie Kegel. Stöhnen und Schreie füllten die Luft, und der Geruch vom Angstschweiß seines Beschützers drang ihm unangenehm in die Nase.

Tarax hatte inzwischen die eigene Waffe gezogen. Die Salvenschießer standen auf der anderen Wagenseite, vor dessen rechtem Vorderrad er mit McGill lag.

Aber die ersten Schüsse waren von vorn gekommen. Einzelschüsse, wohl das Signal für die erste Salve. Col Hammerstein war gefallen, dann hatte sich Tarax auf McGill geworfen. Anfänglich konnte er aus dieser Position nur Beine sehen. Die lagen jetzt flach oder rannten davon, sein Blick wurde frei, so frei, daß er den vorderen Schützen ausmachen konnte. Der schoß auf die andere Seite. Tarax richtete sich auf, stützte den Oberkörper auf die Ellbogen. Mit beiden Händen den Revolverkolben umklammernd, wollte er dem Killer eine Kugel verpassen. Da drehte der sich aus dem Profil zu ihm um. Ein Mann sprang ihn an. Der Kerl bewies Mut. Während alle ihre Haut retteten, griff der – soweit Tarax erkennen konnte – waffenlos den gefährlichen Burschen an. Aber er erwischte ihn nicht richtig mit seinem Handkantenschlag, fiel selbst zu Boden, und der Killer erblickte den zielenden Tarax. Nervös drückte er ab. Die Kugel verfehlte das Opfer. Auch Veren schoß in der Hektik unkonzentriert, aber seine Patrone riß Tarax den Oberarm auf. Die Wucht des Einschlags, der Schmerz warfen den Agenten von McGills Körper herunter.

Ungeschützt bot der große McGill seinen Körper als Ziel. Der mächtige Mann, so schmählich hilflos am Boden, blickte in das Mündungsloch von Verens SR 7-93. In rasender Geschwindigkeit schien das schwarze Loch näher zu kommen und zu wachsen, wurde größer und größer. Jeden Augenblick erwartete er den vernichtenden Blitz, der die Rundung zerriß, um ihn in ewige Finsternis zu schmettern.

Corall fing den Sturz mit einer Rolle ab, kam sofort wieder auf die Füße, erkannte die Situation. Erst der Schuß auf Tarax, dann Verens »Fahr zur Hölle!« an McGill gerichtet. Er schnellte vorwärts, fiel gegen den ›Warrior‹. Dessen Schuß donnerte irgendwo in den Himmel. Corall war über ihm. Es war das letzte, was Veren sah, denn diesmal traf ihn Coralls Handkante im Genick. Vor seinen Augen explodierte die Welt in einer Farbekstase. Tiefstes Dunkel löschte das Lichtspektrum wenig später für immer aus.

»Hilf mir hoch, Tarax!« stöhnte McGill. Die Luft war ihm knapp geworden. Ein Teufelskerl, der Junge, der ihm das Leben gerettet hatte! Ein warmes Gefühl durchflutete ihn.

Erfüllte sich auch diese Prophezeiung? Er schloß kurz die Augen.

»Einen Moment noch, Herr Präsident! Ich glaube, es ist alles vorbei, aber lassen Sie mich lieber nachsehen!«

Die Hand auf die Wunde am linken Oberarm gepreßt, streckte Tarax den Kopf vorsichtig in die Höhe, lugte knapp über die Motorhaube, erblickte die Wachmannschaften, in ihrer Mehrzahl am Boden Deckung suchend, obwohl nur eine einzige Patrone in ihre Richtung geflogen war und die traf Marjam.

»Feige Bande!« murmelte Tarax. Dann sah er den unbekannten mutigen Helfer zu einer Gruppe auf der Erde liegender Gestalten rennen. Kein Schuß wurde auf ihn abgegeben, das Massaker schien tatsächlich vorbei zu sein. Tarax stand endgültig auf, half auch McGill in die Höhe, deckte ihn aber weiterhin mit dem Körper gegen die andere Seite. Dort kniete Corall neben Marjam.

»O Gott!« stöhnte er, als er den zerstörten Kopf des Freundes sah. »Ich bin zu spät gekommen, Bruder!«

Dann begann er zu weinen.

Im Schluchzen löste sich vieles von der inneren Verkrampfung, die sich in ihm angesammelt hatte. Er weinte. Die harte Mauer, die er um seine Seele gebaut hatte, bröckelte. Dahinter kam die Angst zum Vorschein, wie es wohl weitergehen mochte.

Marjam war tot. Er fühlte sich unsäglich verlassen, schutzlos. Erst jetzt wurde ihm richtig klar, wieviel Sicherheit ihm der Schatten geboten hatte. So hockte er am Boden, sah die Welt nur verschwommen durch einen Tränenvorhang, konturenlos wie seine Zukunft.

Doch es blieb ihm keine Zeit, die Schleusen seines Selbstmitleids weiter hochzuziehen. Eine Hand packte ihn an der Schulter, ein harter Griff, der ihn erschauern ließ. Kam man ihn holen? Aber die Stimme klang freundlich, die fragte: »War er Ihr Freund?«

Corall nickte, schaute aber nicht nach oben. Er schämte sich plötzlich der Tränen, wollte seine Trauer nicht öffentlich zur Schau stellen.

Reiß dich zusammen! befahl er seiner schlappen Haltung, schon im Vorgefühl, daß es ihm vielleicht doch nach Plan gelingen könnte, den Hals aus der Schlinge zu ziehen.

»Kommen Sie!« meldete sich die freundliche Stimme wieder. »Sie sind ein tapferer Mann, der Boß will Sie sehen.«

»Warten Sie!« sagte er, noch immer nicht aufblickend. Dann stand er auf, streifte dabei achtlos die Hand von der Schulter. Mit dem Rücken zum Sprecher trocknete er die Augen, dann wandte er langsam den Kopf. Ulf Tarax nickte ihm aufmunternd zu, die Schulterwunde war notdürftig verbunden.

»Sie sind wirklich ein tapferer Mann«, wiederholte er. »McGill möchte Ihnen danken.«

Corall ließ noch einmal den Blick auf Marjams verstümmeltem Leib ruhen. Das Gesicht des Samurai zeigte seinen verschlossenen Ausdruck wie zu Lebzeiten, weder Schmerz noch Haß waren darin zu entdecken. Er war unmöglich gleich gestorben, aber er hatte sein Schicksal gefaßt ertragen. Um ihn herum, mit verrenkten Gliedern, lagen drei tote Attentäter.

»Nennen Sie mich keinen tapferen Mann!« sagte Corall leise, mit dem Kopf auf Marjam deutend. »Er war ein tapferer Mann, der tapferste, den ich kannte. Die drei da hat er allein getötet.«

»Kommen Sie!« forderte Tarax noch einmal, zog Corall mit sanftem Druck an der Schulter fort. Der Deutsche folgte widerwillig. Nun hörte auch er die Schreie der Verletzten, sah die Toten, kehrte in die reale Welt zurück. Überall wurde Hilfe geleistet. Ein sinnloses Massaker für jeden Außenstehenden. Nur er wußte: Für ihn war es nicht sinnlos gewesen, sondern die einzige Chance zu überleben. Ein kleiner kalter Schauer kräuselte ihm die Nackenhaut. Die erste Salve mußte verschossen werden. Wie hätte man sonst glaubhaft machen können, genauso wie alle von dem schrecklichen Ereignis überrascht worden zu sein? Hätte Marjam die Komplizen schon vor der ersten Kugel erledigt, jeder hätte begriffen, daß sie nicht Retter, sondern Mitwisser waren. Wie viele Leichen säumten nun schon seinen Weg, seit er meinte handeln zu müssen? An diesen Toten hier aber traf ihn echte Schuld. Er verdrängte die Erkenntnis, wie er so vieles, was er tat, in letzter Zeit verdrängte. Die Tränen waren zu rasch gestillt worden; was sich da löste, konnte unmöglich den ganzen Schmutz fortwaschen, die Krusten wegspülen, die sein Charakter angesetzt hatte.

In weitem Bogen umschritten sie die Gruppen der Verletzten, gingen dann über die Treppe zum Laborhaus hinauf. Corall warf keinen Blick zurück.

Sie betraten den großen Saal. Dort hatte sich nichts verändert, und doch schienen Corall Jahre vergangen zu sein seit dem Gespräch mit Veren gestern abend. Nicht schwer für ihn, dafür eine Erklärung zu finden: Er selbst war ein anderer geworden.

Am Tisch in der Mitte, wo er mit Veren gegessen und geredet hatte, saß McGill, von mehreren Männern umstanden.

Das also war der große McGill, diese groteske Gestalt mit dem schildkrötenartig vorgereckten Hals, den unscharfen Gesichtszügen, den Tränensäcken unter den Augen und einer faltenübersäten Glatze. Das also war McGill, das Ziel seines Hasses!

Eine rein rhetorische Feststellung, denn in diesem Augenblick empfand er nichts als Sorge, wie es für ihn wohl enden würde. Er dachte nicht an das Gift über dem Camp am Himalaja, nicht an Chien-Nu oder Ketjak. Den kaputten Weizen hatte er vergessen, den drohenden Hunger der Driten Welt. Er ging nur, wie an einem Faden gezogen, auf die seltsame und trotz des Gedränges einsame Gestalt zu; er wußte, daß dort sein Schicksal entschieden würde und er nicht den geringsten Einfluß auf die Daumenstellung des Getreideimperators hatte. Der Daumen konnte nach oben, der Daumen konnte nach unten deuten, er würde sich fügen müssen.

Einen guten Meter vor McGill blieb er stehen. Tarax hatte ihn mit der Hand an der Schulter gebremst. Der alte Mann schaute prüfend, und Corall blickte in die schrecklichsten Augen, die er je gesehen hatte. Die Frabe der Iris war ein ins

Gelbliche schimmerndes Braun, halb verdeckt von den schweren Augenlidern. Corall glaubte durch diese Pupille einen Sumpf zu betrachten, einen nebelverhangenen Sumpf, in dem er sich verlor, je länger er hineinstarrte. Die changierende Farbe der Iris vermittelte nicht den Eindruck eines Auges, sie war ein verschwimmender Morast. Die Welt fiel hindurch, wurde aufgesogen, einverleibt in dieses ungeheuerliche Auge. Corall hörte geradezu den satten Schmatzlaut, mit dem dieses Gallertmoor Bilder verschlang. Es grauste ihn, aber er hielt dem saugenden Blick stand, indem er sich bemühte, eine schwarze Wand vor seine Gedanken zu schieben, die alles zudeckte, was er denken wollte, und ihm das herrliche Gefühl absoluter gedanklicher Leere schenkte. Er hielt diesen Zustand fest, bis McGill den Mund öffnete, eine Reihe erstaunlich dichter und starker Zähne zeigte und sagte:

»Sie also haben mitgeholfen, dem alten McGill das Leben zu retten. Brav, mein Junge, brav! Sie gefallen mir.« Er machte eine wegwischende Bewegung, seine Begleiter lösten die Gruppe auf und zogen sich an die Fenster zurück.

»Wie heißen Sie denn, mein Sohn?«

»Christian Corall.«

»Ahhh«, machte McGill gedehnt, ließ die Lippen ein wenig offen, kurz hoben sich die Augenlider. »Sie sind der deutsche Entwicklungshelfer aus Nepal, der bei mir volontiert, nicht wahr? Das da draußen ist dann Ihr asiatischer Freund, der Neffe Jell Raj Singhs. Traurige Botschaft für den alten Knaben.« Wieder machte er eine Pause, betrachtete Corall unergründlich, der seinen Blick auf die buschigen Augenbrauen konzentrierte, um McGills Augen auszuweichen.

»Dann haben Sie mir also meine Aufgabe hier unten abgenommen.« Dann sagte er noch etwas, das beziehungslos im direkten Zusammenhang erschien, Corall jedoch erschreckte.

»Ja, es ist schwer Freunde zu verlieren, aber manchmal muß man sie wohl opfern, um das eigene Leben zu retten. Sie gefallen mir, Corall, Sie gefallen mir wirklich. Gehen Sie jetzt, ich muß mich von der Aufregung erholen. Wir reden aber noch einmal, bevor ich weiterreise.«

Das klang weder drohend noch beruhigend, alles blieb offen, trotzdem fühlte Corall eine unbeschreibliche Erleichterung, als er den Raum verließ. Er schämte sich zwar irgendwo im Hinterkopf für diese unsinnige Freude, die so teuer erkauft war; aber es änderte nichts, er war glücklich. Jedenfalls bis ihn die traurige Wirklichkeit wieder einholen würde.

Corall lag auf dem Bett. Es war dunkel geworden. Die innere Spannung hatte nachgelassen, er fühlte sich erschöpft. Er lag auf dem Bett in Haus fünf und dachte an das leere Zimmer nebenan. Noch immer hing dort das Namensschild ›Sing‹ ohne ›h‹. Marjam lebte nicht mehr. Corall atmete mit flachen Zügen den Teergeruch des Holzschutzmittels ein. Marjam lebte nicht mehr, war es seine Schuld?

McGill hatte ihn für morgen früh bestellt. Keine Angabe von Gründen, ein höflich getarnter Befehl. Die Verwundeten waren mit dem Helicopter ausgeflogen worden, die Toten wollte man während der Nacht wegschaffen. Marjam lebte nicht mehr. Die Verfügung über seinen Leichnam traf McGill oder sein Stab, ihn jedenfalls hatte keiner gefragt. Was hätte er auch beschließen sollen? Sein eigenes Schicksal war noch ungeklärt. Okay, McGill war freundlich gewesen, hatte ihm gedankt, doch inzwischen war Zeit genug verstrichen, Material gegen ihn zu sammeln, ihn doch noch zu entlarven.

Er lag auf dem Bett, die Hände hinter dem Kopf gefaltet, und starrte an die Decke. Er hörte kein Geräusch, wußte aber plötzlich, daß noch jemand im Raum war.

Sein Onkel stand am Fenster. Herbert Corall, der Pfarrer. Die Dunkelheit wich einem Dämmerlicht.

Ich bin wohl eingeschlafen, dachte Corall. Ich muß schlafen, anders ist Herberts Anwesenheit nicht zu erklären.

›Es ist schön, dich hier zu sehen‹, sagte er. Die Gestalt vermittelte ihm ein Gefühl von Geborgenheit. ›Ich bin einsam.‹

›Ich weiß‹, sagte die Gestalt. ›Es macht mich traurig, dich so zu sehen.‹ Es mußte ein Traum sein, denn Herbert sprach, und er konnte ihn deutlich verstehen, ohne die Lippen zwischen dem gepflegten Bart zu bewegen.

›Bin ich eingeschlafen?‹ fragte er.

›Du bist eingeschlafen‹, bestätigte der Onkel, schaute ihn unverwandt an, bewegte jedoch die Lippen nicht. Die Augen schienen größer, als Corall sie in Erinnerung hatte.

›Ich mußte es tun, Onkel.‹

Der Onkel schwieg. Corall kam hoch, setzte sich auf das Bett, schob die Hände unter die Oberschenkel, baumelte mit den Füßen, so wie er es als Junge oft getan hatte. Dabei wußte er genau: In Wirklichkeit lag er noch immer auf der harten Matratze. Es war nur ein Traum, da geschahen solche Dinge.

Trotzdem wunderte ihn die Klarheit, mit der er zwischen Realität und Traum unterscheiden konnte, und daß er träumte, beruhigte ihn, denn in Wirklichkeit hätte er gerade jetzt nicht mit Herbert reden wollen. Aber es war gut, ihn im Traum zu sehen, er fühlte sich nicht mehr so allein, so ausgeliefert.

›Warum fühlst du dich ausgeliefert? Du hast doch gehandelt!‹ sagte sein Onkel. Es klang nicht vorwurfsvoll, es klang immer gleichmäßig im Ton, fast mechanisch. Jetzt entdeckte er plötzlich, warum Herbert beim Sprechen die Lippen nicht benutzte: Er redete mit den Augen. Wieder schienen sie Corall größer geworden oder ihm näher gerückt zu sein. Merkwürdig und auch unheimlich, denn diese Augen konnten offenbar auch seine Gedanken lesen. Doch es machte ihm keine Angst: nur ein Traum, ein Hirngespinst.

›Ich mußte es tun, Onkel‹, wiederholte er noch einmal.

›Er mußte es tun!‹ äfften ihn die Augen nach, wuchsen noch ein bißchen, und die Worte verklangen wie ein Wimmern mit Halleffekt.

Corall spürte sein Herz schlagen und überlegte, ob er dem Spuk nicht ein Ende bereiten sollte. Er brauchte einfach nur aufzuwachen. Aber der Onkel erklärte ihm im gleichen grellen wimmernden Heulton, daß Corall ja gar nicht aufwachen, daß er doch ihm, seinem evangelischen Onkel, beichten wolle, wie sehr ihn seine Tat entsetze.

›Sie entsetzt dich doch, oder?‹ fragten die Augen, füllten bereits das ganze Gesicht aus, verloren längst ihre Individualität, zwei runde flache Scheiben mit einem schwarzen Punkt in der Mitte.

›Ich habe nichts zu beichten, ich mußte es tun‹, beharrte Corall trotzig. Er zog die Hände unter den Schenkeln hervor, legte sie auf das Gesicht, doch die zwei Kreise starrten ihn durch das Fleisch hindurch an.

›Wir hatten doch keine Chance, der Plan war doch Unsinn! Niemand von uns hätte sich gerettet. Wo lag der Sinn im Tod von uns allen? Wo der Sinn für den Mord an diesem Vizepräsidenten, wenn wir alle starben? Jemand mußte überleben, um zu berichten, was McGill der Welt antut!‹ Die Kreise verschwanden, er ließ die Hände sinken. Die Augen waren auf ihre normale Größe im Gesicht des Onkels zurückgeschrumpft. Bart und Nase, auch die Lippen wurden wieder sichtbar.

›Glaub nicht, daß ich dir ein Alptraum sein möchte!‹ Diesmal benutzte die Gestalt den Mund zum Sprechen. ›Es klingt einleuchtend, was du sagst, du mußt damit leben. Aber die Entscheidung trägt einen Namen, sie trägt ihn immer, ob laut oder im stillen, sie trägt ihn vor dem Gewissen, sie trägt ihn als Urteil: Der Name heißt Verrat!‹

›Ist dann nicht jede aus Notwendigkeit gefällte Entscheidung Verrat?‹ fragte Corall. ›Marjam und ich sollten nach meinem Plan überleben, denn wem würde die Welt wohl eher glauben, dem Terroristen Veren, dem Rainbow Warrior, schon kompromittiert, bevor er überhaupt den Mund öffnet, oder mir und Marjam, dem idealistischen Entwicklungshelfer und seinem Partner, der auszog die Schuldigen für den Hunger in seiner Heimat zu entlarven?‹

›Und das glaubst du wirklich?‹

›Das glaube ich wirklich.‹

Wieder wuchsen die Augen, wieder sprach Herbert durch sie in seinem wimmernden Heulton.

›War es nicht Angst, die Angst, die immer zum Verräter

macht? Die Angst des Feiglings vor dem Tod, die Angst des Feiglings, zur Rechenschaft gezogen zu werden?‹

Coralls Finger krallten sich in die Bettkante.

›Habe ich nicht eben Rechenschaft abgelegt? Was heißt Angst? Auch ich habe mein Leben riskiert, und Marjam hat sein Leben verloren bei dem, was du Verrat nennst! Muß ich nicht immer noch Vergeltung fürchten, wenn die Wahrheit ans Licht kommt?‹

›Wer sollte sie ans Licht bringen? Bist nicht du der einzige, der sie noch kennt? Und trotzdem hast du Angst, hast du Angst, hast du ...‹ Die Wimmerstimme verklang als Echo im Raum. Das Dämmerlicht erlosch langsam, wie von einer fremden Regie ausgeblendet. Corall erwachte schweißgebadet.

McGill bat Corall zum Frühstück in den Pavillon. Sie aßen allein. Corall schimpfte sich pervers, als er merkte, wie stolz er auf diese Einladung war. Er allein mit dem großen McGill! Ein Snob, viel schlimmer: wirklich ein Verräter, wenn ihm das hier gefiel. Es gefiel ihm.

McGill löffelte sein Ei, zerkleinerte mit starken Zähnen zwei Scheiben Toast, wollte gelockerte Stimmung, bevor er sagte: »Sie sind wirklich ein tapferer Mann, ich muß mein Lob von gestern wiederholen, doch es bleibt ein kleines Rätsel zu lösen.« Er strich zwei Messerspitzen Marmelade auf seinen dritten Toast. Das Messer im Glas überzeugte Corall: McGill besaß wie alle Amerikaner wenig Kultur, ohne Unterschied der gesellschaftlichen Schicht. Die Frage nach dem Rätsel schnürte ihm vor Schreck die Kehle zu. Was für ein Rätsel?

McGill griff zum Kaffee und meinte, während er die Tasse zum Mund führte, völlig abweichend vom eben begonnenen Thema: »Lieben Sie Kaffee auch so? Er ist meine große Leidenschaft.« Corall konnte nur nicken. McGill trank, setzte betont vorsichtig die Tasse auf die Untertasse zurück, ließ sich erkennbar Zeit. Als er Corall durch innere Spannung genügend gequält glaubte, gab er das Rätsel preis.

»Man hat Sie beobachtet, wie Sie am Abend vor dem Attentat lange mit Veren sprachen. Wir wissen jetzt, daß er als Agent der Rainbow Warriors arbeitete. Ziemlich weit oben sogar. Wir identifizierten seine Fingerabdrücke in unserer Kartei für solche Leute. Sie staunen? Gegen Geld wird einem so etwas ohne weiteres zugespielt. Leider hat der Sicherheitsdienst geschlafen, so daß ihm Veren erst jetzt ins Netz gegangen ist. Zu unserer Entschuldigung sei aber gesagt, daß er schon im Konzern arbeitete, als er den ›Warriors‹ beitrat.«

Wieder nahm er einen Schluck Kaffee.

»Über Sie steht übrigens nichts in der schwarzen Liste. Trotzdem wird es ein Rätsel bleiben, warum gerade Sie so dicht bei Veren standen, als er schoß. Wirklich Zufall? Wenn er seine Absichten am Abend vorher schon verriet, warum wandten Sie sich nicht an Hammerstein?«

Corall machte keine Anstalten, etwas zu sagen.

»Ich will Sie nicht beunruhigen. Es gibt auch bisher keinerlei Beweise für eine Komplizenschaft. Wir haben die letzten zwei Jahre Ihres Lebens gründlich durchleuchtet, ich wollte das so, ich wollte sichergehen.« Und das wollte er wirklich, darum inszenierte er diesen Verdacht, wollte Coralls Reaktion prüfen.

»Ich löse ungern Rätsel selbst, ich lasse sie lösen oder vergesse sie. Soll ich das hier vergessen, oder wollen Sie es für mich lösen?«

Klein und in die Ecke gedrängt fühlte sich Corall, er erkannte nicht, ob McGill bluffte. Was sollte er zugeben, was verschweigen? Er entschied sich, voll auf Lüge zu setzen.

»Ich wußte nichts von dem Anschlag. Wir haben über den Mais gesprochen, über Verens Forschungen«, sagte er und hoffte mit fester Stimme. Kaum hatte er begonnen, richtete McGill die schrecklichen Augen auf das Gesicht des jungen Mannes, unterbrach das Frühstück und hörte irritierend bewegungslos zu, was Corall aggressiver reden ließ, als er wollte. »Mein Partner Marjam Singh und ich kamen aus Nepal mit nur einem kleinen Umweg über Deutschland nach Mexiko. Ich habe Veren vorher nicht gekannt, er wurde mir von Hammerstein als Begleiter und Tischnachbar zugeteilt. Ich stand auch nicht neben ihm, ich lief erst hin, als er zu schießen begann, sonst wäre Marjam nicht gestorben.«

Die Augen hielten ihn fest, er fühlte sich in den Morast gezogen. Es war wie im Traum der letzten Nacht, diese Augen füllten alles aus, er sah nur noch sie.

»Das klingt glaubwürdig«, meinte McGill, mit der Betonung auf ›klingt‹. Und es schien, als redete er durch die Augen, denn die trübe Faszination seines Blicks hielt Corall völlig in Bann. »Es tut auch nichts zur Sache, wenn es gelogen ist. Sie haben mir das Leben gerettet, was auch immer Sie zum Handeln trieb.«

Auch diesen Satz betonte er besonders: »Es verpflichtet mich zum Dank!«

Ich habe für ihn getötet, dachte Corall. Nur für ihn, denn wer hätte mich sonst retten können? Doch er wollte sich nach diesem Eingeständnis nicht von Schuldgefühlen überwältigen lassen, die er der nächtlichen Erscheinung abgestritten hatte. McGill deutete seine Blässe anders.

»Es ist nicht schlimm zu töten.« Er wußte, wovon er sprach. »Es ist schlimmer, getötet zu werden. Mord und Totschlag sind in der Natur ein ganz normaler Vorgang. Das ist die Dialektik des Lebens. Der Tod ist nötig, damit das Leben erhalten bleibt. Aber natürlich immer nur der Tod der anderen«, fügte er mit einem Lächeln hinzu, das den faltigen Mund noch faltiger machte. Die schrecklichen Augen gaben Corall frei. Der wieder straffere, von Lächeln und Falten befreite Mund biß in den Marmeladentoast. Corall atmete auf.

»Wir werden gemeinsam eine kleine Reise unternehmen«, sagte McGill mit vollem Mund und daher kaum verständlich. »Ich verspreche Ihnen: Es wird interessant.« Nach dem Herunterschlucken ergänzte er: »Ich wette, Sie wissen gar nicht, wie weit die Pläne meines Konzerns reichen.«

Was er jetzt sagte, klang unbeschwert, jungenhaft verschmitzt, so schrecklich im Gegensatz zu dem, was sich hinter diesen ›Plänen‹ verbarg. Er wischte sich den Mund mit der Serviette sauber. Coralls Gefühle entwickelten sich zwiespältig. Einerseits stand er im Bann dieser Persönlichkeit, andererseits hätte er den Mann für seine Heiterkeit schlagen mögen. Wieviel McGill von dieser gespaltenen Haltung bemerkte, in der unerklärlicherweise Zuneigung für den Alten mitschwang, konnte Corall nicht erkennen. Doch der Hauch persönlicher Zuwendung verschwand in den nächsten Sätzen McGills.

»Ich ahne es. Sie denken wie alle jungen Leute schlecht über McGill und sein multinationales Unternehmen. Genau wie dieser Veren oder die aufgehetzten Leute von Greenpeace und andere fanatische Gruppen, die gegen mich kämpfen, mich einen rücksichtslosen Kapitalisten nennen. Sicher, ich strebe nach Profit, nach Macht, die der Profit mir verleiht. Aber ich will doch nicht Macht um der Macht willen. Geht das denn nicht in eure vernagelten Köpfe? Macht gewinnt nur Sinn, wenn man sie gebraucht, um die Welt zu verändern. Macht ist die Kraft der Veränderung, der Grundstein für Neubeginn und Aufbau.«

Corall betrachtete den alten Mann zweifelnd. Glaubte er wirklich selbst, was er da sagte, recht laut und eindringlich sagte? Getreide für noch größere Gewinne, für noch stärkere Abhängigkeit der armen Länder zu manipulieren – nannte er das tatsächlich ›Neubeginn und Aufbau‹?

McGill merkte, daß er engagierter sprach, als es sonst seine Art war, merkte an der Reaktion des anderen, daß er geradewegs den Pfad zur Lächerlichkeit einschlug. Die schweigende Mißbilligung seines Gastes bremste rechtzeitig den Überschwang. Er pfiff sich zurück. Nichts kränkte ihn mehr als Autoritätsverlust. Seine Stimme nahm eine kühle, leicht spöttische Klangfarbe an: »Sie glauben das also auch. Wie blind ihr doch seid! Aber Ihnen will ich die Augen öffnen, Sie bei unserer kleinen Reise eines Besseren belehren.«

›Eines Besseren?‹ Glaubte McGill ehrlich, er würde sich für dessen Pläne begeistern? Am liebsten hätte er geschrien: ›Und wozu vergiften Sie die letzten Zonen natürlichen Lebens? Welchem Plan dient diese Zerstörung?‹ Doch er schwieg, und der Alte legte den Mund erneut in Falten, was wohl ein gutmütiges Lächeln sein sollte, Corall aber als bösartige Grimasse erschien. Doch so recht aus vollem Herzen konnte er keinen Haß mehr gegen diesen Mann schleudern, wie es ihm noch mühelos gelang, als ›McGill‹ für ihn ein Name war, ein böses Prinzip, und noch kein Mensch aus Fleisch und Blut dahinterstand, der argumentierte, lobte, Toast mit Marmelade bestrich, und zu allem Überfluß Autorität besaß.

»Ich sehe, Sie haben kaum etwas gegessen, einen Toast nur, wenig Kaffee getrunken. Ist Ihnen der Appetit vergangen? Na, macht nichts. Wir brechen in einer Stunde mit dem Hubschrauber auf. Packen Sie inzwischen Ihre Sachen, Tarax holt Sie ab.«

Der Helikopter schraubte sich rasch in die Höhe. Corall blickte aus dem hinteren Seitenfenster, schaute zurück auf die kleiner werdende Station, für die es nicht einmal einen Namen gab, so unauffällig ließ McGill sie verwalten. Man nannte sie einfach ›das Camp‹ oder ›die Station‹. Fünf Tage hatte er dort verbracht, die fünf ereignisreichsten in seinem bisherigen Leben, er würde sie nie vergessen.

Neben ihm saß McGill. Schwer atmend, die Hände in die Polster verkrallt, aber für seine Verhältnisse entspannter als sonst beim Fliegen. Vorn in der Kanzel, auf dem Co-Pilotensitz, Ulf Tarax. Begleitmannschaft samt zweitem Hubschrauber blieben, obwohl die Toten alle ausgeflogen waren, im Camp zurück.

»Etwa eine Stunde Flugzeit«, hatte McGill ungefragt erklärt. Corall war es egal, ob eine, fünf oder mehr Stunden. Er ließ sich jetzt treiben. Nichts erwartete ihn, er erwartete nichts. Resignation. Gescheitert war er. Sogar noch ein Verräter? Der Zweifel quälte ihn nicht, er war nur da, man mußte mit ihm leben wie mit so vielem anderen auch. Jell Raj Singh, ein entlarvter Verbrecher, Ketjak, Chien-Nu, wahrscheinlich beide tot. Und Gilda? Er wußte es nicht genau, wahrscheinlich auch sie nur ein Interessenvertreter, darauf aus, ihn zu benutzen. Er schuldete ihnen allen nichts mehr. Und Marjam? Was hatte Marjam gewollt? Wollte er nach dem Verrat seines Onkels überhaupt etwas?

Corall wischte sich mit der Hand über die Stirn, so als könnte er damit auch seine Grübeleien auslöschen. Er schuldete nur sich selbst etwas, das was er den anderen schuldig zu sein geglaubt hatte: seine Identität zu finden, er selbst zu werden. Wie konnte man überhaupt seine Identität anderen schulden? Gerade das war doch die persönlichste aller persönlichen Zustandsformen – durch niemanden, für niemanden anders als durch sich selbst zu erobern. Was war denn Identität? Die vollkommene Harmonie von Denken und Handeln, die Herrschaft über sich selbst. Wer anders als er selbst konnte dabei über Erfolg oder Mißerfolg entscheiden?

McGills Anwesenheit störte seine müßigen Überlegungen. Noch immer konnte er keine klare Einstellung zu dem Mann gewinnen. Was wollte der von ihm? Warum ließ er ihn nicht laufen?

Als hätte der Präsident die Gedanken erraten, meinte er: »Sie wundern sich vermutlich, warum ich Ihnen, einem mir völlig Fremden, so rasch und so viel Vertrauen entgegenbringe.« Unter ihnen zog das dunkelgrüne Dach des Dschungels vorbei. Ein fast gleichmäßiges Muster gekräuselter Baumkronen, über die nur hin und wieder ein Kapokbaum die gewaltigen Äste reckte. Was sich an lebendiger Vielfalt darunter abspielte, an Tod und Werden, nichts davon konnte man von hier oben aus entdecken. Coralls Neugier jedoch interessierte – noch fatalistisch gebremst – McGills Frage stärker als die Landschaft unter seinen Füßen. So rückte er vom Kabinenfenster weg und schaute auf den Sprecher.

»Ich bin normalerweise ein vorsichtiger Mensch, beobachte lange, bevor ich einen Mann auswähle. Nun, die Antwort scheint trotzdem einfach: Sie haben mir das Leben gerettet! Genaugenommen ist das aber kein zwingender Grund, mich näher mit Ihnen zu befassen. Man belohnt den Lebensretter, und die Sache ist erledigt. Ich habe Sie nicht belohnt, noch nicht.«

Er machte eine Pause. Corall starrte vor sich auf die Kabinenwand.

»Ich habe Sie aber auch nicht fortgeschickt«, fuhr McGill fort, Befriedigung in der Stimme.

»Ich weiß sehr gut: Sie haben auch Ihr eigenes Leben gerettet, als Sie den Killer erledigten.« Er sprach nicht weiter. Corall blieb die Deutung überlassen. Wußte er doch über die Hintergründe Bescheid, spielte er nur auf den Kampf mit Veren an?

Corall achtete darauf, sein Gesicht ausdruckslos zu halten. Wollte McGill die Katze spielen, dann würde er sich nicht aus dem Mauseloch locken lassen. So saß er da, wartete ab, ob den sibyllinischen Worten noch eine Erklärung folgte. Doch als McGill den Monolog fortsetzte, blieb er am Thema, das Vorspiel schien beendet. Gefühlvoll erzählte er Corall von den Gründen seiner ungewöhnlich raschen Sympathie für ihn.

»Vor vielen Jahrzehnten, in meiner Jugend, wurde mir eine Prophezeiung zuteil.

In meine Heimatstadt Ridgeburg in Massachusetts, nahe Boston, trat auf dem Rummelplatz am ›Thanksgiving Day‹ ein Wahrsager auf. Zum besseren Verständnis muß ich vorwegschicken: Mein Vater starb sehr früh, noch vor meinem zehnten Lebensjahr. Wahrscheinlich hat dieser Umstand mir ein Leben lang Vaterfiguren so interessant gemacht, so eine Art Freud'scher Komplex, immer auf der Suche nach dem Über-Ich. In meiner Jugend verehrte ich diese Typen, später forderten sie meinen Widerspruchsgeist heraus, reizten mich zum Streit, um an ihnen meine Kräfte zu messen. Na, jeder hat so seine kleinen Schwächen.

Dieser Wahrsager also, ein Mann von breiter hoher Statur, mit dunklen, ruhig blickenden Augen, imponierte mir sofort, kaum daß ich aus purer Neugier sein Zelt betreten hatte. Eine Mutprobe, weil Kameraden gewettet hatten, ich würde mich nicht hineintrauen. Sie werden es unschwer erraten, Corall: Der Mann entsprach haargenau meinen Vorstellungen einer Vaterfigur.

Bewegungslos saß er auf einem hochlehnigen Stuhl, zusätzliches Requisit meiner krausen Ideen von väterlicher Autorität. Vor ihm auf einem niedrigen schmiedeeisernen Tischchen mit drei geschwungenen Beinen stand eine Kristallkugel. Das Möbelstück sollte wohl einen altgriechischen Dreifuß imitieren. An die Zeltwände waren Tafeln gepinnt, vollgezeichnet mit all dem Brimborium an Kreisen, Linien und Sternzeichen, die diese Berufskaste braucht, um ihre Kunden einzuschüchtern und ihr Ansehen zu heben, der übliche pseudowissenschaftliche Unfug. Doch als ich vor ihm saß, unternahm der Mann nicht einmal den Versuch, mir Ehrfurcht mit diesem Firlefanz einzuflößen. Er schaute mich nur an. Ich starrte gebannt in seine dunklen Augen, der Blick strich über mich hinweg, schien sich in zukünftigen Fernen zu verlieren. Die Zeit verging, es wurde mir unheimlich.«

Corall hätte schwören mögen, daß die Erinnerung dem abgebrühten alten McGill jetzt noch Schauer über den Rücken jagten wie damals dem für Menschen noch empfänglichen kecken jungen Burschen.

»Endlich begann er zu sprechen, langsam, als kostete es ihn Überwindung, die Prophezeiung preiszugeben, sie nicht für sich zu behalten: ›Du wirst ein großer Mann, mein Junge, ein ganz großer Mann. Aber ich glaube nicht, daß man dich unbedingt beneiden muß. Am Ende deines Lebens bist du ein König. Viele werden dich fürchten, denn du bist schrecklich. Dein Erbe ist ein nicht gezeugter Sohn, der dir das Leben rettet!‹«

McGill hatte unbewußt sogar den Tonfall des fremden Sternendeuters nachgeahmt, so sehr berührte ihn nach den vielen Jahren noch immer das Erlebnis. Corall hütete sich, die schillernde Erinnerung durch einen Kommentar zu stören. Es dauerte auch so nur Sekunden, und McGill fand aus der Zone romantischer Jugendschwärmerei in die Wirklichkeit zurück.

»Sie mögen mich einen abergläubischen Narren schimpfen, aber hat der Mann nicht recht behalten?« Er lachte, es klang falsch, ein bißchen gezwungen.

Corall fiel ein: Viele große Männer der Geschichte hörten

auf Astrologen und Wahrsager, unfähig, dem eigenen Urteil in letzter Instanz zu trauen, wenn es wirklich wichtig wurde. Trotz seiner ironischen Schilderung der Szene gehörte also auch McGill dazu. Er hätte es nicht für möglich gehalten.

»Diese Prophezeiung hat mich immer wieder angetrieben, so eine Art Rückversicherung bei einer höheren Macht. Auch wenn es mal nicht so klappte, wie es sollte – ich wußte immer, für mich ist das nur eine kurze Pause, denn am Schluß bin ich König, bin ich der Sieger! Das Orakel hatte gesprochen, mein Vater hatte gesprochen. Sehr albern, Corall?«

Trotz der Anrede sprach er mehr zu sich selbst, wartete auch keine Antwort ab.

»Ich bin ein König geworden, Corall, Getreidekönig, wenn Sie so wollen, mächtiger noch als ein König. Ich bin ein Schöpfer, ein bißchen Gott, Sie werden es erleben. Auch an der letzten Aussage des Magiers ist etwas dran. Obwohl ich drei Ehen führte und auch sonst den Frauen nicht abgeneigt war, ist mir kein Sohn, überhaupt kein Kind geboren worden. Und dann kommen Sie und retten mir das Leben unter Einsatz Ihres eigenen Lebens, wie man es für keinen Fremden, sondern nur für einen Freund oder ...«

Er zögerte. »... Vater tut. Zufall, Corall, oder Fügung?« Bis dahin hatte Corall nicht ganz verstanden, warum McGill ihm die weitschweifige Geschichte erzählte, jetzt begriff er endlich. Die Prophezeiung, so glaubte McGill, sollte ihm, Christian Corall, gelten. Corall war erst verblüfft, dann verwirrt.

»Hören Sie auf, McGill!« stammelte er. »Was für ein Unsinn!«

»Wirklich Unsinn?« McGill versuchte den Blick des jungen Mannes mit seinen Augen zu packen, was ihm nicht gelang. So legte er Corall mit väterlicher Geste die Hand auf die Schulter, ein halbes Streicheln. Aber ohne Erfolg, der so Geehrte schaute stumm vor sich auf den Boden, folgte mit dem Blick den wirren Linien im Teppichmuster der Kabine, konnte keine klaren Konturen darin entdecken, die aus dem velourgewebten Labyrinth herausführten. Die große innere

Verweigerung. Er verbot seinen Gedanken sämtliche Spekulationen, die sich an dieses verlockende Angebot knüpfen konnten. Nach allem was passiert war, war er nicht bereit Frieden oder einen Pakt mit dem alten Mann zu schließen. ›Du wirst schrecklich sein‹, hatte der Magier den jungen McGill gewarnt. Er war schrecklich geworden, hatte er das vergessen?

»Haben Sie keine Angst!« beschwor ihn McGill. »Ich will Sie nicht bedrängen. Prüfen Sie Ihre Antwort, es hat Zeit.« Und nach kleiner Pause setzte er hinzu: »Schweigen wir also erst einmal darüber!« Der Hubschrauber rutschte in ein Luftloch, fing sich sofort wieder, schaukelte mehrmals heftig. McGill atmete mit offenem Mund, um sein Unwohlsein zu steuern. Corall drehte den Kopf weg, wollte dem anderen die Peinlichkeit eines Zuschauers ersparen. Es gab im Augenblick auch nichts mehr zu reden. So hingen beide eine Weile ihren Gedanken nach. Der junge Deutsche versuchte sie auf das Bild unter seinem Fenster zu konzentrieren. Dunkles Grün von Horizont zu Horizont. Dann entdeckte er mitten in dieser Wildnis die monumentalen Reste einer zerfallenen Maya-Stadt. Was schon aus der Luft erkennbar war, schien großartig. Ausgedehnte, kompakte Gebäude, jetzt nur noch Ruinen, hatten die Mayas nach strengen geometrischen Regeln gebaut. Meister des Kalenders und der Mathematik, liebten sie gerade, eckige Formen. Den Mittelpunkt der künstlichen Steinlandschaft aus Tempeln, Terrassen und Stufen bildete ein dreistöckiger Turm, gekrönt von einem pagodenartigen Dach. Diese antike Stadt war zweifellos ihr Flugziel.

»Ich vermute, da unten werden wir landen«, wandte sich Corall wieder an seinen Begleiter, ohne die Augen von den bizarren Ruinen zu lassen. Noch bevor McGill etwas sagen konnte, gab der sinkende Hubschrauber bereits die Antwort.

»Es ist das alte Palenque, die heilige Stadt der Maya. Früher ein großer Touristenmagnet, bevor ich die Halbinsel Yukatan sperrte. Nun ist der Dschungel wieder im Vormarsch, regeneriert sich die Erde.«

Corall wurde klar: Hier mußte das Geheimnis liegen, warum Hunderte von Kilometern Stacheldraht das Land durchzogen, unermüdlich Tag und Nacht Patrouillen den Zaun bewachten. Diese Erkenntnis bedeutete keine so große Überraschung. Erstaunliches zu sehen, hatte er erwartet, nur nicht gewußt, in welcher Gestalt oder Technik. »Was haben Sie da unten versteckt?« fragte er gespannt. McGill pfiff leise durch die Zähne, ein Mann, der sein Geheimnis noch nicht preisgeben mochte.

»Haben Sie Geduld, lassen Sie uns erst mal landen. Es wird sich alles finden und erklärt sich auch viel besser mit den Tatsachen vor Augen.«

Der Helikopter schwebte ein knappes Dutzend Meter über dem Boden, schob seinen zylindrischen Metallkörper über ornamental geformte Dachaufbauten, seltsame, in Steinwände gebrochene Muster, deren sakrale oder astronomische Bedeutung verlorengegangen war. »Ich habe diese eindrucksvollen Ruinen wetterfest und teilweise restaurieren lassen«, erklärte McGill im Vorbeifliegen. »Habe sie gleichzeitig auch einem wichtigen Zweck nutzbar gemacht, ohne die äußere Form der Gebäude zu verändern. Es klingt zwar nach Eigenlob, aber das Ganze ist eine kunsthistorische Großtat.«

Corall konnte jetzt Gruppen von Menschen erkennen, die zu ihnen heraufwinkten. Fast alle schienen Kinder zu sein, doch aus der Höhe konnte er sich irren. Corall wunderte sich, winkte zurück, wußte, daß sie es nicht sehen konnten, gab seinem Gefühl trotzdem nach, ihre Freundlichkeit zu erwidern.

Der Helikopter stand nun über einem grasbewachsenen Innenhof in der Luft. Langsam quirlte er sich hinunter. Die rechteckige grüne Fläche säumten langgestreckte Hausruinen. Ihre Wände lockerten viereckige leere Tore auf, durch die Corall während der Landung in die nächsten Höfe blicken konnte. Er sah aus ihnen tatsächlich Kinder auf den Hubschrauber zulaufen. Erst am Rand der Wiese, unter den mit mächtigen Quadersteinen geschichteten Arkaden, blieben sie stehen, von den wenigen Erwachsenen, die sie begleiteten, gestenreich zur Vorsicht gemahnt. Corall fühlte wieder McGills Hand auf der Schulter. Der alte Mann hatte den Kopf vorgebeugt, schaute jetzt mit Corall auf gleicher Höhe aus dem Kabinenfenster.

»Was Sie da sehen«, sagte er, »ist die neue Menschheit.« Corall begriff nicht. Sollte das ein Witz sein?

»Lassen Sie uns aussteigen!« mahnte McGill freundlich, zog die Hand zurück, widmete seine Aufmerksamkeit wieder der anderen Seite, wo Tarax bereits aus dem Cockpit gesprungen war und ihm die Tür öffnete. Auch Corall drehte die Verriegelung zurück, die Leichtmetallklappe schwang nach außen. Feuchtwarme Luft strömte herein. Corall empfand sie als angenehm nach der letzten Stunde steril gefilterter Kaltluft aus den Klimadüsen des Helikopters. McGills Satz ging ihm nicht aus dem Kopf, und so suchten seine Augen, als er auf dem Rasen stand, neugierig zuerst die Kinder. Lauter etwa zehn Jahre alte hochgewachsene Knaben. Achtzig, vielleicht sogar hundert – und alles Jungen. Er wußte keinen Grund, aber als er sie so betrachtete, fühlte er sich plötzlich unbehaglich. Ein leises Grauen schüttelte ihn. Die ›neue Menschheit‹ – was sollte dieser Unsinn?

McGill kam gemächlich um die Maschine herum.

»Hallo!« rief er, und trotz der steifen Schildkrötenwürde, die er nun wieder wie einen Panzer um seine äußere Haltung gezogen hatte, klang der Ruf auffordernd freundlich. Die jungen Burschen jubelten, rannten ihm entgegen, umringten ihn. Er drückte die hingestreckten Hände, streichelte Köpfe, gab Klapse auf Wangen und Schultern.

Aus der Gruppe der Erwachsenen, die am Hofrand warteten, löste sich eine Gestalt. Ein Mann, Mitte Fünfzig, hohe zerfurchte Stirn, intelligente, spöttisch blickende Augen, genaue Augenfarbe auf die Entfernung nicht auszumachen. Ein schneeweißer Kinn- und Oberlippenbart verengte den Mund zum Spalt unter einem breiten Nasenrücken. Was frei blieb, gehörte dem Gesicht eines sicherlich klugen, erfahrenen Mannes. Ohne Zweifel ein Mensch von Format, vielleicht nicht immer bequem, aber sicher nicht zu Unrecht überzeugt von dem, was er vertrat. Er trug wie alle Jugendlichen und das Aufsichtspersonal einen Overall mit großen Taschen an den Seiten, einem Reißverschluß vom Hals bis zum Bauch, sonst ohne jedes Abzeichen und ohne jeden Schmuck, unterschiedlich nur in der Farbe. Sein Overall war als einziger weiß.

Mit rudernden Handbewegungen schob er sich durch die Menge der Knaben, wobei er begütigend auf sie einredete, was aber im Stimmenlärm unterging. Doch langsam wurde der Raum um McGill lichter. Die Kinder zogen sich zurück. Der Mann erreichte seinen Boß. Anscheinend herzliche Begrüßung. Sie sprachen angeregt miteinander, dann deutete McGill auf Corall und winkte ihm. Die Kinder sprangen, lachten, sangen. Von ihren Betreuern gerufen, verschwanden sie nach und nach durch die Torbögen zurück ins Innere der Tempelanlage. Eine offensichtlich heitere, unbeschwerte Gesellschaft. Trotzdem – Corall wurde den unbehaglichen Eindruck nicht los. Er ging auf die beiden ihm entgegenblickenden Männer zu.

»Kommen Sie!« ermunterte McGill, stellte ihn dem anderen vor. »Und das ist Professor Henno Löbsack, Biologe, mein engster Mitarbeiter hier. Stehen wir nicht länger herum, gehen wir endlich zum Sitz des Hohenpriesters. So nennen wir unser Haupthaus, das heißt, die respektlosen Lehrer nennen es so, weil ich dort meine Zimmer habe. Aber es war tatsächlich mal ein Tempel, wie alle Gebäude, die Sie hier sehen«, fügte er lächelnd hinzu. Die drei Männer durchschritten wie die Kinder ebenfalls den viereckigen breiten Gang zum nächsten Hof. Es roch in diesem Langhaus nach verwitterten nassen Steinen. Ein unangenehmer, harnartiger Geruch. Am Ende des Hallengangs öffnete sich ein weiterer Innenhof, fast spiegelgleich dem eben verlassenen. Die Dächer der Häuser waren mit Steinschindeln gedeckt. Die Wände verzierten Relieffiguren, vermutlich Mayakrieger oder Priester. Vom Dachsims starrten plötzlich Augen. Zwei große Augen, Pupille, Augapfel und Lid realistisch aus dem Stein gehauen, Reste eines Gesichts.

»Gott Kukuruz sieht Sie an«, erklärte Professor Löbsack, ohne daß Corall gefragt hatte. Aber die Augen dominierten so stark, daß sich wohl jeder Gast danach erkundigte.

»Gott Kukuruz? Das ist der Mais, nicht wahr?«

»Richtig«, bestätigte McGill, »das ist der Maisgott, der große gute Gott, der den Hunger besiegt.«

Corall sagte nichts, er wollte nicht mehr an die ›Station‹ denken. Sie passierten zwei weitere Innenhöfe, kamen an halbverfallenen Steinfiguren vorbei, alle im kantigen Baustil strenger künstlerischer Auslegung von mathematischen Regeln. Schließlich standen sie am Fuß einer Stufenpyramide, die ein völlig intakter Tempelbau krönte. Schon aus der Luft hatte Corall das Bauwerk bewundert, dank seiner Mächtigkeit und seines zentralen Platzes in der Stadtanlage gar nicht zu übersehen.

»Keine Angst, wir müssen nicht hinaufklettern, obwohl der Eingang oben ist!« beruhigte McGill, am meisten wohl sich selbst. Aus der Gruppe wäre es ihm am schwersten gefallen, die zweihundert Treppen zu steigen. In der linken Flanke hatte der künstlich angeschüttete Berg eine maschinell gegrabene Rinne, Platz für eine Eisenschiene. An ihr hing die gläserne Kabine eines Fahrstuhls. Die Männer fuhren aufwärts. Von der Plattform, auf der der Tempel stand, bot sich noch einmal die totale Aussicht auf das Ruinenpanorama, beinahe so schön und umfassend wie vom Hubschrauber.

»Kommen Sie, meine Herren!« Der Führer im weißen Overall machte eine einladende Handbewegung. Die Mauerdurchbrüche der Tempelwand waren verglast. Früher fegte hier der Wind hindurch, sang in den Nischen, pfiff über die Dachverzierungen und trug die Todesschreie der Götteropfer mit sich fort, denen Priester bei lebendigem Leib das Herz herausschnitten. Links neben der Glastür betrachtete Corall – mehr aus Neugier als mit Grauen – den in der Rückenmitte leicht ausgehöhlten Stein. Ein Altar, eine auf Händen und Füßen kniende stilisierte Männerfigur.

»Das ist ein Opfertisch«, erklärte der Professor. »Sein Platz war ursprünglich in der Tempelmitte, da störte er aber die Raumaufteilung. Jetzt steht er hier, und ich kann Ihnen versichern, nirgend weit und breit finden Sie im Umkreis einen solchen Logenplatz, um den Sonnenuntergang zu bewundern.«

Schwarzer Humor! kommentierte Corall unausgesprochen die Einladung. Sie betraten den Vorraum hinter der Glastür.

»Die Maya konstruierten nur sogenannte falsche Gewölbe«, dozierte Löbsack weiter, wies dabei auf die quadratisch gestützte Decke. »Den echten Druckbogen europäischer Gotik begriffen sie nie. Deshalb sieht man hier überall Kanten und keine Rundungen.«

Das nächste Zimmer lag an der Tempelrückseite. Schon beim Eintritt spürte Corall an Kühle und Trockenheit den vollklimatisierten Raum. Ein dicker einfarbiger heller Teppich bedeckte den Boden. An der schmalen Seite, dem Eingang gegenüber, ein flacher Glastisch von niedrigen Hokkern umstellt. Die lange Wand rechts bedeckte das prächtig erhaltene Mosaik eine heiligen Quetzalvogels, aus bunten Steinen zusammengelegt. Die zweite Längswand war nur Glas mit einem herrlichen Ausblick zum Urwald.

In diesem Raum übernahm McGill die Führung. Mit ausgreifenden Schritten eilte er über den schallschluckenden Teppich auf die Sitzecke zu.

»Löbsack, sorgen Sie bitte dafür, daß wir alle etwas in den Magen bekommen!«

Inzwischen war es Nachmittag geworden, und Corall merkte nach McGills Anweisung den bisher verdrängten Hunger. Der Professor blieb zurück, kümmerte sich um die Mahlzeit. Corall folgte McGill und setzte sich mit dem Gesicht zum Fenster an den Glastisch.

»Mein Domizil, wenn ich hier bin«, sagte der Konzernherr; es klang stolz. Corall lobte: »Beneidenswert!« Die Hokker waren echte Indianerarbeit, aber nicht bequem.

»Sind Sie müde?« fragte McGill, als Corall auf dem Sitzmöbel herumrutschte, um eine bessere Stellung zu finden.

»Nein, im Gegenteil. Ich bin voller Spannung auf die Erklärung Ihrer seltsamen Äußerung vorhin. Sie wissen schon, die von der ›neuen Menschheit‹! Ich würde gern alles über diese geheimnisvolle Trutzburg erfahren.«

McGill, der rechts von Corall an der Wand saß, antwortete: »Sehr gut. Was Sie sagen, trifft sich mit meinen Vorstellungen. Nur lassen Sie uns zuerst etwas essen und den Professor wieder in unserer Runde sein.«

Der Professor kam nicht allein. Zwei dicke alte Indiofrauen mit zerknitterten Gesichtern, in denen sich unzählige Falten den Platz streitig machten, begleiteten ihn. Sie trugen saubere gelbe Kittel, die ersten Personen, die Corall ohne Overall sah. Serviert wurde ein hervorragend duftendes Chili con Carne: scharf gewürztes Chilifleisch in schwarzen Bohnen.

Eine Weile aßen sie nur. Dann fragte McGill, während er eine Tortilla durchriß und in die Bohnen stippte:

»Wer schrieb die bemerkenswerten Sätze: ›Ein Mensch, der in eine schon in Besitz genommene Welt geboren wird, hat keinen Anspruch auf die kleinste Menge Nahrung, falls er nicht von seinen Eltern Unterhalt erlangen kann oder die Gesellschaft seine Arbeitskraft braucht. An der großen Festtafel der Natur ist kein Gedeck für ihn aufgelegt. Sie sagt ihm, sich zu packen, und sie wird nicht zögern, ihre eigenen Befehle rasch auszuführen.‹ Na, wissen Sie es?«

Die Frage war allgemein gehalten, doch Corall war klar, sie galt allein ihm. Nicht gerade der passende Gesprächsstoff während eines Essens, fand er. Es erschien ihm außerdem zu aufwendig, seinen Gehirnkasten nach einem Zitat in antiquiertem Satzbau zu durchforschen. Er schüttelte den Kopf.

»Die Passage mit der ›großen Festtafel der Natur‹ kommt mir zwar bekannt vor, aber … nein, ich weiß es nicht.«

»Diese Worte schrieb im vorigen Jahrhundert ein gewisser Malthus. Thomas Robert Malthus, gelernter Landpfarrer. Später sattelte er um, folgte seiner wirklichen Berufung und wurde Englands erster Bevölkerungspolitiker. Seine wichtigste These habe ich eben zitiert. Die Schlüsse, die Malthus zog, in einer Wohlstandsgesellschaft könne die Bevölkerung schneller wachsen als die Nahrungsmittelproduktion, sind heute leider eingetroffen. Malthus empfahl Enthaltsamkeit oder späte Ehe, um den Kindersegen zu bremsen. Er bewies erstaunlichen Weitblick mit der Forderung, den Boden als nicht beliebig vermehrbar zu erkennen, der in seiner Qualität durch starke Nutzung zusätzlich rasch schlechter werde. Es ist gelungen, mit Kunstdünger und ertragreicheren Getreidesorten diese Grenze jahrhundertelang hinauszuschieben, auf demselben Stück Land immer größere Ernten einzubringen, aber das ist jetzt vorbei. Sie haben es in Asien gesehen, auf der ›Station‹ hat man es Ihnen erklärt; der Weizen ist tot, der Reis ist tot, die letzte Hoffnung der Menschheit ist der Mais.« Natürlich erinnerte sich Corall, in seiner Studienzeit den Namen Malthus gehört zu haben, verband auch eine verschwommene Vorstellung damit. Kritiker nannten ihn einen rücksichtslosen Interessenvertreter der herrschenden Klasse. Das hing wahrscheinlich mit der von McGill zitierten These zusammen – bei dieser Perspektive kein Wunder.

»Interpretiere ich Ihre Ansicht richtig, daß die Menschheit schrumpfen, sogar gewaltsam dezimiert werden muß, um künftiges Elend zu vermeiden?« fragte er irritiert. »Wie soll das geschehen – durch Krieg?«

»Sie verstehen mich goldrichtig, Corall. Aber doch nicht durch Krieg!« Der Präsident legte den Löffel neben die leeren Eßschalen. »Ein Krieg mit Atomwaffen würde zu gründlich aufräumen, der Zweck würde von den Mitteln überrundet. Was wir brauchen, ist eine Revolution. Es hat in der Geschichte der Menschheit nur zwei echte Revolutionen gegeben. Was wir nämlich so enthusiastisch als Revolutionen feiern, diese blutigen Geschehnisse vor zweihundert Jahren in Frankreich oder vor achtzig Jahren in Rußland, um nur zwei markante Beispiele herauszugreifen – was war das schon? Politische Umwälzungen, Okkupationen der Macht, bestenfalls neue Philosophien, aber doch niemals Revolutionen, echte Veränderungen der Menschheitsentwicklung!

Die gab es zum ersten Mal, als der Homo sapiens seßhaft wurde, die Landwirtschaft erfand, sich nicht mehr von der Jagd, sondern von den Früchten des Feldes ernährte, die er selbst gezogen hatte. Das Ergebnis war eine Menschenan-

häufung. Nicht mehr die lose kleine Gruppe im weitge-
steckten Territorium; das Dorf wurde jetzt der neue Lebensraum.

Die zweite revolutionäre Umwälzung ist jetzt nicht mehr
schwer zu erraten: die industrielle. Der Mensch begann sich
künstlich erzeugter Energien zu bedienen und trieb damit
Maschinen an. Jetzt baute er Städte, ballte sich zu Massen
zusammen. Kein menschenwürdiger Zustand, betrachten
wir seine Herkunft als Individuum. Auf die ersten beiden
Revolutionen reagierte der Mensch also mit explosivem Bevölkerungswachstum, das muß die dritte Revolution korrigieren.«

»Es war schon ein weiter Weg vom Jäger mit zehn Quadratkilometer Lebensfläche bis zum Apartmentbewohner
im achtunddreißigsten Stock, finden Sie nicht auch?« schaltete sich Professor Löbsack ein. »Wir sind ziemlich gehetzt
in diesem Luxusgefängnis angekommen. Ein Marathonlauf
in die Überbevölkerung, Streß durch Leistungszwang, Roh-
stoffknappheit und Umweltkrise! Und wem verdanken wir
das alles? Einem Organ von der Konsistenz eines Ziegenkä-
ses und auch nicht viel mehr an Gewicht: unserem Gehirn!
Und das muß uns jetzt auch wieder aus der Misere heraus-
helfen.

Das Gehirn hat sich zum Herrscher über unsere Instinkte
gemacht, sich selbst zum Bewußtsein verholfen und damit
zuerst seinen Wirt, den Menschen, und dann die ganze Welt
unterworfen. Hat alles einem einzigen Prinzip nutzbar gemacht, nämlich aus seinem Erkenntnisdrang Lustgewinn zu
ziehen.

Die ›grauen Zellen‹ durchschauten alle Naturgesetze, ent-
schärften ihre Gefährlichkeit für den Menschen, zwangen
sie sogar unter das Joch der Technik, machten sie zum
Spielzeug für Bequemlichkeit und Triebbefriedigung. Damit
holte sich das Gehirn bei seinem Wirt Absolution, den eigenen Neigungen ungehemmt folgen zu dürfen, ein Parasit
auf Kosten der natürlichen Umwelt, die darüber zum Teufel
geht. Objektiv betrachtet, eine Leistung von einmaliger
Großartigkeit in diesem Universum.

Bei diesem bewundernswerten Denkprozeß schuf das Gehirn Medien zur Kommunikation der vielen Hirne in aller Welt, schloß über Ozeane, Wüsten und Gebirge hinweg individuelle Denkleistungen zu einem einzigen Hirnkoloß zusammen, vernetzte dieses phänomenale Riesenorgan noch mit den Denkhilfen der Computer.

Die ungeheuerliche Masse Intellekt produziert nun ununterbrochen Erkenntnisse und Umwelterneuerungen in einem Tempo, dem der natürliche Anpassungsmechanismus im menschlichen Körper nicht mehr folgen kann. Die Lücke zwischen den durch die Technik geschaffenen Lebensbedingungen und der biologischen Eignung des Menschen klafft immer weiter auseinander. Und jetzt wird es gefährlich, denn die Evolution lehrt uns: Ab einer bestimmten Grenze der Fehlanpassung stirbt ein Lebewesen aus. Die Dinosaurier starben an ihrer Körpermasse, der Säbelzahntiger an seinen überlangen Stoßzähnen, das Mammut unter seinem dicken Fell. Gigantismus und Überspezialisierung zahlen sich in der Natur nicht aus, wenn sich die Existenzgrundlage klima-, umwelt- oder technikbedingt ändert. Droht der Spezies Mensch also das Aussterben?

Unser Großhirn, verglichen mit der Hirnmasse im Verhältnis zur Körpergröße aller anderen Mitlebewesen, besitzt Riesenwuchs, ist zum Exzessivorgan entartet. Das heißt im Klartext: Heute vereinigt der Mensch in seinem Typus zwei Faktoren, die genau dazu verurteilen: Gigantismus seiner Denkmasse, Trennung von seinen biologischen Grundlagen.

Aber im Moment scheint genau das Gegenteil der Fall zu sein. Wir vermehren uns wie nie zuvor; niemals bevölkerten derart viele Menschen gleichzeitig den Erdball, hundert Millionen Tonnen menschlicher Biomasse. Haben Hirn und Technik die Evolution alter Ordnung außer Kraft gesetzt? Es scheint, als sei es dieser durch zahllose Informationsstränge weltweit verknüpften grauen Zellmasse tatsächlich gelungen. Wenn das so ist, dann unterliegt diese ›Evolution des Geistes‹, so will ich sie einmal nennen, genau den gleichen Gesetzen, wie die biologische: Sie marschiert auf einer Einbahnstraße vom Niedrigen zum Höheren.

Wer also den Menschen in seiner selbsterrichteten technischen Umwelt am Leben erhalten will, muß sich von den Lehren politischer Naturapostel fernhalten, daß das Heil bei den Primitiven, in der Natur läge. Wenn wir auf diesem Weg überhaupt eine Chance hätten, dann jedenfalls nicht in der Richtung ›Zurück zur Natur‹ und den Lebensformen der vorindustriellen Zeit. Die ›Evolution des Geistes‹ verlangt rationales Denken, virtuos bisher nur von der weißen Rasse beherrscht. Nicht bei den Primitiven reift die Zukunft, sie gehört uns.«

Corall lachte schrill auf, wußte, wie ungezogen sein Verhalten war, wollte aber verletzen. Er fand diesen Rassismus empörend. Bruchstückhaft schleuderte er seine wütende Reaktion heraus, die Argumente des Professors zerschlugen ihm die klare Sprache.

»Die Krone der Schöpfung: der weiße Mann! Da muß ich lachen. Der Stein in der Krone: natürlich die Amerikaner. Ich werd verrückt, was für ein Unsinn!« Die letzte Äußerung erschien ihm selbst zu unverschämt, zügelte ihm wieder die Zunge, machte ihn auch ruhiger. Die Fortsetzung seiner Gegenrede begann er mit einer Entschuldigung. »Seien Sie mir nicht böse. Was mich so erregt:. Wer hat denn die menschliche Umwelt in diesen Zustand der Entfremdung versetzt? Das war doch der weiße Mann mit seiner verdammten Rationalität, die bedroht uns doch dank ihrer Technik mit dem Untergang der Menschheit!«

»Völlig richtig, was Sie da sagen«, sekundierte McGill beschwichtigend, der offensichtlich das Gespräch wieder an sich bringen wollte, »und doch kein Widerspruch zu den Ausführungen des Professors.

Was hat er denn behauptet? Sie erregen sich zu Unrecht. Der Professor hat doch nur gesagt: Wenn wir auf dem eingeschlagenen Weg fortschreiten, im sturen Glauben, daß uns die Technik auch aus dieser Krise führen wird, wir also weiterhin absolut auf das Primat des Geistes setzen, dann kann uns nur rationales Wissen, die Gedankenwelt der Mathematik, der Physik, der Chemie, kurz die abstrakte Welt der Zahlen retten. Und in dieser Sphäre sind nun mal die

Weißen Meister. Oder kennen Sie einen schwarzen Newton, Einstein oder Heisenberg?

Wer aber will überhaupt auf dieser Schiene weiterfahren? Professor Löbsack hat eine Hypothese zum Überleben aufgestellt, die haben wir aber längst verworfen! Wir wollen nicht weiter in eine technische Kunstwelt des Geistes hineinrasen, sondern wieder das Gleichgewicht zwischen Natur und Intellekt herstellen, weil auch das Gehirn auf die Dauer nicht ohne seine biologischen Grundlagen existieren kann. Löbsacks ›Evolution des Geistes‹, dieses Kunstprodukt menschlichen Verstandes, schiebt den Zusammenbruch doch nur auf, wie Kunstdünger und Ertragssteigerung das malthusianische Hungergespenst lange verscheuchen, aber nicht bannen konnten, die Katastrophe bräche nur um so totaler über uns herein. Die Menschheit, die Welt kann nur eine erneute radikale Umwälzung retten: die genetische Revolution!«

»Die genetische Revolution?« Die Eröffnung erfüllte Corall mit Entsetzen. Erst hatten sie das Getreide manipuliert, jetzt die Menschen. Diese Jungen vorhin, hatte McGill im Hubschrauber nicht kurz vor der Landung gesagt: ›Was Sie da sehen, ist die neue Menschheit?‹ Etwas würgte ihn im Hals.

»O Gott!« stieß er hervor. »Das ist doch Wahnsinn!«

»Was ist Wahnsinn?« fragte McGill stirnrunzelnd und distanziert im Ton.

»Sie ändern wirklich Menschen wie Getreide?«

»Und wenn es so wäre, was erschreckt Sie daran?«

Corall fand für das Ungeheuerliche keine passenden Worte. Er stotterte herum: »Das ist ... ich weiß nicht ... die Würde, wo bleibt da die Würde des Menschen ...?« Er brach seine Kritik ab.

»Merken Sie etwas? Sie schweigen«, dozierte McGill sanft. »Ich weiß doch, Sie sind intelligent. Wie die meisten sitzen Sie aber erst einmal Ihrem Vorurteil auf: den Menschen verändern, manipulieren! Unmöglich, Teufelswerk! Aber warum eigentlich nicht? Stimmt's? Das haben Sie sich plötzlich gefragt. Warum nicht diese mit Hybris geschlagene, unvollkommene Kreatur ein wenig verbessern, denn alles, was wir tun sollten, damit es hier auf Erden gerechter zugeht, wissen wir doch, das Predigen uns doch die großen Religionen und Humanisten seit mehreren Jahrtausenden. Aber wir tun es nicht, tun es nicht – und das gilt inzwischen wörtlich – nicht ums Verrecken!

Warum sollte da nicht jemand eingreifen, wenn er das nötige Wissen besitzt? Ein bißchen werden wie Gott?« Das konnte er sich aus Spott nicht verkneifen. »Prüfen Sie aber einmal die überkommenen Ideale vom Menschsein am Wetzstein der Wirklichkeit, wie bald sie verschlissen sind, wenn man uns entgegenhält, wir fesselten den freien Willen, raubten dem Menschen die gottgeschaffene Form, teilten ihm nur noch einen Stellenwert zu in der von uns, nach unseren Interessen geschaffenen Ordnung.

Wo hält solche Kritik überhaupt stand? Auch jetzt schon ist der Mensch an eine zwingende gesellschaftliche Ordnung gebunden, in der er nur selten mitbestimmt.

Was ist das Gehirn anderes als ein Computer aus Fleisch und Blut, programmiert durch Gene und Umwelterfahrung? Lassen Sie ein paar Nadeln in die Hirnrinde stoßen, ein bißchen elektrischer Strom kitzelt die Lustzentren, man wird heiter oder traurig, entsprechend der Nadel, die einen unter Strom setzt. Aber jedesmal wird man glauben, es sei eine selbsterzeugte, gewollte Empfindung. Man kann den Armen auf diese Weise Bewegung verschaffen, den Beinen, immer wird das Gekitzelte meinen, es sei die eigene Entscheidung und nicht die der Nadel. Aber es ist der sanfte Befehl der Nadel und nicht der eigene Wille, doch man merkt es nicht, man hängt am unsichtbaren Faden der Elektrizität wie eine Marionette. Wo bleibt da der göttliche Funken, die gottgegebene Freiheit?

Wir sind das bloße Produkt aus DNS-Molekülen. Mehr nicht, aber auch nicht weniger. Warum sollte man sich dann nicht daran wagen, den kaputten Organismus zu heilen, wenn man das Rezept dafür kennt? Ein unzeitgemäßes Modell wird doch auch modernisiert.«

Vieles von dem, was McGill sagte, deckte sich völlig mit

Coralls Anschauungen, auch er leugnete den ›göttlichen‹ Funken und eine uneingeschränkte menschliche Freiheit, doch sträubte sich alles in ihm, so kampflos zu kapitulieren. McGill, das war noch immer das Feindbild von gestern. Und heute? Mit schmeichelndem Lob für seine Intelligenz wollte er sich nicht mundtot machen lassen. »Es kränkt Ihr Selbstverständnis als Mensch, ein unzeitgemäßes Modell genannt zu werden«, stichelte McGill, als Corall so lange schwieg. Corall preßte die Lippen zusammen, schüttelte den Kopf, dann entspannte er den Mund.

»Das ist es nicht, ich bin nur noch nicht so zynisch, den Menschen mit dem Korn auf einer Stufe zu sehen. Das heißt doch aber, Sie manipulieren Ihren neuen Adam nach den Vorstellungen des Kapitals, nach den Richtlinien bestmöglicher Gewinnmaximierung, so wie Sie es mit dem Getreide auch getan haben!«

»Jetzt reden Sie Unsinn«, sagte McGill hart, die Linien um seinen Mund vertieften sich. »Was wir planen, dient der Gesundung der Welt, nicht dem Vorteil der Firma McGill. Hören Sie doch zuerst einmal unsere Ideen an, bevor Sie so hart schlagen.«

Corall, der immer umherblickte, um McGills Augen auszuweichen, sah den Professor bedenklich den Kopf wiegen. McGill hatte den Mann nicht im Blickfeld, Corall verstand die Warnung: Er sollte den Präsidenten nicht allzu sehr reizen. So murmelte er begütigend: »Sie haben recht, es tut mir leid.« Die Worte kamen ihn hart an, aber aus Interesse an der Sache wollte er nicht durch Trotz McGills Wohlwollen verlieren.

McGills Backenmuskeln wurden sofort lockerer, er nahm die Entschuldigung an, zeigte sogar genügend Großmut, Corall nicht weiter zu demütigen, indem er eine Verzeihung aussprach.

»Lassen Sie mich unsere Vorstellungen weiter entwickeln. Das menschliche Gehirn hat die Natur verändert, war aber bisher nicht in der Lage, sich selbst zu verändern. Gefühle, Schwächen, Ängste sind leider gleich geblieben, seit wir uns vor Jahrmillionen auf die Hinterbeine stellten und beschlossen, ›Mensch‹ zu werden. Unsere Instinkte, aus denen wir noch heute die gültigen Verhaltensnormen ableiten, sind Steinzeitethik, und mit Ethik meine ich hier unser wahres Handeln, nicht irgendwelche idealen Absichtserklärungen. Seit damals ist das alles unverändert geblieben und bedarf dringend der Korrektur.

Einer Korrektur des Aggressionspotentials zum Beispiel. In prähistorischen Zeiten war dieser Instinkt sicher ungeheuer wichtig, um das angestammte Territorium und das eigene Leben zu verteidigen. Im Zeitalter der Massenvernichtungswaffen ist Aggression von größter Gefahr und durch Vernunft leider bisher nicht beherrschbar. Das gilt es zu ändern.

Oder der Fortpflanzungstrieb. Was bewirkt er ungehemmt in einer jetzt schon übervölkerten Welt, die alle Rohstoffe des Planeten rücksichtslos auspowert? Den Untergang! Wie wollen Sie das Gebot ›Gehet hin, mehret euch, machet euch die Erde untertan!‹ ändern, wenn es nicht nur zutiefst menschlichem Instinkt entspricht, sondern auch noch offizielle Kirchenlosung ist? Stammte sie vom Teufel, sie würde dem Bösen alle Ehre machen.

Doch es wird nicht leicht sein, dieses Programm in die Wirklichkeit umzusetzen. Viele Menschen bedeutet auch viele Hirne. Diese Hirnmasse, die auf der Erde lastet, wird man nicht als Einheit umprogrammieren können, man kann sie nur ersetzen. Die genetische Revolution beginnt klein, sie beginnt hier, hier im mexikanischen Urwald, so wie damals der erste Mensch auch aus dem Dschungel aufgebrochen ist. Eine zufällige Parallele. Doch damit der neue Mensch seinen Platz behaupten kann, muß der alte Adam verschwinden.«

Ein schreckliches Wort, geschäftsmäßig ausgesprochen: ›verschwinden‹. Rechtfertigte diese Idee den Mord an Menschen und Pflanzen in den Wawilow'schen Zentren als eine Art Bevölkerungshygiene?

Corall schüttelte es, aber er ließ die Regung nicht sichtbar werden. Das war wieder der alte, der wirkliche McGill. Vergiften, so hieß seine Form der Geburtenkontrolle zum

Schutz künftiger Generationen die aus der Zuchtanstalt Palenque hervorgehen sollten.

»Ich glaube, wir sollten unserem jungen Freund jetzt Zeit geben, das alles und die schwarzen Bohnen richtig zu verdauen«, warf Professor Löbsack ein, bevor Corall Gelegenheit hatte, McGills Vorschläge zu kommentieren. Er stand auf, räkelte die Schultern leicht unter dem weißen Overall. »Kommen Sie. Ich zeige Ihnen Ihr Zimmer, es ist ebenfalls in diesem Stockwerk.«

»Ruhen Sie sich bis zum Abendessen aus!« ergänzte McGill zufrieden. »Nachher erfahren Sie den Rest. Professor Löbsack hat recht, er ist ja Fachmann: Bittere Medizin sollte man nur in kleinen Dosen verabreichen. Okay?«

Corall war wie betäubt und mit allem einverstanden.

Warum erzählen sie mir das alles nur? Diese Frage lief in seinem Kopf im Kreis.

Der Raum erinnerte an eine Klosterzelle. Corall und der Professor standen sich zwischen den unverputzten Mauern gegenüber. Kein ungemütlicher Aufenthalt, trotz der Enge. Auch hier ein dicker flauschiger Teppich in Dunkelblau auf dem Boden. Klimaanlage, leicht rauschende Frischluftzufuhr aus der Decke, vom Fenster aus schöne Sicht auf die Tempelreste und den Wald. Ein flaches Holzbett, indianische Arbeit, nur aus Holzkeilen und Matten zusammengefügt, genauso wie die zwei Hocker und der Tisch. Seine Platte bedeckten skurril gezeichnete bunte Märchenvögel.

»Nehmen Sie doch einen Moment Platz, Professor!« bat Corall höflich. Es war ihm noch immer unangenehm, Löbsack vorhin so schroff behandelt zu haben. Er sah den Fehler ein, wollte mit ein paar freundlichen Floskeln Abhilfe tun. Der Professor schien bereit.

»Das tue ich gern.«

Sie setzten sich. Corall spürte Scheu, die Hände auf die Lackarbeit der Tischplatte zu legen, er hatte Angst, das Kunstwerk zu beschädigen, doch als der Professor ungeniert mit den Fingern die Muster nachzeichnete, verlor er seine Hemmungen. Statt Freundlichkeiten auszutauschen, kam Löbsack gleich ziemlich grob zur Sache. »Sie sind ein Dummkopf! Verzeihen Sie mir, daß ich das so unverblümt äußere. Zumindest verhalten Sie sich wie ein solcher. Ich habe eben unser Gespräch unterbrochen, nicht weil ich wirklich glaube, daß Sie Ruhe brauchen; ich habe unterbrochen, damit Sie sich nicht noch mehr um Ihre große Chance reden. Der alte McGill hat einen Narren an Ihnen gefressen, er plant Großes mit Ihnen, hat mich schon von der ›Station‹ aus auf Ihre Ankunft vorbereitet, und Sie trampeln sinnlos auf ihm herum. Was soll das bringen? Ihnen jedenfalls nichts. Denken Sie mal darüber nach.«

Er wollte aufstehen. Respektlos drückte Corall ihm die Hand auf die Schulter.

»Bitte, bleiben Sie noch! Es mag ja alles richtig sein, was Sie mir sagen. Aber was geht hier vor, Professor? Sagen Sie mir doch endlich: Was verlangt man von mir?«

»Das weiß ich nicht genau, das kann Ihnen nur McGill mitteilen.«

»Erklären Sie mir wenigstens, was hier geschieht!«

Löbsack zögerte mit der Antwort, kam aber zum Schluß, es könnte nicht schaden, technische Grundlagen preiszugeben, das sparte McGill Detailarbeit.

»Also gut.« Er schaute auf die Uhr. »Eine Viertelstunde für Grundsätzliches.« Seine Haltung entspannte sich, er nahm die Hände vom Tisch, rückte mit dem Fuß den Hocker an die Wand, um seinen Rücken zu stützen. »Sie wissen bereits: Wir haben über Jahrzehnte hinweg Informationen zum Knacken genetischer Codes gesammelt. Wir haben diese Erfahrungen bei Pflanzen und bei Tieren gewonnen und verwenden sie jetzt am Menschen, zum Wohle des Menschen. Die Dinge sind kompliziert, wie Sie sich denken können; umsonst forscht man nicht Jahre und Jahre daran. Haben Sie also Verständnis dafür, daß ich Ihnen in diesen wenigen Minuten keine dem Laien verständliche Schilderung der Abläufe im Zellkern gebe. Begnügen Sie sich mit dem groben Umriß und seinem Ergebnis.

Die Jungen, die Sie vorhin am Landeplatz gesehen haben, sind genmanipuliert. Schauen Sie nicht wieder so entsetzt!

Was bedeutet das schon – haben sie vielleicht zwei Köpfe oder vier Beine? Es sind keine Ungeheuer. Genau betrachtet sind wir im Gegensatz zu ihnen die wahren Ungeheuer. Der einzige äußerliche Unterschied ist ihre Größe. Obwohl sie körperlich wie Acht- bis Zehnjährige aussehen, sind sie in Wirklichkeit alle etwa drei Jahre alt.

Hier in den Kellergewölben haben wir Laboratorien, wo männliches Sperma entsprechend unseren Zielen behandelt wird. Die Befruchtung findet in der Retorte statt, das keimende Ei wird Indiofrauen in den Uterus eingepflanzt, die das Kind normal austragen und auch in den ersten Wochen mütterlich betreuen.

Daß wir in die Einsamkeit des Dschungels gezogen sind, liegt nicht daran, daß wir hier Ausgeburten Frankensteinscher Phantasie züchten oder fürchterliche Experimente an lebenden Menschen vornehmen, sondern wir wollen nur ungestört von der öffentlichen Neugier bleiben, bis wir ohne sensationelles Aufsehen unsere Ideen in die Tat umgesetzt haben, denn was wir hier tun, dient nicht nur biologischen, sondern auch politischen Umwälzungen.«

»Und was sind das für Ideen?«

»Einen Teil hat McGill Ihnen schon offengelegt. Wir schaffen einen Menschentyp, dessen wesentliches Merkmal das Fehlen bösartiger Aggressionen ist. Sie wissen vielleicht, es wurde lange darüber gestritten, ob im Menschen ein unabhängiger Aggressionstrieb wirkt, so wie Sigmund Freud, der deutsche Verhaltensforscher Konrad Lorenz und Friedrich Hacker das behaupten, oder ob die andere wissenschaftliche Schule um Erich Fromm und Mitscherlich recht behielt, die Aggression als Ausfluß gesellschaftlicher Frustration erklärte und einen isolierten Aggressionstrieb leugnete.

Wir haben herausgefunden, daß die Wahrheit – wie so häufig – fast in der Mitte liegt. Aggression ist eine Pervertierung des Selbsterhaltungstriebs im Menschen. Der Mensch hat mit seiner Kultur (ich nannte es vorhin ›die Evolution des Geistes‹) den Kampf um das Dasein abgeschafft. Verteidigungswille, Mut, Streßfaktoren, um dem Körper schnelle Reaktionen abzupressen, kurz, die Selbstbehauptung durch Kampf – das alles ist überflüssig geworden. Und nicht nur das; all diese vorhandenen, aber nicht mehr genutzten Fähigkeiten werden durch ständig geforderte Zurückdrängung verkrüppelt. Wer braucht auf fünfzig Quadratmeter Apartmentfläche im achtunddreißigsten Stockwerk noch die Jagdinstinkte für ein Revier von mehreren Quadratmeilen? Aber die Instinkte sind weiter da, wollen beschäftigt werden, auch wenn die Gesellschaft sie für überflüssig erklärt, sogar um des gesellschaftlichen Friedens willen verbietet. Irgendwann ist es dann soweit: ihr künstlich aufgestautes Potential bricht sich Bahn, die Eruption ist da. Sie heißt – Aggression gegen die Umwelt!

Einziges Gegenmittel: Man eliminiert den Selbsterhaltungstrieb.«

»Ist es nicht ungeheuer gefährlich und folgenschwer für eine Kreatur, ihren Lebenswillen zu verlieren?«

»Nicht, wenn diese Kreatur über ein intellektuelles Bewußtsein verfügt. Der Kampf ums Dasein ist doch abgeschafft. Außerdem bleibt der Lebenswille doch, nur die instinktive Verteidigungsbereitschaft wird entfernt. Verzeihen Sie, aber die Folgen aus diesem Eingriff sollte Ihnen besser McGill erläutern. Lassen Sie mich noch etwas Allgemeines über das Projekt sagen.

Sie haben nur junge Männer gesehen, genau gezählt achtundsiebzig. Eigentlich sollten es hundert sein, aber es gab Sterbefälle durch Krankheit und Unfall. Daß es nur Männer sind, hat einen doppelten Grund: Erstens läßt sich nach unserer Methode das y-Chromosom aus der Samen-Ei-Kombination xy, aus der nur männliche Nachkommen entstehen, leichter manipulieren, und zweitens gestattet die herrschende Moral überall in der Welt den Männern, ihr Erbgut breiter und rascher auszustreuen als Frauen. Das ist uns vorrangig wichtig. Seien Sie versichert, wir haben die vererbbare Lücke ›fehlende Selbsterhaltungsaggression‹ (obwohl es streng wissenschaftlich keine Lücke ist) absolut dominant gemacht. Die Kinder dieser heranwachsenden Männer werden ganz ihren Vätern nachschlagen, wenn sie in weiteren drei Jahren fortpflanzungsfähig sind. Jedenfalls haben wir auf diese Absicht hingearbeitet und werden den Erfolg hier testen, bevor wir sie losschicken. Der Erbfaktor ›aggressionslos‹ wird weitergegeben, der Selbsterhaltungstrieb erlischt, soweit er praktisch mit Kampfeswillen gekoppelt ist.

Wir haben noch ein Weiteres getan. Die Intelligenzentwicklung dieser Kinder wurde ihrem schnelleren körperlichen Reifungsprozeß nicht nur proportional angepaßt, sondern ihr IQ übersteigt den heutigen Normwert um fünfzehn bis zwanzig Punkte. Aber das ist keine aggressive Intelligenz mehr, keine, die ihre Erkenntnis sofort in Experiment und Praxis umsetzt und daraus Lustgewinn zieht. Diese Intelligenz ist in ihrer Tatkraft gebremst, sozusagen auf sich selbst beschränkt. Es sind kontemplative Wesen, die wir gebaut haben; ihnen wird das Denken um des Denkens willen genügen. Wir haben dieses Erbgut aus Asien entlehnt, während der Mangel an Kampflust einer Genkombination der Eskimos entnommen wurde. Merken Sie? Genau betrachtet, schaffen wir gar keinen neuen Menschen, wir entlehnen nur von überall längst vorhandene Eigenschaften und setzen sie, optimal gepaart, neu zusammen. Ich glaube, McGills Beispiel trifft den Sachverhalt recht gut: Wir modernisieren ein unzeitgemäßes Modell.

Stellen Sie sich diese Menschen den alten Griechen verwandt vor. Die begnügten sich auch mit der Theorie, praktische Erprobung galt ihnen als vulgär. Schließlich bedeutete Technik Arbeit, und Arbeit überließ man den Sklaven.«

»Ein gutes Stichwort: Sklaven! Wer wird diesen sanften Geistern die groben niedrigen Dienste für den Lebensunterhalt leisten, wenn sie selbst dazu die Fähigkeit und Lust verloren haben? Sind sie nicht schutzlos ihrer Umwelt ausgeliefert?«

»Eine Frage an McGill. Nur soviel: Dieser Wandel geht ja nicht von einem Tag auf den anderen vor sich, wird allerdings auch nicht so lange dauern, wie Sie jetzt vielleicht glauben. Die Knaben sind nach sechs Jahren geschlechtsreif. Der alte Adam vermehrt sich trotzdem immer noch. Ich schätze, siebzig, achtzig Jahre, bevor unsere Leute an die Macht gelangen, weil die anderen endgültig ausgestorben sind. Bis dahin ist eine Lösung gefunden, denken Sie nur an die Möglichkeiten der Computer. Aber vergessen Sie nicht: Eins unserer Ziele ist es doch gerade, genügsame Menschen zu schaffen, die mit den natürlich vermehrbaren Ressourcen dieser Welt auskommen. Die neue Kultur, die sich dieser Menschentyp schaffen wird, gründet ihr Fundament nicht mehr auf die technisch-industrielle Struktur, auf Konsum und Produktion, sondern auf die geistige Sphäre. Nicht mehr Erz und Kohle, Öl und Getreide werden die wichtigsten Rohstoffe sein, sondern das Wort, der Gedanke, die Phantasie, das Wissen. Die Sprache als Vehikel gedanklicher Modelle verfügt über astronomisch hohe Ausdrucksmöglichkeiten. Worte als Rohstoff sind trotz ihrer endlichen Zahl in unendlichen Kombinationen vorhanden, unerschöpflich zur Hand, um neue Ideen zu produzieren. Die unbegrenzten Träume des Gehirns werden die durch Mangel begrenzten materiellen Güter dieser Erde als Träger von Lustgewinn ablösen. Mit der Sonde seines Verstandes wird der neue Mensch die Welt durchdringen, ohne den Wunsch zu haben, das Machbare auch in die Tat umzusetzen.«

»Ein wahres Jubellied, das Sie da anstimmen«, murmelte Corall. »Wird aber nicht jede neue Erfindung so gefeiert, bis schließlich ihre Nachteile und Macken ans Licht kommen? Glauben Sie wirklich, der aggressive, streitsüchtige alte Adam wird sich so einfach von Ihrem zahmen ›McGill-Typ‹ verdrängen lassen?«

Löbsack lächelte schwach mit dem rechten Mundwinkel.

»Er wird es gar nicht merken, darum arbeiten wir ja hier im Dschungel. Und vergessen Sie nicht: Sein Verstand ist ein Neandertaler gegen den IQ unserer Jungs!«

Corall wollte nicht weiter provozieren, seinem alten Fehler von heute mittag keinen neuen hinzufügen, also lächelte auch er zustimmend. Löbsack begriff ihn.

»Werden Sie jetzt freundlicher mit dem alten McGill reden? Er verdient es.«

»Warum tut er das alles? Warum verpulvert er seine Milliarden in dieses Unternehmen, das doch seinen kapitalistischen Prinzipien völlig widerspricht, keinerlei Profit verspricht, im Gegenteil sogar den Konsum abschafft?«

»Das müssen Sie ihn fragen. Aber wäre es nicht vorstellbar, daß ein Mann mehr erreicht hat, wenn er der Schöpfer einer neuen Menschheit ist, statt der Besitzer des größten Bankkontos der Welt?«

»Das klingt nach Größenwahn!« Corall brach ab, überwältigt von dieser Vermessenheit. Löbsack widersprach nicht.

»Wahrlich ein gewaltiges Denkmal, das er sich da setzen will!« sagte Corall nach einer Weile, und jetzt hörte man schon Anerkennung aus der Stimme. »Wann hat er damit angefangen?«

»Wir arbeiten schon einige Zeit daran, und wir werden auch noch einige Zeit daran arbeiten.«

»Und Sie wollen mir nichts über meine Rolle in diesem Spiel verraten?«

»Warten Sie es ab!« Löbsack erhob sich. Corall machte diesmal keine Geste, um ihn zum Bleiben zu bewegen, für den Augenblick war sein Wissensdurst mit Fakten gestillt. Jetzt wollte er wirklich allein sein, nachdenken und zu begreifen versuchen.

Der Professor ging. Corall stand ebenfalls auf, senkte höflich den Kopf, trat dann ans Fenster. Seine nichts Bestimmtes suchenden Augen hingen plötzlich an zwei Öltanks fest, die, halb eingegraben und auf die Höhe der Tempel gebracht, am Rand der Anlage aus dem Boden ragten. Die Leitungsrohre, eine Pipeline mit erheblichem Durchmesser, verschwanden im Wald. Also doch nicht nur unberührte Natur! Die Technik hatte auch hier Zugang gefunden, wenn auch gut getarnt. Das mußte ja sein, denn wie sollten sonst die umfangreichen Versorgungsanlagen betrieben werden, die eine so große Anzahl Menschen und das Labor brauchten? Skepsis beschlich ihn – konnten Menschen jemals wieder völlig auf die Technik verzichten? Erst genaues Hinsehen enthüllte ihm durch die leicht flimmernden Abgase im Gegenlicht der sinkenden Sonne, daß der mittelgroße Tempel neben den Kesseln wohl ein Kraftwerk beherbergte. Vom Lärm der Turbine war nichts zu hören. Eine äußerst geschickte architektonische Lösung. Das galt für den Ausbau der gesamten antiken Stätte: Moderne und Altertum waren eine sinnvolle Symbiose eingegangen.

Er dachte wieder an McGill. Der ganzen Menschheit seinen Stempel aufzudrücken, hieß wirklich den Schritt zur Unsterblichkeit tun. Die Idee war hervorragend, die Ausführung entsetzlich. Es klang einleuchtend und human, was der Professor erklärte, aber da waren die Vergiftung der Wawilow'schen Zentren, die Zerstörung der Gen-Banken, der kranke Weizen, der Hunger in Asien – wie paßte das alles ins Mosaik, das die beiden von ihrer schönen neuen Welt entwarfen?

Von hier aus also sollte die dritte Revolution der Menschheit ihren Anfang nehmen, hier wurde die Guillotine geschärft, um der sechzigtausend Jahre alten Geschichte des Homo sapiens den Kopf abzuschlagen. Ein blödes Bild, verbesserte er sich, die immer gleiche Assoziation zum Titel ›Revolution‹, dabei verliefe diese Umwälzung unblutig. Man plante, die Menschheit verhungern zu lassen. Jedenfalls war Corall davon überzeugt, auch wenn noch niemand dieses Urteil offiziell gesprochen hatte.

›Man zerstört nur, um aufzubauen.‹ So lautete doch McGills Devise über die ›Konsequenz der Macht.‹ Welche Heuchelei! Macht dokumentierte sich immer als Kraft zur Umgestaltung, und das völlig wertfrei. Keinerlei Sinn als der, den Verhältnissen seinen Stempel aufzudrücken, mußte dahintersehen. Wer die Welt so in Abhängigkeit gebracht hatte wie McGill, der konnte für Brot einen neuen Glauben populär machen, seine politische Ideologie durchsetzen, verlangen, daß jeder sein Haus blau strich, karierte Hemden trug oder auf der Straße schielen mußte. Warum nicht auch eine neue Menschheit schaffen?

Seine Einstellung zu McGill schwankte zwischen Grauen und Bewunderung für den skrupellosen Mut, die Probleme der Menschheit auf so rigorose Weise anzupacken. Wie weit entfernt hatten Ben Veren von McGill wirklich gestanden?

Rückte die Beurteilung der Weltlage beider Todfeinde nicht dichter zusammen, als jeder von ihnen geglaubt hätte?

»Was werden Sie mit ihm tun, Chef?« fragte Tarax ungeduldig. Der Agent ging vor dem Quetzalvogelmosaik auf und ab, die Hände auf dem Rücken gefaltet, die Stirn in zornige Falten gelegt. Corall hatte ihn enttäuscht oder anders: Er war doch nur so wie alle anderen Burschen dieser Sorte auch. Tarax fühlte sich betrogen.

Den Rücken ans Fenster gelehnt, die Arme vor der Brust gekreuzt, sah ihm McGill bei seinem Teppichmarathon zu.

»Was soll ich mit ihm tun? Er hat mir das Leben gerettet.«

»Aber Sie wissen, daß er es nur getan hat, um seine eigene Haut heil aus der Schweinerei mit Aiger rauszubringen.«

»Sicher weiß ich das. Er hat diesen Ben Veren als Mitwisser erschlagen, hat sich mir als mutiger junger Mann andienen wollen. Das ist ihm auch gelungen, denn Sie vergessen eins, Tarax: Hätte er das nicht getan, wäre mein Leben vermutlich keinen Silberling mehr wert gewesen. Vereint hätten sie uns umgelegt. Er war meine Chance, und jetzt will ich seine werden. Verstehen Sie? Egal, welches Motiv ihn geleitet hat, es bleibt eine Tatsache, daß er mir das Leben gerettet hat. Ihnen übrigens auch.«

Tarax vermehrte die Stirnfalten, als er mißmutig die Augenbrauen zusammenzog. Wenn ihn die Armwunde auch nicht in der Bewegung hinderte, den Schmerz spürte er doch. Er teilte McGills Ansichten nicht.

»Ich würde ihn erschießen, er ist und bleibt trotz allem eine Ratte.«

McGill lächelte ein unbestimmtes Lächeln, nicht einverstanden, doch auch nicht ablehnend. Er ließ die Arme auseinanderfallen und stützte den Körper mit den Händen an der Scheibe ab, die einen fettigen Abdruck hinterließen.

»Wie kann man so häßliche Wünsche in Gegenwart des Sonnenvogels aussprechen? Schicken Sie ihm Gene, er soll ihn holen, und lassen Sie mich jetzt allein.«

Als Tarax die Tür leise von außen schloß, verkroch sich das unbestimmbare Lächeln in die Mundwinkel. McGill stieß sich vom Fenster ab und trat vor das Mosaik. Verdrossen starrte er den Quetzalvogel an.

»Wo bleibt die göttliche Eingebung?« mahnte er vorwurfsvoll das Bild. »Bin ich auf meine alten Tage zu voreilig, zu überschwenglich gewesen? Muß ich den Fehler korrigieren? Na, abwarten!« seufzte er, wandte dem Vogel den Rükken und setzte sich schwerfällig wieder auf seinen Hocker. Plötzlich fühlte er das Alter, plötzlich wehte der eisige Hauch ewigen Nichts durch sein Gemüt, stimmte ihn traurig. Alle Spannkraft hatte ihn verlassen, die Entscheidung wollte genau überlegt sein, aber er schob den Gedanken von sich. Noch war er nicht am Ende.

Er hörte kaum, wie sich die schwere Holztür öffnete. Ein leichtes Zischen nur, mit dem die Luft im Raum bewegt wurde. Dann schlug die aus Holz gedrechselte Klinke gegen die Wand und verursachte ein scharrendes Geräusch. Corall stützte sich mit den Ellbogen im Bett hoch und blickte zum Eingang. Die Dämmerung ließ die Gestalt in der Türfüllung gegen das kalte Neonlicht im Flur nur als Schattenriß erkennen. Sie war zierlich und trug Hosen, denn zwischen den Beinen fand der Lampenschein eine Lücke. Mit sanfter, etwas hoher Stimme sagte die Gestalt:

»Unser Vater McGill bittet Sie in sein Zimmer, mein Herr.« Einer der Jungen, es mußte einer der Jungen sein! Die Überraschung elektrisierte ihn, brachte ihn blitzschnell auf die Beine.

»Hallo!« sagte er betont kameradschaftlich, war schon unterwegs zur Tür, begierig, einen der Knaben endlich aus der Nähe zu sehen, Kontakt zu haben. Der Junge machte ihm Platz, trat einen Schritt zur Seite, und nun fiel Licht auf sein Gesicht.

Ein zartes Gesicht, ohne harte Konturen, beinahe mädchenhaft. Doch der ovale Kopf, die leicht vorspringenden Backenknochen, die schmale Nase, verrieten den künftigen Mann. Unvorstellbar, daß dieses Kind erst drei Jahre alt war. Körper und Gesichtszüge wirkten bereits geprägt von Erleben und Verstand.

»Wie heißt du?« fragte Corall, ihm fiel nichts Gescheiteres ein. Er suchte aber wenigstens ein kurzes Gespräch.

»Mein Name ist Gene Darwin.«

Das klang sehr ruhig, selbstbewußt und vernünftig gesprochen. Freundliche Distanz in Stimme und Haltung des Jungen konnte Corall nicht verborgen bleiben. Erschien er zudringlich? Das Kind konnte doch unmöglich wissen, was für ein Neugierobjekt es darstellte, oder doch? Trotzdem wollte Corall noch nicht aufgeben.

»Darwin, das ist ein berühmter Name.«

»Ich weiß, mein Herr, so hieß der Entdecker der Evolutionstheorie.« Wieder antwortete der Knabe mit freundlichem Ernst, wieder empfand Corall das unangenehme Gefühl, aufdringlich zu wirken. Er betrachtete das Kind, das in seiner blauen Overalluniform jetzt voll im Licht stand. Zwar hatte er die ›Brüder‹ des Jungen (aber es waren ja keine echten Brüder; besser nannte man sie wohl ›Artgenossen‹) nur aus der Ferne gesehen, er konnte jedoch keine Ähnlichkeit feststellen. Jedes Gesicht, verglichen mit diesem hier, spiegelte nur seine eigene Individualität. Sie waren also keine Dutzendware aus der Retorte. Das beruhigte ihn, schaffte direkt Erleichterung. Was hatte er erwartet? Einen Alptraum gleichgearteter, genormter Geschöpfe? Wahrscheinlich. Vor ihm aber stand ein zartgliedriger, aufgeschlossener Junge. Acht bis neun Jahre alt, hätte er geschätzt. Höflich distanziert, in Deutschland hätte man ›gut erzogen‹ gesagt. Erstaunlich, wirklich erstaunlich! Der Knabe hatte in seinem Leben bestimmt noch niemals die Ruinenstadt verlassen. Corall wollte sich nicht erkundigen, die Frage schien selbst ihm zu vertraulich. Logik und das, was Löbsack erzählt hatte, sprachen jedenfalls dagegen, doch das Kind bewegte sich absolut sicher und ungehemmt im Umgang mit einem Fremden, so als begegnete er solchen Situationen täglich.

»Wollen wir jetzt gehen? Der Vater wartet schon«, erinnerte der Junge, nichts Ungeduldiges oder Drängendes in der Stimme. Und doch fühlte sich Corall wieder ertappt. Er begriff, was ihn an diesem Kind so faszinierte und gleichzeitig verunsicherte: Es besaß bereits eine ausgeprägte Persönlichkeit.

»Gehen wir!« stimmte er mit ausgesprochen schlechtem Gewissen zu, fühlte sich direkt beschämt. Er hatte ein Monster erwartet, trotz aller Beteuerungen McGills, und wenn er ganz ehrlich seine Einstellung prüfte, konnte er auch jetzt noch nicht völlig von diesem Gedanken Abschied nehmen. Das war es wohl, was ihn diesem netten, klugen und auch wohlgestalteten Kind gegenüber so schuldbewußt machte.

Der Junge führte ihn den Weg zurück, den er schon kannte. Das Haar des Knaben, von seidigem Blond, reichte bis ins Genick, und jetzt, als er hinter ihm herging und nur den Rücken sah, erinnerte sich Corall, welch wunderschöne dunkelblaue Augen ihn aus diesem Gesicht angeblickt hatten. Mit jedem Schritt wuchs seine Sympathie für dieses Kind.

Der Knabe blieb vor McGills Tür stehen und klopfte – nicht devot, nicht schüchtern, sondern durchaus gleichberechtigt. Kein Erwachsener von McGills Leuten hätte es je gewagt, sich so selbstbewußt bemerkbar zu machen und auch ohne Aufforderung die Tür zu öffnen. Der Knabe tat es. Corall schmunzelte. Okay, auch er hatte keine Angst vor dem mächtigen Mann, es machte keinen Sinn, vor ihm Angst zu haben. Er konnte zur Zeit sein Schicksal sowieso nicht selbst bestimmen. Die unmittelbare Gefahr für sein Leben schien auch vorbei. Eine Aufgabe in diesem Aufenthalt hier war noch nicht zu erkennen, es sei denn, McGill zu töten und dann zu sterben. Aber er war noch zu keinem Entschluß gekommen. Und da war noch die Neugier, was der mächtige McGill ausgerechnet von ihm wollte. Dieses Kind aber hatte keine Angst vor McGill aus irgendwelchen persönlichen Erwägungen heraus, sondern weil es anscheinend überhaupt keine Furcht kannte. Der Knabe imponierte ihm.

Der Konzernherr, der die Menschheit umformen wollte, saß wie zuvor auf seinem Hocker, so als hätte er die ganze Zeit über seinen Platz nicht verlassen.

»Kommen Sie herein, Corall!« rief er, als die Tür längst offen stand und der Gast schon mehrere Meter in Richtung Tisch unterwegs war. Der Junge blieb draußen, schloß die Tür.

Wie beim Frühstück war Corall erneut mit McGill allein. Was er nicht wissen konnte: niemand hatte seit Jahren eine so lange Privataudienz unter vier Augen erhalten.

»Setzen Sie sich!« McGill deutete diesmal auf den Sitz ihm genau gegenüber. Corall hätte gern das direkte Visavis vermieden, um McGills Augen auszuweichen, konnte aber nicht ablehnen, ohne unhöflich zu wirken. McGill saß zusammengesunken da, als hätte ihn alle Spannkraft verlassen. Zum ersten Mal sah er wirklich alt aus. Die Hände lagen locker im Schoß gefaltet, der gefürchtete Blick starrte durch den Glastisch auf den Teppichboden. Die Tränensäcke unter den Augen waren geschwollen, die Haare des grauen Kränzchens um die Glatze standen unordentlich in alle Richtungen.

Nach der Aufforderung zum Platznehmen herrschte Schweigen. So lange, daß es unbehaglich wurde. Doch Corall wollte die Stille nicht respektlos beenden, wollte keine Belanglosigkeit über sein Zimmer oder die Tempelstadt sagen, und etwas anderes fiel ihm nicht ein. Also wartete er, überlegte, woran McGill denken mochte, betrieb das Kombinieren aber nicht allzu ernsthaft. Der Mann würde sich schon melden.

Ob er der gesamten Familie seiner Retortenkinder den Namen ›Darwin‹ gegeben hatte? An sich nur logisch, sie waren das Produkt einer neuen Auslese, einer neuen Evolution, die er in Gang gesetzt hatte. Er hätte sie genauso logisch auch ›McGill‹ taufen können.

»Professor Löbsack hat Ihnen den großen Rahmen unserer Tätigkeit hier abgesteckt. Sie haben ihn gefragt, was ich von Ihnen verlange. Nun, ich habe es Ihnen heute vormittag schon gesagt. Ich biete Ihnen die Position eines Sohnes.«

Wieder verschlug dieser ungewöhnliche Antrag Corall den Atem, aber endlich hatte das Gespräch begonnen. McGills Stimme klang schleppend, erschöpft, so wie es seine Körperhaltung ausdrückte.

»Ich biete Ihnen diese Position nicht nur, weil ich an eine Prophezeiung glaube. Halten Sie mich bitte nicht für so naiv, ich bin McGill! Ich gebe aber zu, es spielt eine gewisse Rolle. Wesentlicher beeinflußt mein Urteil Ihr Verhalten im Camp während des Überfalls. Zum ersten Mal in meinem langen Leben habe ich einen Menschen unter Einsatz seiner persönlichen Existenz mutig und entschlossen, in gefährlicher Situation handeln sehen. Ich schätze mutige Burschen!«

Noch immer blieb die Klangfarbe seiner Stimme matt. Kühl, distanziert, so fand Corall, drückte sie eigentlich das Gegenteil von dem aus, was er sagte. Das seltsame Gebaren des anderen machte ihn nervös, gestand sich Corall.

»Sie sind, so glaube ich, ein Mann, der seine Identität hält, der die Möglichkeiten seines Körpers und seines Geistes einzuschätzen versteht und danach handelt. Irre ich mich?«

Corall schwieg. Was hätte er darauf antworten sollen? Wie geschmeichelt er sich fühle, solches Lob aus McGills Mund zu hören? Daß er noch darum ringe, seiner selbst sicher zu werden, Persönlichkeit zu entwickeln, sich aber meilenweit von diesem Ziel entfernt glaube? Was sollte er sagen? McGill schien aus Überzeugung zu sprechen. Bewies die ruhige Art, in der er seine Meinung vortrug trotz der seltsamen Betonung nicht gerade, daß er keinen Wert darauf legte, durch Schmeicheleien billig ›einzukaufen?‹ Corall schwieg. McGill verstand.

»Ich weiß, es ist immer schwer, sich selbst objektiv zu beurteilen. Andere kennen einen oft besser als man selbst. Lassen Sie mich also weiter von meinem Eindruck ausgehen.

Bevor Sie eine endgültige Zusage geben oder ablehnen, will ich Ihnen den Vorhangzipfel noch etwas lüften, Ihnen noch etwas mehr von der häßlichen Wahrheit zeigen. Dann aber müssen Sie sich entscheiden.

Was ich Ihnen vorschlage, ist nicht leicht zu bewältigen. Ich kannte Ihren Lebenslauf, bevor Sie mich kennenlernten. Er war einer von rund zwanzig, die ich im Kopf hatte, als ich ins Camp flog. Jetzt ist er der einzige, der sich als wichtig

erwies. Ich kenne Ihre Jugend. Ihre Ausbildung, Ihre Abenteuer in Nepal, und ich sage Ihnen, Sie könnten es schaffen
– jedenfalls dann, wenn Sie einige Zeit meine volle Unterstützung genießen. Ein Vater liebt seinen Sohn, er wird alles
für ihn tun, aber er muß sich auch auf ihn verlassen können,
voll und ganz, ohne Wenn und Aber verlassen können. Ich
müßte mir ganz sicher sein, daß Sie mein Werk mit ganzer
Kraft und Überzeugung weiterführen, es ist schließlich mein
Vermächtnis an die Welt. Sie müssen das nicht heute abend
schwören, das hat noch Zeit, aber es ist keine Arbeit, die
nach normalen Maßstäben der Moral getan werden kann.
Der Weg ist oft schwierig, manchmal auch schrecklich, der
uns zu einem großen Ziel führt.«

Er machte eine Pause, sprach müde, ohne Kennzeichen
von Erregung in der Stimme, die das Thema eigentlich für
ihn haben mußte, und noch immer, als meinte er gar nicht,
was er da sagte. Er schwieg jetzt, um nachzudenken, verlangte von Corall noch immer keine Stellungnahme. Seine
Sitzhaltung veränderte sich nicht, auch nicht, als er wieder
zu reden begann.

»Sie wissen durch den Professor, zu welchem Zweck wir
die Kinder hier aufziehen. Die Menschheit wird sterben
müssen, damit die Welt wieder lebt. Der Materialismus fällt;
ein neues Geschlecht, mein Geschlecht, wird die Erde formen. Streben nach Macht wird mehr ihr Handeln bestimmen, und Lustgewinn wird nicht mehr aus Qual der anderen, sondern aus der gegenseitigen Zuneigung, dem Respekt voreinander bezogen. Nicht Wissenschaft, sondern
die Kunst regiert. Der Gedanke: Nicht Metall oder Öl sind
der Rohstoff, von dem das Volk lebt. Zufriedenheit wird
nicht Besitz, sondern Persönlichkeit vermitteln. Das klingt
utopisch. Literarisch sind solche Entwürfe durch die Jahr-
hunderte häufig genug angefertigt worden, die Bibel be-
schreibt so das Paradies. Aber halten Sie mich nicht für einen Spinner unter Spinnern. Denken Sie daran, was ich Ihnen über die dritte Revolution der Menschheit sagte; die ersten Ergebnisse sehen Sie hier. Was ich plane, ist machbar.
Aber das ist nur die eine Seite. Es genügt nicht, diese Kinder

in die Welt zu setzen, ihren Samen sich mehren zu lassen. Gegenüber der gegenwärtigen Weltbesatzung sind sie im Nachteil, dauert der Erneuerungsprozeß zu lange. Ihr verkrüppelter Selbsterhaltungstrieb, ihr Mangel an Aggression benachteiligt sie in der Auseinandersetzung mit der übrigen Menschheit. Darum müssen wir handeln, wir aus der alten, harten aggressiven Garde. Was kann man tun, um sie zu schützen? Die alte Biomasse muß aussterben!«

Corall biß die Zähne zusammen, verkrampfte die Muskeln, damit es ihn nicht schüttelte. Unfaßbar, mit welcher Leidenschaftslosigkeit McGill den geplanten Völkermord verkündete! Aber selbst er scheute die verbale Konsequenz, sprach von Biomasse und nicht von Menschen.

»Wie kann das getan werden? Durch Krieg? Ein untaugliches Mittel, das wir schon verworfen haben. Nein, es bleibt nur der andere Weg, der Hunger, man muß der Welt die Nahrung entziehen. Die Weichen dafür sind gestellt. Bevor ich Sie weiter einweihe, muß ich jetzt doch eine Entscheidung verlangen. Interessiert Sie mein Angebot überhaupt, oder langweile ich Sie nur? Dann ist es besser, Sie erfahren nicht alle Geheimnisse dieser Urwaldinsel. Trennen wir uns jetzt, ist Ihre Kenntnis der Dinge zwar groß, aber Sie müssen nicht noch mehr Sensationen verschweigen, die für uns eine Gefahr bedeuten.«

Er sprach nicht weiter, aber Corall begriff, daß jetzt die Grenze überschritten wurde, vielleicht schon überschritten war, die seine Unabhängigkeit garantierte, sogar sein Leben schützte. Blitzartig wurde ihm klar: Das Spiel war vorbei. Er konnte die Option nicht mehr verlängern, nun mußte er seine Überzeugung bekennen, doch er wollte noch immer nicht.

Sein Onkel kam ihm in den Sinn. Herbert stand im Talar auf der Kanzel und erzählte eine Geschichte. Was war das für eine Geschichte, die er vorlas? Corall hörte zu. Die hallende Stimme im Kirchenschiff sprach nur für ihn, ohne Pathos, einfach so, wie Herbert zu predigen pflegte. Und er las: ›Wiederum führte ihn der Teufel mit sich auf einen sehr hohen Berg und zeigte ihm alle Reiche der Welt und ihre

Herrlichkeit und sprach zu ihm: Das alles will ich dir geben, so du niederfällst und mich anbetest.‹

Er kannte die Geschichte, er kannte sie: ›Die Versuchung Jesu‹. Ein bißchen hoch gegriffen, Onkel Herbert, nicht wahr? McGill zeigt mir zwar alle Macht der Erde, aber wer bin ich? Wer bin ich denn? Soll ich niederfallen und anbeten?

»Wie kann ich eine Antwort geben, wenn ich nicht den gesamten Sachverhalt kenne, Mister McGill?« fragte er. »Ich bin wie betäubt von vielem, was Sie mir in den letzten Stunden offenbart haben. Es ehrt mich, wie hoch Sie meine Fähigkeiten einschätzen, aber ich habe keine Ahnung, ob ich je Ihren Ansprüchen genügen könnte. Sie verlangen von mir einen Sprung ins Wasser, und ich soll von einem Moment zum anderen darin schwimmen. Aber bin ich ein Fisch?«

»Mein lieber Junge«, sagte McGill, und jetzt zeigte die Stimme zum ersten Mal während dieser Unterredung einen Anflug von Herzlichkeit, »ich verstehe das alles gut. Wenn ich die menschliche Seele nicht verstünde, ich hätte Menschen nicht so beherrschen können. Werfen Sie Ihre Zweifel weg! Sie sind doch jemand, der Ziele kennt, der sein Leben nicht einfach an Nichtigkeiten verschleudern will. Ich kenne die Hintergründe Ihrer Entführung in Nepal genau; Jell Raj Singh ist mein Mann. Man hat Sie geschickt, und Sie waren bereit, etwas zu riskieren. Warum wollen Sie für sich selbst nicht dasselbe tun? Ich könnte mir vorstellen, daß Sie größer werden als mancher, dessen Name in den Geschichtsbüchern steht.«

›Er zeigte ihm alle Reiche der Welt und ihre Herrlichkeit und sprach zu ihm: Wenn du mich anbetest ...‹

»Zeigen Sie mir das ganze Szenarium, geben Sie mir eine Nacht zum Nachdenken, dann will ich Ihnen antworten.«

»Für ein ›Nein‹ könnte es dann zu spät sein.« Corall hörte die Drohung in der freundlichen Ermahnung, doch er wollte sich nicht fürchten, wollte die Option, anders zu entscheiden, noch nicht verlieren. »Lassen wir es dabei!«

»Also gut.« McGill straffte seine Haltung und hielt Coralls

Blick mit den Augen fest. Der Gast fühlte sich wieder einge-
sogen in dieses Chaos aus Nebel und Sumpf, diese Urland-
schaft und Kraft des Lebens, die da hinter den Pupillen brodelte, hypnotisierte, seinen Willen und ihn selbst zu verschlingen drohte.

»Die Weichen für den Hunger sind gestellt. Das Saatgut
in Asien liefern seit Jahrzehnten wir: nicht vermehrbare Hy-
briden!

Rußland hat die Bankrotterklärung seiner Landwirtschaft
schon vor Jahren eingestanden, lebt nur dank der Getreidelieferungen der westlichen Welt noch einigermaßen im
Wohlstand, kann allerdings aufgrund seiner bedrohlichen
Rüstungskraft damit nicht erpreßt werden. Wenn aber der
Hunger in Asien zu wirken beginnt, ist das sowjetische Im-
perium erstes Ziel verheerender Beutezüge hungernder
Horden aus der Dritten Welt. Das ist zwar nur ein Über-
gangsstadium; trotzdem wird es genügen, den roten Gigan-
ten in seine nationalen Bestandteile zu zerlegen. Jeder wird
sehen müssen, wie er selbst durchkommt, bis der totale
Nahrungsmangel das Chaos in sich zusammenbrechen läßt.

Dieser Zusammenbruch dürfte so vernichtend sein, daß
dann jahrtausendelang kein Sturm der Steppenvölker mehr
zu erwarten ist. Sie fallen zurück auf die Stufe der Jäger-
und Sammlerkultur, oder sie sterben gänzlich aus, denn die
natürlichen Zonen, aus denen sie nahrungsbietende Pflanzen regenerieren könnten, habe ich vernichten lassen.«

Auf dieses apokalyptische Weltgemälde, das er da aus-
malte, erwartete er offenbar Coralls Reaktion. Doch Corall,
von diesen Schilderungen bereits abgestumpft, zeigte sich
nicht so stark erschüttert, wie McGill es vielleicht vermutet
hatte. Vor allem nicht von der letzten Mitteilung.

»Ich weiß, was Sie getan haben, Ihre Vizepräsident hat es
uns gebeichtet, bevor ihm Veren die Kehle durchschnitt«,
sagte Corall sehr ruhig, obwohl ihm das Geständnis den
Hals ausdörrte. Hatten diese unerträglichen Augen ihm
Dinge entlockt, die er keinesfalls zugeben wollte? Nein, es
war einfach Zeit, Vertrauen gegen Vertrauen zu setzen.
Hinter ihm waren Brücken abgebrochen worden. Falls es

überhaupt noch einen Pfad aus diesen Trümmern gab, dann führte er nach vorn – oder ins Dunkel, wohin ihm Marjam, Veren und die anderen schon vorausgegangen waren. Er mußte jetzt zeigen, wer er wirklich war, oder untergehen. Zwar war ihm der Hals trocken, und in Wellen siedete ihm Hitze durch den Körper, aber sein seelisches Befinden besserte sich erfreulich. Er war wieder aufgewacht, sah wieder Sinn im Handeln.

McGill seinerseits reagierte auch keinesfalls so spontan auf dieses Geständnis, wie Corall noch immer insgeheim fürchtete. Er lehnte den Rücken bequem gegen die Wand, lächelte sogar, kreuzte die Arme über der Brust. Sein Schweigen überraschte Corall, gab ihm aber Gelegenheit, noch besser die Fassung zurückzugewinnen. Dann sagte McGill schließlich, genauso ruhig im Ton, wie Corall sein Bekenntnis abgelegt hatte: »Ich weiß das, mein Sohn.«

»Sie wissen es? Woher wissen Sie es?« Corall fuhr auf. »Sie bluffen!«

Die Eröffnung warf ihn um. Da saß jemand stundenlang mit ihm am Tisch, machte ihm die tollsten Angebote, nannte ihn sogar Sohn und wußte die ganze Zeit über, daß er ein Mittäter war, fast so schlimm wie der Mörder selbst. Dabei war es damals für ihn kein Mord gewesen, sondern nur eine Hinrichtung wegen Beihilfe zu einer schrecklichen Tat. Und nun war er, Christian Corall, ebenfalls drauf und dran, sich diesen schrecklichen Taten zu verschreiben. Plötzlich fühlte er sich unglaublich schwach, und das, obwohl doch seine Kräfte gerade wieder erstarkten.

»Ich bluffe nicht! Ich kann kaum ausdrücken, wie groß meine Freude über diesen Vertrauensbeweis ist.« Richtig gütig klang McGills Stimme.

Corall gestand es sich ein: Er hatte McGill unterschätzt, dem Mann war er nicht gewachsen, wirklich nicht. So etwas wie Zuneigung keimte in ihm auf. Doch er mißtraute dieser Regung, vielleicht verbarg sich dahinter nur feiges Glück, daß McGill ihn nicht bestrafen wollte.

»Sie haben den vierten Mann vergessen, mein Junge. Ihr Freund Marjam konnte nur drei der Rainbow Warriors erledigen, bevor Veren ihn erschoß. Der vierte lief davon. Tarax quetschte ihn aus, er hat Ihre Mittäterschaft verraten. Bis jetzt war ich mir nicht sicher, ob er Sie nicht nur aus Rache belastete, aber der Zweifel nagte doch ziemlich an mir. Ich danke Ihnen für die Wahrheit. Zuerst fürchtete ich eine regelrechte Verschwörung gegen mein genetisches Projekt hier in Palenque. Darum übernahm ich selbst die Untersuchung, wollte genau wissen, wer hinter diesem Anschlag stand und in welchem Ausmaß. Nach dem Überfall war ich doch ziemlich erleichtert, wie klein die Terrorgruppe war. Doch berichten Sie bitte: Was hat Shmul Aiger noch verraten, und warum habt ihr ihn gekidnappt?«

Jetzt hatte er wirklich alle Brücken hinter sich zerstört. Er sah die Pfeiler seiner Überzeugung wanken, stand er schon am anderen Ufer, an McGills Ufer. Wollte er dort überhaupt stehen, oder rissen ihn seine wankenden Entschlüsse mit ins Verderben. Ihm schwindelte. Stockend berichtete er die Einzelheiten jener schrecklichen Nacht. Lag das wirklich noch keine hundert Stunden zurück? Er konnte es kaum fassen. Über seine Motive mußte er nicht viel erzählen, McGill kannte sie bereits durch Jell Raj Singh. So verkürzte er auf das Notwendigste. McGill zeigte Verständnis.

»Wir wollen nie mehr davon reden«, sagte der Präsident, als Corall geendet hatte. »Jeder weiß jetzt von jedem genug, um ihm Ärger zu machen, auch das verbindet.« McGill schien das als ernsthaftes Angebot gegenseitiger Treue zu verstehen, nicht als Erpressung. In Coralls Ohren klang es wie Spott. Was konnte er gegen den großen McGill noch ausrichten? Sein Onkel hatte es prophezeit.

»Lassen Sie mich also mit unserem Projekt weitermachen!« griff McGill das Thema wieder auf, eiskalt das Schicksal seines Vizepräsidenten übergehend. Der Fall schien für ihn erledigt.

»Asien und das weiße Rußland werden uns also keine Schwierigkeiten machen. Ein logischer Grund für die Sowjetunion, uns in der Krise anzugreifen, entfällt. Wir werden sie in Maßen auch weiter mit Getreide unterstützen, was die Begehrlichkeit der Nachbarn noch reizen wird.

Europa bleibt sich selbst überlassen, der weiße Mann versteht sich zu helfen. Und wenn die Zeit reif ist, werden wir ihre Erneuerung mit unseren genetisch gereinigten Kindern betreiben.

Bleibt als Problem nur Südamerika. Hier müssen wir mit Gewalt vorgehen. Auch die restlichen Wawilowschen Zentren um den Amazonas sollen unter unseren Schutz und der Kontinent unter unseren Einfluß gelangen. Da an den politischen Schaltstellen Amerikas meine Leute sitzen, scheint diese Aufgabe lösbar, wenn auch nicht so elegant wie in Asien.«

»Trotzdem werden nach diesem gnadenlosen Holocaust nicht alle Gene der alten natürlichen Rasse ausgerottet sein. Damit bleibt ihr Haß gegen die Unterdrücker auch am Leben, denn sie werden wissen, daß man sie ausgehungert hat. Wie will sich jemand verteidigen, dessen Selbsterhaltungstrieb verschwunden ist?« Corall muckte eigentlich nur auf, um sich noch einmal schwach die noch nicht völlig vollzogene Unterwerfung zu beweisen.

McGill schmunzelte: »Wer braucht einen tumben Selbsterhaltungstrieb, wenn er Verstand genug besitzt, seine Lage zu durchschauen? Das neue Geschlecht wird schon begreifen, wenn man ihm ans Leder will. Auch wenn die industrielle Konsumproduktion endet, das Wissen um den Gebrauch von Atomwaffen zum Beispiel, geht doch deswegen nicht verloren. Es bleiben genug Möglichkeiten, sich ausreichend zu wehren, sollte der alte Adam noch einmal erstarken. Aber der neue Mensch wird das ohne Haß, ohne aufgepeitschte Emotionen besorgen. Nicht um des Kampfes willen zöge er in den Krieg; die Notwendigkeit wird ihn zwingen, das blutige Handwerk zu verrichten. Kein Machtrausch zur Befriedigung von Aggressionen; der Einsatz von Waffen wird nur dem Selbstschutz dienen.«

Corall nickte, es war ein Reflex; er fühlte sich völlig erschöpft, schweißgebadet und ausgelaugt. Nichts war mehr da vom Hoffnungsschimmer, daß seine Entschlossenheit zurückkehre.

»Ich bin völlig erledigt«, gab er ehrlich zu.

McGill machte ein besorgtes Gesicht, doch wie groß sein Kummer wirklich war, zeigte dieses Gesicht nicht.

»Ich habe Ihnen sehr viel zugemutet, ich ahne es, aber es war auch Ihr Wille. Sie müssen entscheiden. Morgen.

Gehen wir jetzt zum Essen in den Gemeinschaftsraum der Jungen! Lernen Sie sie kennen, es lohnt sich. Es sind nette Knaben, sie sind die Zukunft.«

Der Mond hing über der dunklen Wand des Waldes. Eine große, oben und unten leicht abgeplattete Apfelsine. Sein starres kaltes Licht lag auf den Ruinen, erhellte ihre Konturen, zog manchmal die Trennungslinie zum Schatten schärfer. Corall stand am Fenster, drückte die Stirn gegen die angenehm kühle Scheibe. Ein weiter Weg in kurzer Zeit: Nepal, Deutschland und jetzt Mexiko; noch weiter der Weg vom unbekannten Entwicklungshelfer zum möglichen Erben der Welt. Das Mondlicht verzauberte die alte Tempelstadt. In seinem Schein wirkte alles unecht, wie eine Kulisse und war noch lebendig gewesen und kompakt.

Er hatte um Bedenkzeit gebeten. Was gab es zu bedenken? Da war der Aufbruch in Nepal. Gegen eine korrupte Gesellschaft wollte er kämpfen, gegen die Kunsheis und ihre Machenschaften. Aber es hatte sich gezeigt, daß sie nur Schatten waren, die ganz andere warfen. Die Front wurde gewechselt, der Feind mächtiger. Jetzt wollte er gegen den größten Getreidekonzern zu Felde ziehen, den Nahrungsmonopolisten der Welt. Ein Mord, eine taktische Kapitulation, erneute Wendung und jetzt im Krieg mit der gesamten Menschheit. Klang das nicht alles lächerlich? Wer war er wirklich? Würde er es je erfahren? Alle hatten große Stücke auf ihn gehalten: Gilde, Ketjak, selbst McGill. Nur Veren hatte ihn nicht gemocht. Wer von ihnen hatte recht? Ziehen wir Bilanz!

Es gab nur die Wahl zwischen zwei Entscheidungen. Die dritte nämlich, gar nicht zu entscheiden, einfach abzuwarten, war keine echte Möglichkeit; sie führte direkt in den Untergang.

Er nahm die Stirn von der Scheibe.

»Ketjak«, sagte er halblaut, »falls du mich hörst: Ich weiß jetzt, wer den Weizen und den Reis ruiniert hat. Ich weiß auch warum. Ich weiß, wer den Meji-Bauern ins Unglück stürzte, wessen Handlanger verhinderte, daß Silos gebaut wurden. Ja, Ketjak, ich weiß es. Wir glaubten, daß üble, auf finanziellen Gewinn gerichtete Ziele dahinterstanden. Aber es ist mehr, Ketjak, viel mehr, es ist die Vernichtung deines Volkes, aller Völker auf dem großen Kontinent Asien. Du wolltest wissen, wer in das Fadenkreuz deines Hasses gehört, ich könnte ihn dir nennen, aber werde ich es tun?

Das alles ist kaum einen Monat her, am Ende wird sich vielleicht zeigen, daß du den weißen Satan mit dem Teufel austreiben wolltest.«

Entschied er sich für McGill, dann trug er den Rest des Lebens die schwere Hypothek, Ketjak verraten zu haben, dann mußte er zugeben, den ›Warrior‹ umgebracht und Marjams Tod verschuldet zu haben, und alles nur, um die eigene Haut zu retten. Dann bröckelte der Schutzwall vor seinem Gewissen, einer müsse wenigstens herauskommen, um der Welt die Verbrechen des Getreidegiganten in die Ohren zu schreien. Aber war die Welt nicht taub? Angenommen, er setzte diesen Plan in die Tat um, er blieb seinem Ziel treu, McGill zu entlarven – wer würde ihm, diesem Niemand, Glauben schenken angesichts eines Heers gekaufter Wissenschaftler und Journalisten, Werbeleute und Politiker, die das Gegenteil beschworen, schrieben, propagierten?

Er konnte aber auch handeln. Das hieß, jetzt hinauszugehen, die Öltanks am E-Werk leckzuschlagen, das Ganze anzuzünden, hundert Kinder, Männer und Frauen, vielleicht sogar McGill, in die Luft zu jagen oder zu verbrennen, diesen fürchterlichen Menschenzoo auszulöschen, den er gar nicht mehr so fürchterlich fand, wenn er es recht bedachte. Dabei blieb ihm sogar die Chance, an der Pipeline entlang wieder aus dem Dschungel herauszufinden und sein Leben zu retten. Was war er dann? Ein Held? Ein Massenmörder?

Er dachte an den kleinen Gene. Er hatte auch die anderen beim Abendessen kennengelernt, alles nette Kinder. Ketjak war tot, die Kinder lebten. Die Vorstellung, diesen Gene zu töten, um die Toten zu rächen, entsetzte ihn besonders. Nein, er würde nicht die Kraft dazu finden. Trotz aller Zuneigung, die ihm McGill erwies, war er ihm noch nicht verfallen. Ihn konnte er zur Sühne für Ketjaks und Chien-Nus Tod durchaus töten, aber nicht diesen Jungen, dieses verständige, kluge, an seinem Schicksal unschuldige Kind. War er nicht wirklich ein Gewinn für die Menschheit von morgen? Er war der echte Sohn McGills, wenn das Orakel stimmte. Er wurde nicht gezeugt, und zweifellos rettete er McGill in diesem Moment das Leben, erwies sich als stärkstes Hindernis, vielleicht doch dem alten Ziel treu zu bleiben und die Ölbehälter zu sprengen.

Schwor Corall also ab, dann blieb ihm der Makel des feigen Verräters, der Kameraden mordete, um selbst am Leben zu bleiben. Galt das als Notwehrsituation? Diesen Ausweg verwarf er, denn immerhin hatte Veren einen Plan ausführen wollen, der in minimalen Grenzen durchaus die Hoffnung ließ, daß alle davonkamen.

Was er auch tat, das Schicksal schien für ihn ein Henkersamt bereitzuhalten. Selbstmord also? Einfach aussteigen? Brachte das die Lösung? Hatte ihn sein Karma dafür um die halbe Welt geführt, damit er hier von eigener Hand starb? Unbekannt, unbeachtet, bald auch von den wenigen vergessen. Sollte das wirklich der einzige Sinn seines Lebens gewesen sein: die Sinnlosigkeit?

Da stand das Angebot von McGill. Nachfolger, König der Welt, Gestalter, Schöpfer und Mörder.

Er wußte, niemals würde er den Mut finden, sich selbst umzubringen. Was blieb also? Ein treuer Paladin des großen McGill zu werden. Ein Gedanke nicht ohne Verlockung. Und sofort fügte er noch die feige Tröstung an: Mache ich mit, gelingt es mir vielleicht, das Schlimmste zu verhindern.

Aber was wäre das Schlimmste? Das kalte Töten vom Schreibtisch aus oder auch dort nur wieder eine Niederlage, ein Scheitern, wenn McGills Idee nicht funktionierte?

Konnte sie denn funktionieren, hatten diese achtundsiebzig Kinder eine echte Chance?

Mehr als zwei Millionen Jahre Evolution hatten den herrschenden Menschentyp hervorgebracht, aus Versuch und Irrtum immer wieder neue Variationen geformt, bis aus dem Versuch endgültig ein Irrtum wurde, eine zerstörende, hassende Biomasse, bereit, sich selbst und die Natur zu vernichten. Gab es bei dieser Lage der Dinge überhaupt noch eine Wahl? Mußte man nicht bedingungslos McGills Projekt unterstützen, selbst wenn es mißlang? Dieser Irrtum war dann zumindest einen Versuch wert, denn schlechter als die alte Menschheit konnte die neue auch nicht werden.

Er erschrak, als er entdeckte, wie schnell er sich da einen bequemen Weg mit Argumenten pflasterte. Konnte man wirklich so einfach mit dem Verrat und dem Tod der anderen leben?

Fragen, Fragen, nur Fragen. Und die Antworten? Die Wahrheit war wohl, daß es keine Wahrheit gab.

Er fiel aufs Bett.

»Vergebung!« stammelte er. »Vergebung!«

Es war weit nach Mitternacht, als McGill Tarax rufen ließ.

»Hat er das Zimmer verlassen?«

»Nein.«

»Kein Anzeichen von geplanter Sabotage oder einem Anschlag auf meine Person?«

»Nein.«

»Das könnte bedeuten, daß er sich entschlossen hat, auf meine Seite zu treten. Es könnte aber auch noch immer das Gegenteil heißen. Er ist ein harter, prinzipientreuer Bursche. Ich fürchte, ich kann ihn nicht gewinnen, er würde sich niemals wahrhaft zu mir bekennen.« Das sagte er mehr zu sich selbst, doch mit ungedämpfter Stimme. Auch Tarax verstand den Satz.

»Niemand, der Palenque je gesehen hat, darf gegen uns sein. Es ist zu gefährlich. Ist es so, Tarax?«

»Es ist so, Chef.«

Der alte Mann weinte leise.

Tarax erschoß Corall im Schlaf lange vor dem Morgengrau-. en. McGill hatte Shmul Aiger gemocht. Er mochte alle seine Vizepräsidenten. Man ließ keinen Sohn ungestraft ermorden; aber diesmal hätte er gern verziehen.

Das Telegramm lautete:
*Bei einem Flugzeugabsturz in Mexiko kam Ihr Sohn tragischerweise zu Tode. In tiefstem Beileid McGill.*
   Nachsatz:
*Die Urne mit den sterblichen Überresten wird Ihnen durch meine europäische Vertretung zugestellt.*

Nun war er wirklich ganz er selbst geworden. Denn: ›Aus Staub sind wir gemacht, und am Ende werden wir wieder zu Staub.‹

# HEYNE
# SCIENCE FICTION
**BÜCHER**

**25 JAHRE** Heyne Science Fiction und Fantasy

*Romane und Erzählungen deutscher SF-Autoren im Heyne-Taschenbuch.*

Internationale Science Fiction Stories herausgegeben von WOLFGANG JESCHKE

**DAS DIGITALE DACHAU**

06/4161 - DM 9,80

WOLFGANG RIENHOLD HARALD BRAEM (HERAUSGEBER)

**Die letzten 48 Stunden**

06/3985 - DM 7,80

CARL AMERY

**An den Feuern der Leyermark**

SCIENCE FICTION

06/3835 - DM 6,80

HANS-JÜRGEN RABEN

**Krieg der Geschlechter**

SCIENCE FICTION

06/4061 - DM 6,80

GERO REIMANN

**Lila Zukunft**

SCIENCE FICTION

06/4048 - DM 5,80

**SCIENCE FICTION** ②① **Story-Reader**

Herausgegeben von WOLFGANG JESCHKE

06/4041 - DM 9,80

**HANS DOMINIK**

**ATOMGEWICHT 500**

06/3438 - DM 5,80

Seit 25 Jahren erscheint deutsche SF in der Reihe HEYNE SCIENCE FICTION UND FANTASY. Inzwischen liegen weit über 100 Romane und Erzählungen deutscher Autoren vor.